Bryan S. F. X. Miller Obl. OSB,

Leanochmor,

Kellas

FROM MALINES TO ARCIC

Commemorative Medal
ARCIC II MALINES 1996

BIBLIOTHECA EPHEMERIDUM THEOLOGICARUM LOVANIENSIUM

CXXX

FROM MALINES TO ARCIC

The Malines Conversations Commemorated

EDITED BY

A. DENAUX

IN COLLABORATION WITH J. DICK

LEUVEN
UNIVERSITY PRESS

UITGEVERIJ PEETERS
LEUVEN

1997

CIP KONINKLIJKE BIBLIOTHEEK ALBERT I, BRUSSEL

ISBN 90 6186 795 9 (Leuven University Press)
D/1997/1869/9
ISBN 90-6831-916-7 (Peeters Leuven)
D/1997/0602/25

Commemorative Medal (back side)
Design P. Huybrechts
The front side of the medal (on the frontispiece) shows
St. Peter's Basilica, Rome, and Canterbury Cathedral.
On the back side: tower of St. Rombout's Cathedral, Malines;
Cardinal Mercier's episcopal ring given to Lord Halifax.

Leuven University Press / Presses Universitaires de Louvain
Universitaire Pers Leuven
Blijde Inkomststraat 5, B-3000 Leuven-Louvain (Belgium)

© Uitgeverij Peeters, Bondgenotenlaan 153, B-3000 Leuven (Belgium)

PREFACE

On August 31, 1996, some four hundred people gathered in the historic city of Mechelen (Malines) in Belgium to commemorate the seventy-fifth anniversary of the Malines Conversations (1921-1925). The Archbishop of Malines-Brussels, Cardinal Godfried Danneels, who was our host, Archbishop George Carey, from Canterbury, and Cardinal Edward Cassidy, representing the Vatican, were prominent among the list of cardinals, bishops and ecumenical leaders from around the world who came to Mechelen to remember, study, reflect and pray together about the ecumenical movement in this century.

Through this book, we are pleased to offer the addresses given during the anniversary commemoration as well as a special selection of historic documents and contemporary reflections on the relationship between the Anglican Communion and the Roman Catholic Church. Part I covers the Malines Conversations yesterday and today. Emmanuel Lanne reflects on the ecumenical context at the time of the Malines Conversations. His article, in French, recalls the relations between Anglicans and Orthodox at the time of the Conversations; the recognition of the validity of Anglican ordinations by Constantinople, Jerusalem and Cyprus; and Anglican suggestions for the See of Canterbury in the event of union with Rome. An analysis of Dom Lambert Beauduin's contribution, *"L'Église anglicane unie non absorbée"*, shows that this text was a response to explicit requests by Anglicans who had envisaged that Canterbury would become a patriarchate and that the Pope's remittance of the pallium would serve as a sign in recognition of the special jurisdiction of England's primatial see and the other metropolitan sees in the Anglican Communion. Three documents from the Malines Conversations are here reprinted: an English translation of Lambert Beauduin's provocative proposal of 1925, *"The Anglican Church United not Absorbed"*, the Anglican statement from 1927, and the Roman Catholic statement from 1926. John Dick addresses the unfinished agenda of the Conversations and also provides the reader with his comments on the reactions to his book and an up-to-date bibliography of the Malines Conversations. Adelbert Denaux reviews the ecumenical contacts between Belgium and England since the Conversations.

Part II of the book surveys the work of The Anglican-Roman Catholic International Commission (ARCIC). We begin with A. Denaux's history of ARCIC, then move to Christopher Hill's reflections on the accomplishments of ARCIC from an Anglican perspective. Jean-Marie Tillard explores how the members of ARCIC I have let emerge the communion which already existed between the two churches, notwithstanding age-old controversies. In this section we also include the ceremonial addresses by Cardinal Danneels and Archbishop Carey for the academic session, which took place in the Major Seminary and was chaired by Professor Joseph Famerée (Louvain-la-Neuve). The letter from Pope John Paul II to Cardinal Cassidy on this occasion, ceremonial addresses delivered during the ecumenical prayer service in the St. Rombouts Cathedral, and the list of participants at the commemoration conclude this part. Part III brings an ARCIC bibliography 1966-1996 compiled by Denaux and Lorelei Fuchs. An Index of Names completes the volume.

The Malines Conversations were a dramatic breakthrough in the history of the ecumenical movement. We trust that readers of this book will not only remember the Conversations as a past event but find here an efficient tool to promote continuing work of Anglican/Roman Catholic dialogue. We express our gratitude to Prof. em. F. Neirynck and the publishers for accepting this volume in the *Bibliotheca Ephemeridum Theologicarum Lovaniensium*. In the past decade the BETL series has paid attention to the ecumenical dialogue by its publication of J. Dick's doctoral dissertation (1989), the collected essays of A. de Halleux (1990), the Mélanges J.-M. R. Tillard (1995), the collected articles of E. Lanne (1997), and now this Commemoration Volume.

Leuven   Adelbert DENAUX
                                                      John A. DICK

TABLE OF CONTENTS

PREFACE   VII

PART I – THE MALINES CONVERSATIONS

1. Emmanuel LANNE, "L'Église anglicane unie non absorbée" et le contexte œcuménique au moment des Conversations de Malines   3
2. Lambert BEAUDUIN, "The Anglican Church, United not Absorbed". Memorandum by a Canonist read by Cardinal Mercier (1925)   35
3. The Conversations at Malines 1921-1925: The Anglican Statement (July 1927)   47
4. Les Conversations de Malines 1921-1925: Mémoire présenté pour les Catholiques à la Conférence de Malines des 11 et 12 octobre 1926   65
5. John A. DICK, The Malines Conversations. The Unfinished Agenda   75
6. J.A. DICK, The Malines Conversations: Annotated Bibliography   81
7. Adelbert DENAUX, Ecumenical Contacts between Belgium and England since the Malines Conversations   93

PART II – THE WORK OF ARCIC

8. A. DENAUX, Brève histoire de l'ARCIC   111
9. Christopher HILL, ARCIC-I and II – An Anglican Perspective   133
10. Jean-Marie TILLARD, Faire émerger la communion. L'option de l'ARCIC-I   149
11. The 75th Anniversary of the Malines Conversations (31.08.1996) Ceremonial Addresses and List of Participants   171

PART III – ARCIC BIBLIOGRAPHY 1966-1996

Compiled by A. DENAUX and Lorelei FUCHS   195

INDEX OF NAMES   309

PART I

THE MALINES CONVERSATIONS

1

«L'ÉGLISE ANGLICANE UNIE NON ABSORBÉE» ET LE CONTEXTE ŒCUMÉNIQUE AU MOMENT DES CONVERSATIONS DE MALINES

Cette année on célèbre le 75ᵉ anniversaire des Conversations de Malines, premiers échanges officieux entre Catholiques et Anglicans avec l'accord à demi-tacite des autorités des deux parties. Dues à l'initiative conjointe et pleine d'espérance de trois personnalités remarquables pour leur ouverture œcuménique – l'abbé Fernand Portal, Lord Halifax et le cardinal Mercier – les Conversations de Malines sont étroitement liées à l'histoire de la revue *Irénikon* depuis ses origines. Dans celle-ci, dès sa première année (1926), dom Lambert Beauduin avait publié en abrégé des parties importantes de son mémoire demandé et cautionné par le cardinal Mercier, «l'Église anglicane unie non absorbée»[1]. Cette publication contribua, par la suite, aux difficultés graves que dut affronter son auteur durant les années 30.

Au cours des décennies qui ont suivi les Conversations de Malines plusieurs points, restés obscurs dans leur déroulement et leurs répercussions, ont été éclaircis. Toutefois, à l'occasion de cet anniversaire, nous voudrions revenir ici sur deux aspects de celles-ci qui nous paraissent éclairer plus largement le contexte dans lequel elles ont eu lieu. Le premier est la situation de ces Conversations dans la conjoncture œcuménique du moment, extrêmement foisonnante, et, en particulier, les perspectives ouvertes par le dialogue que les Anglicans nouaient avec les Orthodoxes, comme aussi avec les autres Communautés chrétiennes. Le second est la corrélation entre les requêtes des Anglicans et le contenu du mémoire de dom Lambert Beauduin «L'Église anglicane unie non absorbée».

I. LE CONTEXTE ŒCUMÉNIQUE AU MOMENT DES CONVERSATIONS DE MALINES

On sait que ce n'est point par hasard que l'abbé Portal et Lord Halifax se sont adressés au cardinal Mercier, archevêque de Malines, pour

---

1. *Les Patriarches*, in *Irénikon* 1 (1926) 239-244, 267-274.

qu'il patronne ces conversations. Le voyage triomphal de Mercier en
Amérique en 1919, mais aussi son allocution à la Convention des
évêques épiscopaliens, le 20 octobre de la même année, avaient accru
le rayonnement international, et œcuménique avant la lettre, de sa personne[2]. Mercier avait reçu l'Appel à l'Unité des évêques anglicans de
la Conférence de Lambeth d'août 1920[3] que lui avait fait parvenir l'archevêque Randall Davidson de Cantorbéry et il y avait répondu par
un télégramme, le 21 mai 1921, pour y donner son appui[4]. Dès avant la
réception de l'Appel de Lambeth, à la suite de ses contacts avec les Épiscopaliens américains, il avait entretenu le pape Benoît XV de l'oppor-
tunité d'un dialogue avec les Anglicans mais aussi avec les Orthodoxes,
et il lui avait écrit à ce sujet le 21 décembre 1920 pour lui proposer
d'inviter à Malines successivement un ou deux théologiens anglicans et
orthodoxes[5]. C'est au même moment que Mercier reçut la proposition de
Portal d'un projet de conversations avec les Anglicans (lettre du 24 janvier
1921), puis la visite de Portal accompagné de Halifax le 19 octobre[6]. Les
deux visiteurs lui proposaient donc de saisir l'occasion du fait nouveau

2. Sur le voyage en Amérique et les ennuis que lui valurent sa rencontre avec les Épiscopaliens, voir R. AUBERT, *Cardinal Mercier's Visit to America in the Autumn of 1919*,
republié dans R. AUBERT, *Le Cardinal Mercier (1851-1926). Un prélat d'avant-garde*,
Louvain-la-Neuve, 1994, pp. 329-352 (348); J. DESSAIN, *Les progrès de l'œcuménisme:
l'incident Mercier 1919-1922*, in *Revue théologique de Louvain* 5 (1974) 469-476;
J.A. DICK, *The Malines Conversations Revisited* (BETL, 85), Louvain, 1989, pp. 67ss.
3. Texte intégral de l'Appel de Lambeth dans G.K.A. BELL, *Documents on Christian
Unity 1920-4*, Oxford, 1924, pp. 1-14 (l'Appel proprement dit aux pp. 1-5). Le texte est
donné par Lord Halifax dans *The Conversations at Malines 1921-1925, Original Documents*, Londres, 1930. Celui reproduit par J.A. DICK (n. 2), pp. 193-197, est arrangé dif-
féremment de celui de Bell dans la partie qui suit l'Appel proprement dit. Cette dernière
version est reprise de *Conference of Bishops of the Anglican Communion* (Lambeth
Palace July 5 to August 7, 1920), *Encyclical Letter*, Londres, 1920, pp. 7-24. Texte intégral
avec le même titre, Londres, SPCK, ²1920, pp. 133-136. Les pages qui suivent après le § IX
n'appartiennent donc pas à l'Appel, mais forment le «Report of the Whole Committee».
4. Il s'agit d'un télégramme selon J.A. DICK (n. 2), p. 65, qui renvoie aux archives de
Malines. Selon la réponse de Davidson, il s'agit d'une lettre (de la même date). Cf. J. DE
BIVORT DE LA SAUDÉE, *Anglicans et Catholiques, Le problème de l'union anglo-romaine
(1833-1933)*, Bruxelles, 1949, p. 48, qui cite G.K.A. BELL, *Randall Davidson Archbishop
of Canterbury*, Oxford, ³1952, pp. 1254-1255.
5. J.A. DICK (n. 2), p. 68. Texte de la lettre de Mercier à Benoît XV dans R. AUBERT,
Les Conversations de Malines. Le cardinal Mercier et le Saint-Siège, Appendice I, republié dans ID., *Le Cardinal Mercier* (n. 2), pp. 421-422. Mercier souligne le mot «successivement».
6. Alors qu'il va être question ici des relations complexes entre Anglicans et Orthodoxes et des visées politiques et unionistes romaines, il y aurait lieu de rappeler l'ouverture réellement œcuménique, unique pour son époque, de l'Abbé Portal à l'égard de la
Russie orthodoxe, ouverture sans aucune pensée de prosélytisme et encore moins d'intérêts
politiques. Nous ne pouvons que renvoyer au beau travail de Régis LADOUS, *Monsieur
Portal et les siens (1855-1926)*, Paris, 1985, pp. 231-268 et *passim*.

que constituait l'Appel de Lambeth pour reprendre des contacts officieux entre Catholiques et Anglicans.

Par ailleurs, les années de la première guerre mondiale et celles qui suivirent furent marquées par une évolution des relations entre Anglicans et Orthodoxes qui allait influer aussi sur l'initiative de ce qu'allaient être les Conversations de Malines.

Avant d'en venir à ces événements qui déterminèrent la mise en route des Conversations de Malines, il faut aussi rappeler quelques faits. En premier lieu la situation nouvelle créée par la révolution de 1917 en Russie, puis par la guerre gréco-turque de 1920-1922.

À l'égard des Russes, le cardinal Mercier fit montre d'une très grande charité pour accueillir les réfugiés qui fuyaient leur patrie devenue la proie des Bolchéviques et, dans les années 1922-1923, organisa des secours de tous genres en leur faveur[7]. De son côté dom Lambert Beauduin, qui jouissait de l'amitié et de l'appui du cardinal, en était venu à s'intéresser directement aux problèmes de l'unité des chrétiens et, sous l'influence du métropolite André Szepticky, archevêque grec-catholique de Lvov[8] et du P. Lev Gillet, en liaison avec son disciple dom Olivier Rousseau, il projetait une fondation monastique en faveur de l'union des Églises[9]. Professeur d'ecclésiologie au Collège bénédictin Saint-Anselme de Rome depuis octobre 1921, il était en relations étroites avec le Collège grec Saint-Athanase, dont la direction était confiée à ses confrères bénédictins. Pour le moment son intérêt se portait d'abord vers l'Orthodoxie russe, voire ukrainienne et grecque-catholique, mais il allait bientôt se tourner aussi vers la Communion anglicane. C'est, en effet, au moment même où se concrétisait son projet à l'égard de l'Orthodoxie russe, qui avec la lettre *Equidem Verba* de Pie XI (21 mars 1924) allait conduire à la fondation du monastère d'Amay-sur-Meuse[10], que le cardinal Mercier lui demandait sa collaboration aux Conversations de Malines avec un mémoire qui allait devenir célèbre: «L'Église anglicane unie non absorbée».

La question balkanique, par ailleurs, avait fait naître les hypothèses les plus audacieuses. Durant la première guerre mondiale, le Vatican

---

7. Cf. Luc COURTOIS, *Le Cardinal Mercier. Introduction à l'étude d'une personnalité*, in R. AUBERT, *Le Cardinal Mercier* (n. 2), p. 86, et le mémoire inédit de N. TAMIGNEAUX, *Le cardinal Mercier et l'«Aide belge aux Russes»*, Louvain-la-Neuve, 1987.

8. À cette époque la ville est appelée plus fréquemment Lemberg et aussi Leopol; aujourd'hui Lviv.

9. Cf. Sonya QUITSLUND, *Beauduin, A Prophet Vindicated*, New York, 1973, pp. 80ss. É. BEHR-SIGEL, *Lev Gillet, «Un Moine de l'Église d'Orient»*, Paris, 1993, pp. 117ss.

10. Aujourd'hui à Chevetogne.

avait été préoccupé de voir la Russie s'installer éventuellement sur le Bosphore, reprenant ainsi le vieux rêve de Potemkine, qui voulait refaire l'empire byzantin au profit de Catherine II. Ces craintes du Saint-Siège se manifestèrent dès 1915-1916[11]. Le Vatican «tremblait» à la pensée que la Russie tsariste puisse s'installer sur les Détroits et s'emparer de Saint-Sophie. Le cardinal Gasparri, Secrétaire d'État de Benoît XV, demanda au cardinal Amette, archevêque de Paris, de s'entremettre auprès du gouvernement français pour que Sainte-Sophie, au cas où elle serait enlevée à l'Islam, devienne non pas russe, mais française[12]. En juillet 1917, la «ponenza» d'une réunion des cardinaux de la curie spécifiait: «À coup sûr, si l'empire des tsars qui vient de disparaître avait réussi à obtenir la souveraineté sur Constantinople, il aurait nommé un patriarche pour cette ville, lequel avec le nom de patriarche de Byzance, serait devenu le chef suprême de toutes les Églises orientales et le redoutable antagoniste du pontife romain. En ce cas, le titre et le prestige historique des anciens patriarches de Byzance aurait suppléé à la valeur personnelle du premier patriarche nommé. Il semble de toute manière que la Providence divine ait éventé pour le moment un tel dessein»[13].

Ces craintes du Saint-Siège continuèrent toutefois lors de la Conférence de Paris en 1919. Vénizélos y demandait pour la Grèce la possession de toute la Thrace et aussi Constantinople, en tant que siège du patriarcat œcuménique. Les milieux anglicans se montraient très favorables à la thèse grecque[14]. Le délégué apostolique à Constantinople, A.M. Dolci, en informait le Saint-Siège. Le cardinal Gasparri lui répondit le 27 mars 1919 qu'il partageait pleinement ses préoccupations et lui faisait savoir que la position du Vatican était que, si Sainte-Sophie ne restait pas aux mains des Turcs, on la revendiquerait pour le «culte catholique oriental» et le Saint-Siège était prêt à payer le prix fort pour l'obtenir[15]. Dolci s'employait donc activement en ce sens et écrivait à Gasparri que si Sainte-Sophie était en possession des Grecs, «le patriarche du Fanar» apparaîtrait comme «le Pontife Suprême de l'Orthodoxie» et ainsi «la grandeur de ce temple jetterait une ombre néfaste sur la tendance unioniste des autres Églises orthodoxes avec Rome, et

11. Voir R. MOROZZO DELLA ROCCA, *Benedetto XV e Costantinopoli: fu vera neutralità?* in *Cristianesimo nella Storia* XIV/2 (1993) 375-384.

12. *Ibid.*, p. 378.

13. *Ibid.*, p. 379.

14. Giuseppe M. CROCE, *La Badia di Grottaferrata e la Rivista 'Roma e l'Oriente'. Cattolicesimo e Ortodossia fra unionismo e ecumenismo (1799-1923)*, 1990, vol. II, pp. 268ss. Voir déjà pp. 266ss., note 177. G.M. Croce fournit sur ce sujet une documentation très importante.

15. *Ibid.*, p. 270.

spécialement de la Russie», ajoutant: «Tous les sacrifices que l'on fera pour que l'Orthodoxie grecque, tant qu'elle est loin de Rome, n'ait pas Sainte-Sophie, seront petits en face des dommages qui en résulteraient pour nos hauts intérêts religieux»[16].

La réunion des cardinaux, convoquée par Gasparri au même moment, prit connaissance, parmi les pièces du dossier qui lui était soumis, d'un mémoire de Mgr Louis Duchesne qui contestait la thèse de la nature catholique (romaine) de l'édifice et démontrait que, si elle avait un propriétaire naturel, c'était bien l'Église orthodoxe de Constantinople. Duchesne ajoutait que la prise de Sainte-Sophie par l'Église catholique, c'est-à-dire par les Latins, approfondirait encore le fossé qui séparait le Catholicisme du monde orthodoxe:

> Plus douloureusement encore, ce coup retentirait dans l'âme des popula-
> tions orthodoxes. Sainte-Sophie est leur centre religieux, quelque chose
> comme Saint-Pierre pour l'Occident. La conquête turque la leur avait ravie.
> Au moment où, profitant de circonstances favorables, ils étendent la main
> pour la reprendre, on veut la leur arracher de nouveau et pour la donner à
> qui? Aux Latins, à leurs rivaux et adversaires traditionnels, à ceux dont ils
> savent ou croient avoir eu tant à souffrir. Il est vrai qu'on parle d'habiller
> ces Latins en Grecs et de leur faire célébrer les offices suivant le rituel de
> saint Jean Chrysostome. Raison de plus pour écarter ces faux frères. Qu'ils
> officient en grec ou en latin, ce seront toujours les fidèles, les disciples, les
> représentants du pape de Rome[17].

La prise de position courageuse de Duchesne fut fortement critiquée, mais les choses en demeurèrent là, car Sainte-Sophie resta une mosquée.

Cette initiative du Saint-Siège à l'égard de Sainte-Sophie permet de mieux comprendre l'implication du cardinal Mercier dans la tentative d'attribution à la Belgique du protectorat des Lieux Saints, sur la suggestion du même cardinal Gasparri[18]. Ces démarches de Mercier eurent lieu au même moment, en 1919 et 1920. Lors d'une entrevue avec Clémenceau à Paris le 15 janvier 1920, Mercier demanda à celui-ci que la Conférence de Paris «internationalise Constantinople et donne au roi Albert un mandat de la Société des Nations sur la ville»[19]. Clémenceau

---

16. *Ibid.*, p. 271.

17. *Ibid.*, pp. 279-280.

18. Roger AUBERT, *Les démarches du cardinal Mercier en vue de l'octroi à la Belgique d'un mandat sur la Palestine*, in ID., *Le Cardinal Mercier* (n. 2), pp. 281-327. Voir aussi R. BOUDENS, *Two Cardinals: John Henry Newman, Désiré Joseph Mercier* (BETL, 123), Louvain, 1995, pp. 349-350.

19. R. AUBERT, *art. cit.*, p. 303, note 113, signale que «la question de Constantinople, en particulier de la basilique Sainte-Sophie, préoccupait beaucoup le Saint-Siège, qui avait insisté à plusieurs reprises pour que Mercier intervienne auprès des plénipotentiaires afin qu'elle soit rendue au culte chrétien».

lui répondit qu'on avait finalement décidé de laisser la ville aux Turcs. Aussi, l'option de Constantinople s'avérant impossible, Mercier lui demanda pour le roi des Belges un mandat sur la Palestine[20]. Clémenceau lui promit de s'occuper personnellement de la chose. Finalement le projet n'aboutit pas.

Cet enchaînement de faits, rappelé sommairement, jette une lumière sur un autre aspect des rapports entre les Églises, celui des relations des Anglicans avec les Orthodoxes.

En novembre 1918 Mélétios Métaxakis, alors métropolite d'Athènes, en exil aux États-Unis, vint faire visite à l'archevêque de Cantorbéry Randall Davidson pour obtenir qu'il intervienne en faveur de la restitution de Sainte-Sophie de Constantinople au culte orthodoxe. G.K.A. Bell, le biographe et ancien secrétaire de l'archevêque Davidson et futur évêque de Chichester, note que «le lamentable retard apporté à faire un traité de paix avec la Turquie» «en raison des préoccupations nationalistes des Alliés et du manque d'engagement des États-Unis pour protéger les populations chrétiennes d'Asie Mineure, a causé beaucoup de malheurs à ces populations chrétiennes»[21]. C'était la survie même de l'Église orthodoxe dans ces vieilles terres chrétiennes qui était en jeu. En mai 1919, le métropolite Dorothée de Brousse, *locum tenens* du trône patriarcal de Constantinople, vint à Paris à l'occasion de la conférence de la paix et, le 28 mai, il adressait un appel à Lambeth en rappelant les massacres commis par les Turcs. Pour sauver la communauté chrétienne il demandait que le sultan soit écarté de Constantinople et s'adressait pour cela «à notre Église sœur d'Angleterre». L'archevêque Davidson intervint à plusieurs reprises à la Chambre des Lords et auprès du gouvernement britannique, comme aussi auprès des Américains, en décembre 1919 et dans les premiers mois de 1920.

Au même moment, en janvier 1920, Dorothée de Brousse, toujours *locum tenens* du patriarcat, et onze métropolites avaient signé et adressé «à toutes les Églises du Christ où qu'elles soient» une encyclique en vue d'une coopération commune qui préparerait l'unité[22]. Ce document célèbre est l'un des points de départ de l'engagement œcuménique contemporain.

---

20. *Ibid.*, pp. 303ss.; pp. 323ss. les notes de Mercier pour son entrevue avec Clémenceau.
21. Voir BELL, *Randall Davidson* (n. 4), p. 1088.
22. Texte de l'encyclique dans BELL, *Documents* (n. 3), pp. 44-48. L'encyclique était en grec, aussi C. PATELOS (*The Orthodox Church in the Ecumenical Movement*, Genève, 1978, pp. 40-43) en donne-t-il une traduction légèrement différente.

Le 2 juillet 1920 s'ouvrait la Conférence de Lambeth à laquelle assistait une importante délégation orthodoxe. La présence de cette délégation signifiait la reprise des contacts entre Anglicans et Orthodoxes que la guerre avait interrompus[23]. La délégation orthodoxe fit rapport au St-Synode de Constantinople sur la Conférence de Lambeth. Dans ce rapport la question de l'intercommunion entre Orthodoxes et Anglicans était discutée et pour cela les points essentiels de la dogmatique étaient passés en revue. En particulier, il y avait une analyse détaillée de la théologie et de la pratique des sacrements anglicans et la question de la validité des ordinations anglicanes y était soulevée[24].

Le 15 juillet, après l'intervention de certains évêques de la Conférence de Lambeth en faveur de la reconnaissance de la validité des ministères des presbytériens et d'autres protestants, l'archevêque Lang d'York eut l'idée que la Conférence pourrait lancer un «Appel à tous les chrétiens» en faveur de l'unité. Bishop Brent, le promoteur depuis 1910, d'un mouvement pour l'unité dans «la foi ct la constitution», était parmi ceux qui appuyaient cette initiative. L'Appel fut mis au point le 30 juillet. Il s'adressait donc aux chrétiens – et non aux Églises, comme l'encyclique de Constantinople[25] –, plus précisément «à tous ceux qui croient en notre Seigneur Jésus-Christ et ont été baptisés au nom de la Sainte Trinité, partageant avec nous l'appartenance à l'Église universelle du Christ qui est son Corps».

Les deux points les plus importants de l'Appel sont le VIIIe et le IXe qui traitent respectivement de la reconnaissance réciproque des ministères, et des sacrifices que chaque groupe chrétien devra accepter pour parvenir à l'union. Le point VIII, en particulier, contenait un passage qui, à la suite d'une suggestion du Fr. W.H. Frere, allait décider l'abbé Portal et Lord Halifax à entreprendre leur démarche auprès du cardinal Mercier:

> Nous croyons que pour tous, la manière véritablement équitable d'envisager l'union est dans le respect mutuel de la conscience les uns des autres. Aussi, nous qui adressons cet appel, nous voulons dire que si les autorités des autres Communions le désiraient, nous sommes persuadés que, si les conditions de l'union ont été par ailleurs mises au point de manière satisfaisante, les évêques et le clergé de notre Communion accepteraient volontiers de ces autorités une forme de mandat ou de reconnaissance qui

23. Cf. Clément LIALINE, *Anglicanisme et Orthodoxie. Quelques aperçus sur leurs relations*, in *Istina*, 1956, pp. 32-81 (52ss.).

24. Texte du rapport dans BELL, *Documents* (n. 3), pp. 52-76 (61s.).

25. Analyse de l'Appel de Lambeth dans A.M.G. STEPHENSON, *Anglicanism and the Lambeth Conference*, Londres, 1978, pp. 144ss. Pour le texte de l'Appel, voir ci-dessus, n. 3.

recommanderait notre ministère à leurs communautés comme ayant sa place dans la vie de l'unique famille[26].

Dans la partie publiée par Halifax, l'Appel se terminait par les phrases suivantes:

> Nous ne demandons pas qu'aucune Communion doive consentir à être absorbée dans une autre. Nous demandons que toutes doivent s'unir dans un nouvel et grand effort pour retrouver et pour manifester au monde l'unité du Corps du Christ pour laquelle il a prié[27].

Nous allons revenir plus loin sur cette finale du texte telle que l'a publié Halifax.

Pour compléter le cadre œcuménique de cette année 1920 on doit aussi mentionner les premières réunions préparatoires qui eurent lieu au milieu du mois d'août à Genève pour fonder les mouvements Vie et Action (9-12 août) et Foi et Constitution (12-20 août), d'où sortirait un jour le Conseil œcuménique des Églises. Roger Aubert a noté, à juste titre, que c'est en fonction de ces initiatives œcuméniques de Lambeth et de Genève que le cardinal Mercier prit l'initiative de sa note au pape Benoît XV[28].

Dans le même temps, cependant les relations entre les Orthodoxes et les Anglicans allaient prendre de nouveaux développements. En novembre 1921, juste avant l'ouverture des Conversations de Malines, le métropolite Mélétios Métaxakis, exilé aux États-Unis, fut élu patriarche de Constantinople. Son élection était contestée par le parti grec anti-vénizéliste, qui lui opposait le métropolite Chrysanthe de Trébizonde. L'un et l'autre élus vinrent à Londres au milieu de janvier 1922 pour avoir l'appui de l'archevêque de Cantorbéry Davidson en faveur de leur propre candidature. Chacun pour sa part assurait l'archevêque anglican qu'une fois sur le trône de Constantinople il entreprendrait tout ce qu'il pourrait en faveur de l'Église anglicane. La question de la validité des

---

26. Voici le texte anglais de ce passage décisif: «We believe that for all, the truly equitable approach to union is by the way of mutual deference to one another's consciences. To this end, we who send forth this appeal would say that if the authorities of other Communions should so desire, we are persuaded that, terms of union having been otherwise satisfactorily adjusted, Bishops and clergy of our Communion would willingly accept from these authorities a form of commission or recognition which would commend our ministry to their congregations, as having its place in the one family life» (HALIFAX, *The Conversations at Malines* [n. 3], p. 69). Régis LADOUS, *Monsieur Portal et les siens 1855-1926* (cf. n. 6) donne une traduction beaucoup plus large que celle que nous proposons, mais qui en rend bien le sens. Les évêques de la Communion anglicane s'y déclaraient prêts «à accepter des autorités des autres Communions (...) une forme d'autorité et de mandat qui serait aux yeux de leurs fidèles une preuve que notre hiérarchie a sa place dans l'existence de la famille réunie».

27. HALIFAX, *The Conversations at Malines*, p. 70.

28. R. AUBERT, *L'histoire des Conversations de Malines*, in *Collectanea Mechliniensia* 52 (1967) 45-46.

ordres anglicans n'était pas directement mentionnée dans la conversation, mais Davidson comprit qu'elle était impliquée dans les déclarations des deux prélats orthodoxes. Benoît XV mourait le 22 janvier; l'archevêque Davidson assurait le métropolite qui venait se recommander à lui que la question du patriarcat de Constantinople intéressait beaucoup plus l'Église anglicane que l'élection du nouveau pape. «Ils étaient trop loin de Rome, mais n'étaient pas si loin de l'Église d'Orient»[29]. On était déjà, cependant, après la première Conversation de Malines (6-8 décembre 1921).

Dès 1921, l'archevêque de Cantorbéry avait nommé un comité présidé par Bishop Charles Gore, ancien évêque d'Oxford, pour préciser les termes d'une intercommunion possible entre l'Église d'Angleterre et les Églises orthodoxes[30]. Le comité rédigea un document en treize points qui passaient en revue l'enseignement anglican. En mai 1922, une déclaration de foi anglicane en dix points, signée par 3715 prêtres de cette Église, fut présentée au St-Synode de Constantinople[31].

Suite à ces démarches et aux contacts qu'il avait eus avec l'archevêque Davidson, le patriarche Mélétios IV (Métaxakis) prit l'initiative de lui écrire au nom du St-Synode de Constantinople, le 28 juillet 1922, que «pour l'Église orthodoxe les ordinations des évêques, prêtres et diacres de la Confession épiscopale anglicane possèdent la même validité que celles des Églises romaine, vieille-catholique et arménienne, puisque tous les éléments essentiels s'y trouvent qui du point de vue orthodoxe sont tenus pour indispensables pour que soit reconnu le 'charisme' de la prêtrise qui vient de la succession apostolique»[32]. Au mois d'août de cette même année 1922, Mélétios en accord avec son St-Synode envoya une encyclique aux chefs des autres Églises orthodoxes pour leur demander d'examiner la validité des ordinations anglicanes. Du point de vue du St-Synode de Constantinople, ces ordinations sont valides pour cinq motifs dont les deux premiers et principaux sont que Matthew Parker a été ordonné en 1559 par quatre évêques et que dans cette ordination et dans celles de l'Église anglicane le rite essentiel a été préservé: imposition des mains, épiclèse du Saint-Esprit et intention de transmettre le charisme du ministère épiscopal[33].

29. BELL, *Randall Davidson* (n. 4), pp. 1096s.
30. Texte dans BELL, *Documents* (n. 3), pp. 77-89.
31. *Ibid.*, pp. 90-92.
32. *Ibid.*, document 19, p. 93.
33. Les trois autres motifs sont: 3. que les théologiens orthodoxes sont unanimes à reconnaître cette validité; 4. que la pratique de l'Église orthodoxe n'a jamais mis en doute ces ordinations en sorte qu'en cas d'union on devrait les réitérer; 5. que les patriarches orthodoxes quand ils s'adressent aux archevêques anglicans les appellent «très révérend

Le 16 février 1923, un mois avant la seconde des Conversations de Malines, l'archevêque Davidson mettait officiellement la Convocation de Cantorbéry au courant de l'évolution des relations avec les Orthodoxes[34]. Quelques semaines plus tard, le 27 février/12 mars 1923, le patriarche Damianos de Jérusalem informait Davidson que le St-Synode de la Ville Sainte aboutissait à la même position que Constantinople quant à la validité des ordres anglicans, c'est-à-dire que ceux-ci sont reconnus aussi valides que ceux de l'Église romaine[35]. Quelques jours après, l'archevêque Cyrille de Chypre répondait à l'encyclique patriarcale que son Église parvenait aux mêmes conclusions: les ordinations anglicanes sont valides comme celles des Églises romaine, vieille-catholique et arménienne. Il émettait toutefois une réserve que Constantinople et Jérusalem n'avaient point explicitée: cette reconnaissance n'impliquait pas l'intercommunion, car celle-ci supposerait l'union dogmatique entre les deux Églises[36].

Pour Noël 1923 l'archevêque Davidson adressait une lettre aux archevêques et métropolitains de la Communion anglicane[37]. Dans cette lettre le primat de Cantorbéry mettait ses collègues au courant des effets de l'Appel de Lambeth de 1920. Le point 6 de la lettre traitait des relations avec les Orthodoxes et le point 8 des relations avec l'Église catholique.

Dans le rapport sur les relations avec les Orthodoxes il faisait état de la reconnaissance de la validité des ordinations anglicanes de la part de Constantinople, puis de Jérusalem et de Chypre, et indiquait aussi que cette reconnaissance avait des effets limités.

La partie concernant l'Église de Rome était la plus développée, car il fallait dissiper les faux bruits qui couraient et exposer clairement la situation réelle. L'archevêque de Cantorbéry commençait par souligner combien le sujet était délicat; puis il faisait rapport sur les Conversations de Malines en cours, insistant sur la prudence avec laquelle il avait accepté cette démarche. Il parlait ensuite des secondes conversations

frère dans le Christ». Texte de l'encyclique, *ibid.*, document 20, pp. 94-97. Traduction française dans la *Documentation catholique* XIV (juillet-décembre 1925), col. 1021-1023, avec d'autres documents sur les relations anglicanes-orthodoxes.

34. BELL, *Randall Davidson* (n. 4), pp. 1104ss.
35. BELL, *Documents* (n. 3), document 21, p. 97.
36. Texte de la lettre, *ibid.*, document 22, pp. 98-99.
37. Texte dans BELL, *Documents* (n. 3), document XX, 89, pp. 338-348, reproduit dans J.A. DICK, *The Malines Conversations Revisited* (n. 2), pp. 201-206. Analyse de la partie du document qui traite des Conversations de Malines dans BELL, *Randall Davidson* (n. 4), pp. 1282-84. Extraits de la lettre en traduction française dans J. DE BIVORT DE LA SAUDÉE, *Documents sur le problème de l'union anglo-romaine (1921-1927)*, Paris, 1949, pp. 135-139. Ces extraits ne portent que sur le point 8: les relations avec Rome et les Conversations de Malines.

tenues en mars 1923 qui avaient porté «sur certains grands problèmes administratifs qui pourraient se poser au moment où l'on serait parvenu à un document d'accord sur les grandes questions doctrinales et historiques qui séparent les deux Églises»[38]. Davidson continuait en disant qu'il avait donné son accord pour les troisièmes Conversations qui venaient de se tenir quelques semaines plus tôt et il en assumait la pleine responsabilité. Il y avait fait participer le Dr Charles Gore (celui qui présidait le Comité pour les relations avec les Orthodoxes), et le Dr Kidd, historien connu des origines chrétiennes, deux bons connaisseurs de l'Église romaine.

Cette lettre aux archevêques et métropolitains souleva une tempête, dit Bell[39], tant du côté anglican intransigeant et protestantisant, que du côté catholique anglais. On sait que le cardinal Mercier répondit aux critiques par la belle lettre à son clergé du 18 janvier 1924[40]. Mais la lettre de Davidson aux archevêques et métropolitains, qui passait en revue tous les effets produits par l'Appel de Lambeth et soulignait la nouveauté des relations avec les Orthodoxes et la portée des Conversations de Malines en cours, avait le mérite de donner son cadre anglican véritable à ces dernières, les présentant comme une des pièces de l'échiquier des relations entre les Églises, même si, de l'aveu de Davidson lui-même, c'était la plus significative. Dans la perspective anglicane on ne pouvait disjoindre le rapprochement effectif avec l'Église orthodoxe du rapprochement espéré avec l'Église catholique.

Que le rapprochement avec l'Église orthodoxe fut alors en croissance, on en eut la démonstration dix-huit mois plus tard, lors de la célébration du 1600e anniversaire du Concile de Nicée à l'Abbaye de Westminster le 29 juin 1925. Du côté catholique, pour la Pentecôte, le 31 mai, une commémoraison de ce concile avait eu lieu à Rome à l'occasion de la canonisation du curé d'Ars et de saint Jean Eudes[41], mais elle n'avait pas l'ampleur de la célébration anglicane[42]. À Westminster, en effet, étaient

38. Cf. BELL, *Documents* (n. 3), p. 345; DICK (n. 2), p. 205.

39. BELL, *Randall Davidson* (n. 4), p. 1284. On trouve les réactions très vives des milieux anglicans et catholiques anglais dans le précieux dossier réuni par la *Documentation catholique* XIV (1925), col. 532-560.

40. Texte dans BELL, *Documents* (n. 3), pp. 349-364 et dans J. DE BIVORT DE LA SAUDÉE, *Documents* (n. 37), pp. 140-153.

41. Texte de l'allocution du pape Pie XI en cette circonstance dans la *DC* XIV (juillet-décembre 1925), col. 970-973.

42. Il est vrai que des célébrations romaines eurent lieu à retardement dans la basilique du Latran en novembre et à St-Pierre, le 28 décembre (Lettre au cardinal Tacci du 4 avril 1925, et au cardinal Pompili du 19 septembre: AAS 17, 1925, 187s.; 505s.). Tout au cours de l'année Pie XI fit mention de cet anniversaire du concile de Nicée et il le rappela

présents les patriarches Photios d'Alexandrie et Damianos de Jérusalem, ainsi que deux métropolites russes en exil, Euloge de Paris et Antoine de Kiev, et les Églises de Grèce et de Roumanie s'étaient fait représenter[43]. Les liens qui continuaient ainsi à se tisser entre les Anglicans et les Orthodoxes avaient déjà été perçus et dénoncés par le P. Michel d'Herbigny[44], alors qu'il tentait en vain de se faire inviter pour les secondes Conversations de Malines en 1922, puis pour les quatrièmes[45].

Cinq semaines avant les célébrations de Nicée à Westminster, en 1925, le cardinal Mercier avait accueilli et présidé la quatrième des conversations de Malines (la dernière pour lui) et il y avait lu le mémoire sur «l'Église anglicane unie non absorbée».

II. «L'ÉGLISE ANGLICANE UNIE NON ABSORBÉE»

Le cardinal Mercier avait donc demandé à dom Lambert Beauduin de rédiger un mémoire pour répondre aux attentes des Anglicans qui se posaient la question de savoir quelle serait la place de l'archevêque de Cantorbéry et de la Communion anglicane si l'union se faisait avec l'Église romaine. Cette demande du cardinal est de 1923 et selon toute vraisemblance elle eut lieu entre les secondes Conversations (mars 1923) et les troisièmes (novembre 1923)[46], car les membres anglicans des Conversations, Halifax, J.A. Robinson et W.H. Frere, avaient soulevé ces questions lors des Conversations de mars lesquelles avaient porté uniquement sur ces points, comme on va le rappeler.

En vue de ces secondes Conversations de mars 1923, les Anglicans avaient préparé à l'intention du cardinal Mercier un bref mémorandum[47]. Il y était fait état d'une certaine mesure d'autorité et d'approbation

en particulier dans l'institution de la fête du Christ Roi par l'encyclique *Quas primas* du 11 décembre (AAS 17, 1925, 593ss. [595]). On a toutefois le sentiment que les commémorations romaines furent imporvisées assez tard, après l'initiative anglicane.

43. BELL, *Randall Davidson* (n. 4), pp. 1112-1114.

44. Michel D'HERBIGNY, *L'Anglicanisme et l'Orthodoxie gréco-slave*, Paris, 1922. Curieusement, ce livre, très méprisant pour les autorités anglicanes et orthodoxes, porte un *Nihil obstat* et un *Imprimatur* du 15 février et du 5 avril 1922, alors que les conclusions relatent des faits de mai 1922. Remarquons à cette occasion que dom Lambert Beauduin, tout au contraire, dès les débuts d'*Irénikon*, se félicitait des rapprochements entre l'Anglicanisme et l'Orthodoxie: *Rapprochement anglo-oriental*, in *Irénikon* 1 (1926) 165-173 (cf. déjà dans la première livraison de la revue, p. 40).

45. Cf. J.A. DICK (n. 2), pp. 77-89, 132.

46. Voir plus bas les arguments en faveur de l'année 1923.

47. Texte du mémorandum dans HALIFAX, *The Conversations at Malines* (n. 3), pp. 79-82; traduction française dans J. DE BIVORT DE LA SAUDÉE, *Documents* (n. 37), pp. 58-60. Cette traduction contient des erreurs.

(*recognition*) de la part des archevêques de Cantorbéry et d'York pour ces Conversations, reconnaissance limitée par le fait que ces deux primats ne peuvent engager la Communion anglicane tout entière. Le mémorandum continuait en déclarant que pour ces nouvelles Conversations on désirait laisser de côté pour le moment les controverses dogmatiques, telles que la primauté et l'infaillibilité qui avaient été discutées lors des premières Conversations, «pour considérer les méthodes possibles d'ordre pratique au moyen desquelles, en supposant qu'un accord suffisant ait été atteint sur les questions doctrinales, la Communion anglicane dans son ensemble pourrait entrer dans une union plus ou moins complète avec le Saint-Siège». Le mémorandum énumérait ainsi quatre points: Le premier portait sur les différences entre l'Église d'Angleterre, telle qu'elle était au début du XVIᵉ siècle et l'énorme développement de la Communion anglicane dont témoignait la Conférence de Lambeth de 1920.

Le second et le troisième points méritent d'être rapportés ici intégralement car c'est à leurs questions que répond de fait le mémoire sur «L'Église anglicane unie non absorbée».

> 2. Concernant l'exercice pratique de l'autorité du pape sur les évêques et provinces de la Communion anglicane, dans l'éventualité où une réconciliation se réaliserait, nous concevons qu'elle ne serait pas de telle sorte qu'elle interférerait avec la juridiction des archevêques et évêques, mais qu'elle serait plutôt, selon les termes d'un théologien anglican du XVIIᵉ siècle, 'une prééminence régulière sur tous les autres évêques, que l'on constate dans le recours à lui avant les autres, dans les matières qui concernent l'ensemble de l'Église'.
> La position de la hiérarchie catholique romaine actuelle en Angleterre, avec ses églises et paroisses, pourrait bien demeurer, en tout cas pour le présent, telle qu'elle est maintenant. Si elle était exempte de la juridiction de Cantorbéry et considérée comme directement dépendante du Saint-Siège, on suivrait en cela un précédent familier en Angleterre au moyen âge dans le cas de l'abbaye de Westminster et des autres grandes abbayes et églises dépendant d'elle. Un arrangement transitoire de ce genre semblerait pouvoir éviter les difficultés pratiques et être susceptible de révision si c'était nécessaire dans l'avenir.
> 3. Une rectification de ce dont on pouvait sembler manquer par rapport aux saints Ordres ayant été acceptée, suivant les lignes suggérées dans l'Appel de Lambeth, la détermination des relations de l'archevêque de Cantorbéry avec le Saint-Siège demanderait à être considérée. Suivant un précédent ancien nous concevons qu'on puisse déterminer ces relations par un acte de reconnaissance tel que la remise du pallium. La régularisation de la position de l'épiscopat anglican, en général, pourrait par là être effectuée par l'intermédiaire de l'archevêque de Cantorbéry et des autres métropolitains qui auraient reçu le pallium. Dans l'avenir, comme dans le passé, un évêque ou un archevêque nouvellement nommé, après élection et confirmation, serait en pleine possession de sa juridiction qui, pendant la vacance

du siège, comme aux temps anciens, avait été exercée par le doyen du cha-
pitre ou vicaire général.

Le résultat de l'acceptation d'un arrangement de ce genre entre Rome et
Cantorbéry serait de placer Cantorbéry dans une position en quelque sorte
analogue à celle d'un des anciens patriarcats.

Le quatrième point traite de la sauvegarde des usages anglicans.

On aura remarqué que le mémorandum désire explicitement que soit
précisé l'exercice habituel de la juridiction de l'archevêque de Cantorbéry (et des autres archevêques et évêques de la Communion anglicane)
par rapport à celle du pape; la position de la hiérarchie catholique
actuellement existante par rapport à Rome; la questions des saints ordres
ayant été résolue, la juridiction spéciale de l'archevêque de Cantorbéry
et des autres métropolitains pourrait être reconnue par l'imposition du
pallium; la question de l'élection des archevêques et évêques; la situation du siège de Cantorbéry qui deviendrait analogue à celle de l'un des
anciens patriarcats. Tels sont, en effet, les points sur lesquels porte le
mémoire sur «l'Église anglicane unie non absorbée». Notons aussi que
le mémorandum suppose les questions doctrinales résolues au préalable,
ce que supposait aussi le travail rédigé par dom Lambert Beauduin.

Le cardinal Mercier, qui avait reçu à l'avance ce mémorandum anglican, l'avait envoyé directement au pape Pie XI avec un commentaire, les
1er et 2 mars 1923, c'est-à-dire deux semaines avant les secondes
Conversations de Malines qui allaient le discuter[48].

L'idée d'équiparer le siège de Cantorbéry à un patriarcat au sein de la
Communion anglicane n'était pas, comme il pourrait paraître, la suggestion fantaisiste des rédacteurs du mémorandum. Lors de la Conférence
de Lambeth de 1897, on avait explicitement évoqué l'assimilation de
Cantorbéry à un patriarcat. Une partie essentielle du programme de cette
conférence portait sur une meilleure organisation de la Communion
anglicane. Les évêques américains, toutefois, s'effrayaient à l'idée que
Cantorbéry pourrait centraliser l'ensemble de la Communion et leur faire
perdre ainsi la liberté dont ils estimaient devoir jouir. L'évêque Doane
d'Albany écrivait ainsi en février 1897 à l'évêque Davidson de Winches-
ter, futur archevêque de Cantorbéry, qui avait une grande responsabilité
dans la préparation du programme concernant la Communion anglicane
pour la Conférence de Lambeth:

> Je suis profondément convaincu personnellement que, à la lumière de l'ex-
> périence de l'histoire et dans les conditions de l'Église aujourd'hui, il serait

---

48. Texte de la lettre de Mercier à Pie XI dans AUBERT, *Les Conversations de Malines*
(n. 5), Annexe XVII, pp. 435-437.

tout à fait insensé et tout à fait impossible de créer quelque chose comme un patriarcat de Cantorbéry, auquel devraient se référer les Églises nationales[49], ou qu'elles auraient à consulter, ou avec lequel elles auraient à établir une certaine relation[50].

Davidson lui répondit le 6 avril: «Que quelque chose de la nature d'un *patriarcat*[51] de Cantorbéry reçoive l'appui de la Conférence, je ne le crois pas un instant. Certains le désireraient, mais ils seront peu nombreux»[52].

Non seulement la Conférence de Lambeth ne constitua pas Cantorbéry en patriarcat de la Communion anglicane, mais elle refusa même la proposition d'en faire un «tribunal de référence» auquel tous les évêques pourraient s'adresser pour leurs problèmes[53]. Elle accepta seulement, d'une part, que soit créé un organe consultatif présidé par l'archevêque de Cantorbéry, et, d'autre part, que tous les évêques consacrés en Angleterre dussent faire une déclaration solennelle d'accorder à l'archevêque de Cantorbéry tous les honneurs et la déférence qui lui sont dûs et de respecter et de maintenir les droits spirituels et les privilèges de l'Église d'Angleterre et de toutes les Églises en communion avec elle. Les autres évêques, hors de l'Angleterre, devait faire à leur propre métropolitain un serment d'obéissance canonique[54].

Il n'en reste pas moins que dès 1897 l'idée d'un patriarcat de Cantorbéry avait été suggérée par certains évêques anglicans eux-mêmes, au programme de la Conférence de Lambeth, même si elle avait été écartée.

Au cours de ces secondes Conversations de Malines des 14 et 15 mars 1923, le mémorandum anglican fut lu et examiné point par point. À la question des Catholiques sur le degré d'autorisation qu'avaient les trois membres anglicans, ceux-ci répondirent que les archevêques (de Cantorbéry et d'York) avaient autorisé les personnes; qu'ils n'ont pas désigné eux-mêmes le sujet à traiter, mais que «dans une lettre privée, l'archevêque de Cantorbéry a déclaré que le choix était sage et l'archevêque d'York a été du même avis. De plus l'archevêque de Cantorbéry a

---

49. C'est-à-dire les Églises ou provinces anglicanes hors de la Grande-Bretagne, comme l'est l'Église épiscopalienne américaine.
50. Cf. Alan M.G. STEPHENSON, *Anglicanism and the Lambeth Conferences* (n. 24), p. 100.
51. Souligné par Davidson.
52. *Ibid.*, p. 101.
53. *Ibid.*, pp. 102-103.
54. Lord Davidson of Lambeth, *The Six Lambeth Conferences 1867-1920*, Londres, ²1929, pp. 187, 199, 212 ss.

informé les évêques anglais de ce qui se passait et ils ont approuvé les autorisations qu'ils avaient données»[55].

Un peu plus tard, le même premier jour de ces secondes Conversations, Robinson affirme que le mémorandum «marque les préoccupations de tous les membres de leur Église qui s'intéressent à la cause de l'union»[56]. Durant la discussion sur la juridiction de l'archevêque de Cantorbéry par rapport à celle du pape, Mgr Van Roey déclare aux Anglicans que «le pape ne peut pas renoncer à son droit de juridiction ordinaire et immédiate, mais il peut, en fait, restreindre l'exercice de ce droit et ne l'appliquer qu'aux cas exceptionnels et majeurs». Toutefois, il fait aussi remarquer que l'on ne peut admettre la dernière phrase du premier point du mémorandum «qui semble ne reconnaître le droit d'intervention que dans les affaires qui concernent l'Église universelle». Aussi propose-t-il comme acceptable la rédaction suivante: «La prééminence du pape se manifesterait soit par son intervention, soit par le recours à lui, dans les affaires exceptionnelles et d'ordre majeur»[57].

Sur le second point, le cardinal et M. Portal estiment possible la coexistence de deux juridictions parallèles, c'est-à-dire pour l'Angleterre celle de l'archevêque de Cantorbéry et celle de l'archevêque de Westminster, car de telles coexistences de juridictions existent en Orient. Dans ce cas la juridiction n'est pas géographique mais personnelle d'abord. Sur la question des ordres, Mgr Van Roey estime que pour la «rectification» il faudra une imposition des mains «sous condition». Robinson «croit que, les questions dogmatiques étant réglées, l'archevêque (de Cantorbéry) se résignera à accepter de telles conditions», mais il «exprime le vœu que la question des ordres soit discutée de nouveau parce que, dit-il, l'Église-mère a été injuste à l'égard de sa fille et qu'il serait important de trouver le moyen de faire une certaine réparation de cette injustice, afin que la 'rectification' fût acceptée plus facilement»[58].

On a déjà rappelé ici qu'entre juillet 1922 et mars 1923 les Orthodoxes, c'est-à-dire Constantinople, Jérusalem et Chypre, avaient reconnu la validité des ordinations anglicanes pour les motifs exposés par le patriarche Mélétios. Ceci explique l'insistance des Anglicans à Malines pour que l'Église catholique revienne en quelque manière sur son jugement de 1896.

---

55. HALIFAX, *The Conversations at Malines* (n. 3), p. 28.
56. *Ibid.*, p. 29.
57. *Ibid.*, p. 31.
58. *Ibid.*, pp. 32-33.

Concernant la finale du troisième point les Catholiques soulèvent diverses difficultés pour le choix des archevêques et évêques. Les Anglicans répondent que «le métropolitain serait responsable et qu'il représenterait l'autorité du pape dont il aurait été investi par le pallium» et Robinson «exprime le vœu qu'un concile général reconnaisse l'archevêque de Cantorbéry comme patriarche»[59].

Anglicans et Catholiques à la fin de cette première journée font chacun un résumé des propositions résultant des discussions. Le résumé anglican est lu le lendemain matin puis le résumé catholique, rédigé par le cardinal. Après quelques corrections on décide que les deux documents seront présentés aux autorités de chacune des parties.

Citons d'abord la finale du résumé rédigé par Mercier, approuvé par les participants catholiques Van Roey et Portal, et contresignés par les participants anglicans Halifax, Robinson et Frere:

> Le Saint-Siège approuverait-il que l'archevêque de Cantorbéry, acceptant la suprématie spirituelle du Souverain Pontife et le cérémonial jugé par lui nécessaire à la validité de la consécration de l'archevêque, fût reconnu comme le Primat de l'Église anglicane rattachée à Rome? Le Saint-Siège consentirait-il à accorder à l'archevêque de Cantorbéry et aux autres métropolitains le pallium comme symbole de leur juridiction sur leurs provinces respectives? Permettrait-il à l'archevêque de Cantorbéry d'appliquer aux autres évêques anglicans le cérémonial de validation accepté par l'archevêque? Permettrait-il enfin à chaque métropolitain de confirmer et de consacrer à l'avenir les évêques de sa province? Tant que cette question primordiale n'aura pas été résolue, il nous serait malaisé de poursuivre nos négociations. Si elle était résolue affirmativement, la voie serait aplanie qui pourrait nous conduire à l'examen de questions ultérieures d'application[60].

Le résumé anglican se dit en plein accord avec celui du cardinal et, «à supposer que les différences doctrinales actuelles entre les deux Églises puissent être expliquées ou supprimées de manière satisfaisante et, de plus, à supposer que la difficulté concernant les ordres anglicans soit surmontée dans le sens de l'Appel de Lambeth», il reprend sous forme de suggestions quatre points «comme base d'une action pratique pour la réunion des deux Églises». En voici les deux premiers:

> 1. La reconnaissance de la position du siège papal comme centre et tête de l'Église catholique sur la terre, qui devrait être considéré comme guide,

---

59. *Ibid.*, pp. 34-35.
60. *Ibid.*, pp. 86-87. Remarquons que le cardinal a employé les termes «nos négociations», alors qu'on n'a pas admis par la suite qu'il s'agisse de négociations. Devant la Convocation d'York, en réponse aux critiques qu'avait soulevé sa lettre aux archevêques anglicans, R. Davidson a nié formellement et avec insistance qu'il se soit jamais agi de négociations (cf. *DC* 14, 1925, col. 539-541). Voir là-dessus la contribution de J.-M.R. Tillard dans ce volume, pp. 149-170.

d'une manière générale et spécialement dans les matières graves touchant le bien de l'Église dans son ensemble.

2. La reconnaissance de la Communion anglicane comme un corps lié au siège papal en vertu de la reconnaissance de la juridiction de l'archevêque de Cantorbéry et des autres métropolitains par la remise du pallium.

Les deux autres points traitent de la discipline propre à l'Église anglicane et à la position de la hiérarchie catholique en Angleterre. Sur ce dernier point le texte affirme que «la position actuelle de la hiérarchie catholique romaine en Angleterre avec leurs Églises et communautés resterait, en tout, inchangée pour le moment». Elle serait exempte de la juridiction de Cantorbéry[61]. Cela correspondait aux propositions anglicanes et aux discussions qui venaient d'avoir lieu sur le sujet.

Comme on le voit tant dans le texte du cardinal que dans celui des Anglicans la question de la remise du pallium aux archevêques, comme signe de leur juridiction spéciale sur l'Église anglicane dans son ensemble, est l'une des conclusions principales de ces secondes Conversations. Cette question du pallium devait «causer des frissons à Lambeth et ailleurs», a écrit, douze ans plus tard, le Dr Frere, l'un des trois participants anglicans[62]. En effet, lorsque le lendemain du retour des deux membres anglicans, le 16 mars, l'archevêque Davidson prit connaissance des deux résumés signés et contresignés par les deux parties, «il vit immédiatement quel usage désastreux on pourrait faire de la proposition de la remise du pallium»[63] dans certains milieux très antiromains. Le 19 mars, Bishop Gore écrivait à Davidson: «J'écris seulement pour dire que l'attitude de concessions de notre délégation à Malines, apparemment aux premières Conversations et sûrement aux secondes, me paraît toujours plus désastreuse et dangereuse à mesure que j'y réfléchis»[64]. Aussi le même jour Davidson adressait-il à Robinson une très longue lettre qui rappelait surtout que les questions doctrinales et, en particulier, la primauté romaine devaient être absolument mises au clair avant les questions pratiques et «administratives». Il y rappelait que l'Appel de Lambeth de 1920 supposait que les questions doctrinales devaient être résolues en premier lieu et que «tout son objet n'est pas dans le fait qu'une Communion consentirait à être absorbée dans une autre, mais dans le fait que toutes s'uniraient dans un nouveau et grand effort pour retrouver et manifester au monde l'unité du Corps du Christ

61. *Ibid.*, p. 88.
62. Walter Frere, *Recollections of Malines*, Londres, 1935, pp. 33-34.
63. Bell, *Randall Davidson* (n. 4), p. 1264.
64. *Ibid.*, p. 1267.

pour laquelle il a prié»[65]. Vers la fin de la lettre, cependant, Davidson ajoutait: «Si l'on tient compte de ce que j'ai dit, pour arriver à réaliser un accord sur les grandes questions *doctrinales*, je suis prêt à reconnaître que les suggestions, contenues dans les deux mémoires, sont bien calculées pour fournir la base de futures discussions et conférences»[66]. La question de la remise du pallium et d'une éventuelle reconnaissance de la position du siège de Cantorbéry comme équivalent à celle d'un patriarcat oriental n'était donc pas exclue, mais elle paraissait prématurée pour le moment tant que la question doctrinale de la primauté n'aurait pas été tirée au clair de façon satisfaisante pour les Anglicans.

Le 24 mars, Davidson écrivait à Mercier dans le même sens[67]. Le cardinal lui répondit le 11 avril qu'il était bien de son avis concernant la priorité des grandes questions doctrinales. En fait, les premières Conversations de 1921 avaient porté sur celles-ci: «Dès la première conférence, en décembre 1921, il nous avait paru devoir concentrer de suite notre attention sur la question fondamentale de la primauté du pontife de Rome» mais c'est le mémorandum préparé et présenté par les Anglicans pour les secondes Conversations qui «nous invitait à envisager des questions d'ordre plutôt pratique et 'administratif'»[68].

En réponse, Davidson écrivit, le 15 mai, à Mercier qui sollicitait sa réaction sur les deux documents signés en mars à la fin des deuxièmes Conversations, qu'il ne pouvait donner d'appréciation sur ceux-ci[69]. En effet, les questions administratives qui y étaient traitées demandaient à être interprétées: il faut savoir ce qu'elles impliquent. Il donnait comme exemple la question: «Le Saint-Siège consentirait-il à accorder à l'archevêque de Cantorbéry et aux autres métropolitains le pallium comme symbole de leur juridiction sur leurs provinces respectives?». Davidson expliquait:

> Il est impossible d'exprimer une opinion sur cette suggestion sans une connaissance claire de ce que signifie ou implique la remise du pallium. Je me sentirais dans l'impossibilité d'exprimer un accord, même provisoire, à une telle suggestion jusqu'à ce que l'on sache clairement
> 1. si l'acte du Saint-Siège qui remet le pallium comme symbole de la juridiction implique ou n'implique pas que le récipiendaire a été reconnu ou non comme possédant déjà des Ordres valides, et,
> 2. si l'acte de l'archevêque recevant le pallium implique ou n'implique pas l'acceptation de la doctrine que sa juridiction, pour être valide, doit être

---

65. Traduction française de la lettre de Davidson à Robinson dans J. DE BIVORT DE LA SAUDÉE, *Anglicans et Catholiques* (n. 4), pp. 81-86 (83).

66. P. 86.

67. J. DE BIVORT DE LA SAUDÉE, *Documents* (n. 37), p. 65s.

68. *Ibid.*, p. 67.

69. *Ibid.*, p. 73.

conférée par le pape. Il est évident que ces questions demanderaient une discussion approfondie, comprenant l'étude de grands problèmes tant doctrinaux qu'historiques[70].

Aussi Davidson exprimait-il son plein accord avec Mercier pour que les prochaines Conversations portent sur la question de la primauté du pape. C'est pourquoi, disait-il, dans sa lettre, à titre d'exemple, il avait choisi une question en relation avec celle de la juridiction. Un peu plus loin il ajoutait:

> C'est probablement une excellente chose qu'on ait donné des exemples sous forme de suggestions, quant à certains des détails pratiques et administratifs, qui pourraient désormais s'imposer si les matières les plus importantes avaient reçu une solution, et je ne trouve pas de difficulté à dire que, si, sur les grandes questions préliminaires concernant les Ordres et la juridiction, on en arrivait à un accord vraiment satisfaisant, la suite actuelle d'arrangements extérieurs, suggérée dans le papier signé, pourrait bien former le sujet d'un examen amical et plein d'espoir[71].

La question de la reconnaissance ou non des Ordres anglicans tient une grande place dans la réponse de l'archevêque, ce qui à première vue pourrait étonner. Il connaissait, en effet, la décision de la bulle *Apostolicae curae* de 1896, et le point VIII de l'Appel de Lambeth impliquait que, en cas d'union, les Anglicans étaient disposés à recevoir une ordination ou au moins un complément d'ordination de la part des Catholiques romains ou des Orthodoxes[72]. Mais depuis l'Appel de 1920 s'était produit un fait nouveau, la reconnaissance de la validité des ordinations anglicanes par trois Églises orthodoxes. Du côté romain, par contre, on ne paraissait pas envisager de reconsidérer la décision résolument négative prise par Léon XIII concernant la validité des Ordres anglicans. Comme le remarque T.F. Taylor dans sa biographie de Robinson: «Comme les archevêques anglais étaient en train de favoriser des discussions avec l'Orthodoxie orientale et avec les membres des Free Churches en Angleterre, ils étaient soucieux d'empêcher qu'une série de discussions ne fasse du tort aux autres»[73]. Il est vrai, toutefois, qu'en juin 1924 le patriarche de Constantinople Grégoire VII, informé des

70. BELL, *Randall Davidson* (n. 4), p. 1274. Traduction française dans J. DE BIVORT DE LA SAUDÉE, *Documents* (n. 37), p. 74.

71. BELL, *ibid.*, p. 1275; J. DE BIVORT DE LA SAUDÉE, *ibid.*, p. 75.

72. Du moins, selon l'interprétation donnée par Robinson aux premières Conversations de Malines: «L'offre ainsi exprimée en termes généraux amena la conviction que nous devions être prêts à accepter une régularisation de notre position si les autorités des Églises d'Orient ou de Rome le jugeaient nécessaire» (HALIFAX, *The Conversations at Malines*, p. 24).

73. T.F. TAYLOR, *J. Armitage Robinson*, Cambridge, 1991, p. 93.

Conversations de Malines, avait déclaré qu'il approuvait le rapprochement des Anglicans avec Rome[74].

Pour répondre au désir commun exprimé par Davidson et par Mercier, les troisièmes Conversations de Malines, réunies les 7 et 8 novembre de la même année 1923, portèrent uniquement sur les fondements de la succession de Pierre et sur la primauté du pape. Puis les quatrièmes et dernières réunies par Mercier, les 19 et 20 mai 1925, eurent pour objet les rapports de la papauté et de l'épiscopat. C'est, néanmoins, le 20 mai au matin que le cardinal y donna lecture du mémoire alors anonyme «L'Église anglicane unie non absorbée».

De cette succession des faits il ressort que la question du pallium et du patriarcat en liaison avec la juridiction, était de pleine actualité depuis mars 1923 jusqu'aux Conversations de novembre de la même année, mais que par la suite on n'en parla plus apparemment jusqu'à la lecture par Mercier du mémoire préparé par dom Beauduin. C'est donc bien entre les deux séries de Conversations de 1923 que Mercier demanda à dom Lambert de préparer un mémoire sur le sujet[75]. Cette datation est confirmée indirectement par les articles de Léon Gromier que dom Lambert avait fait publier en 1923 et 1924 dans la revue liturgique de l'abbaye du Mont-César, revue dont il était le fondateur. Ces articles, intitulés *Prérogatives archiépiscopales et généralités épiscopales*[76] traitent longuement du pallium et des privilèges patriarcaux et primatiaux. Gromier était un ami de dom Lambert. Consulteur de la Congrégation des Rites, il était donc considéré comme une autorité en la matière, comme le fit remarquer plus tard dom Théodore Belpaire[77]. En outre, dans un

---

74. BELL, *Randall Davidson*, p. 1288.

75. Le cardinal lui avait demandé par lettre cette collaboration (cf. Édouard BEAU-DUIN, *Le cardinal Mercier*, Tournai, 1966, p. 132). Cette lettre a disparu. D'après Sonya QUITSLUND (*A Prophet Vindicated, Dom Lambert Beauduin*, New York, 1973, pp. 65), Mercier avait sollicité ce rapport de dom Beauduin en octobre 1924. R. AUBERT (*Les Conversations de Malines*, p. 416, note 99) se réfère au témoignage oral donné par dom Lambert en 1955 en faveur de l'année 1924, mais remarque que celui-ci en 1927 a écrit que le cardinal le lui a demandé en 1923 (*Irénikon* 2, 1927, 150). D'après les mémoires inédits de dom Thomas BECQUET (archives de Chevetogne) ce travail aurait été demandé oralement à dom Lambert par le cardinal Mercier lors d'une visite à Rome au printemps de 1923.

76. *Questions liturgiques et paroissiales*, 8 (décembre 1923), pp. 267-272 (269-272: 1. Honneurs réservés aux archevêques. Le pallium); 9 (1924), pp. 68-74 (pp. 73-74: le pallium), pp. 109-113 (p. 112: la dignité patriarcale et primatiale, et p. 113: le pallium). En fait ces articles sont une polémique contre les erreurs contenues dans l'*Annuaire Pontifical* d'A. Battandier concernant surtout les insignes des archevêques.

77. D.T.B., *Sur les Conversations de Malines*, in *Irénikon* 19 (1946) 214-218 (218, note 1). Il faut noter la phrase de Gromier sur le privilège «exorbitant» de Westminster, reprise à la fin du mémoire de dom Beauduin.

article de dom Lambert Beauduin dans la même revue, celui-ci cite une phrase de Pie XI à propos de saint Grégoire le Grand qui, dans le contexte des Conversations de Malines, n'est pas sans signification: «Cet illustre pontife imposa ensuite le pallium à Augustin, en fixant par une loi que toutes les Églises d'Angleterre déjà fondées alors ou fondées dans la suite seraient sous la juridiction de l'Église primatiale de Cantorbéry»[78]. Cette référence a toute chance de se rapporter aux préoccupations de dom Lambert à ce moment: la rédaction du mémoire que lui avait demandé Mercier.

Il semble donc assuré que dès 1923 dom Beauduin s'était mis au travail sur la demande de Mercier mais qu'il ne l'avait pas achevé l'année suivante. Durant l'année 1924, il n'y eut pas de Conversations de Malines. Les esprits étaient très agités en Angleterre et ailleurs à leur sujet. Mercier avait besoin de l'appui de Rome et aussi de s'expliquer publiquement. Ce qu'il fit par la lettre à son clergé du 18 janvier 1924: *Les Conversations de Malines*, que l'on a mentionnée plus haut[79]. Les quatrièmes Conversations avaient été fixées pour le mois de mai 1925 et dom Lambert avait donc du temps devant lui. D'autres soucis l'accaparaient: quitter Saint-Anselme de Rome pour lancer la fondation qu'il projetait en réponse à la Lettre *Equidem Verba* de Pie XI (21 mars 1924), ce pour quoi il avait besoin aussi de l'appui du cardinal Mercier. Pour le mémoire qui lui avait été demandé, les choses paraissaient moins urgentes qu'au moment où Mercier l'avait sollicité.

Le mémoire de dom Lambert fut prêt seulement en janvier 1925. Dom Lambert l'accompagnait de la lettre suivante:

†
Pax

Éminence,

Je viens enfin d'achever le rapport promis. Je suis confus de mon retard et j'espère que votre Éminence me pardonnera. Je crois que l'Angleterre accepterait plus facilement que Rome un statut religieux établi sur cette base. Et cependant je ne vois pas ce que Rome pourrait y redire. Assurément ce serait un coup porté à la centralisation actuelle laquelle menace vraiment de devenir excessive.

---

78. Citation de la Lettre apostolique au cardinal Pompili du 5 mai 1924 pour le XVIe centenaire de la basilique du Latran (*AAS*, 2 juin 1924) dans *Questions liturgiques et paroissiales* 10 (1924), p. 173. Cette citation de Pie XI est reprise dans les conclusions pratiques du mémoire de dom Beauduin sur «L'Église anglicane unie non absorbée».
79. R. Aubert a publié les échanges de lettres entre Mercier et Rome à cette époque dans *Les Conversations de Malines, le cardinal Mercier et le Saint-Siège* (1967), reproduit dans ID., *Le Cardinal Mercier* (n. 2), pp. 435-447.

Je suis heureux également d'annoncer à Votre Éminence que le Père Abbé de Louvain me rappelle en Belgique pour m'y occuper de l'œuvre de l'Union des Églises. Je compte bien être à Louvain pour Pâques. Entretemps, je me permettrai d'adresser à son Éminence une note détaillée, lui exposant la nature de l'œuvre projetée et les moyens d'action, comme aussi les règles de conduite à suivre dans cet apostolat; note dans laquelle Son Éminence trouverait quelques éléments matériels en vue d'un document important sur l'apostolat de l'Union des Églises, document qui deviendrait comme la charte de l'œuvre et le commentaire authentique de la lettre du S. Père à l'Ordre de St Benoît. Nous pourrions alors faire traduire le document dans les différentes langues et demander aux différents monastères d'en faire le programme de leur activité pour l'union des Églises.

Dom Justinien aura dit à Votre Éminence qu'il a été chargé officiellement par la Congrégation du Concile de faire un *votum* consultatif sur le projet en question. Il a remis son votum il y a une quinzaine de jours. Je suppose que l'approbation ne tardera pas à paraître.

Je serai heureux, Éminence, malgré les charmes de Rome et de S. Anselme, de me retrouver en Belgique; heureux surtout de pouvoir travailler sous le bienveillant patronage et la paternelle direction de Votre Éminence

dont j'aime à me redire le fils humblement

soumis in X°

Dom Lambert Beauduin

S. Anselmo 31/I 25[80].

Le cardinal répondit à dom Lambert par la lettre dont celui-ci publia la majeure partie dans *Irénikon* en 1927, pour se défendre d'attaques sournoises et malveillantes[81].

Archevêché de Malines   15 février 1925

Cher et Révérend Père,

Le vrai peut n'être pas vraisemblable. Si désireux que je fusse d'étudier de près votre Mémoire, sur lequel j'avais jeté un rapide coup d'œil, ce n'est qu'en cette matinée tranquille de la Sexagésime, sous la protection de l'apôtre de la gentilité, que j'ai réussi à m'accorder le loisir et la jouissance de lire d'une traite votre beau travail. Que c'est intéressant, cher ami! Pour moi, profane, ce m'est une révélation, et, du même coup, une espérance. Jusqu'à présent, je n'avais jamais écarté, sans doute, la possibilité d'une ré-union de l'Église anglicane à l'Église romaine, mais je ne voyais ni

80. Reproduction photographique du texte de la lettre dans la publication de J. DESSAIN, *L'Église anglicane unie non absorbée*, Malines 1977, pp. 25-28. Publiée aussi dans R. AUBERT, *op. cit.* (n. 2), Appendice XXX, p. 448.

81. *Autour des Conversations de Malines*, in *Irénikon* 2 (1927) 150-151. Lettre reproduite par R. AUBERT, *op. cit.* (n. 2), Appendice XXXI, pp. 449-450. L'original de la lettre a été retrouvé dans les archives de Chevetogne. Nous mettons entre crochets les passages que dom Beauduin avait omis dans *Irénikon*. Voir la traduction anglaise dans BELL, *Documents on Christian Unity*, Third Series 1930-1948, Document 150, Oxford, 1948, pp. 32-33.

n'entrevoyais aucune formule concrète de réalisation et me résignait à abandonner ce succès collectif à la bonne Providence.

Mais, cette fois, je vois en vous un instrument actif de cette Providence divine.

Notez que, dès notre 2e conversation de Malines, nos Anglicans[82] nous demandaient de mettre à l'étude les moyens éventuels de réunion, en insistant sur le patriarcat de Cantorbéry et sur le pallium. Je vous confesse, qu'ils me faisaient sourire, parce que je ne saisissais pas l'importance que l'on pouvait attacher à ce qui m'apparaissait et à ce qui est aujourd'hui chez nous un insigne honorifique, une sorte de décoration pontificale, le pallium.

Votre exposé nous fait monter et voir beaucoup plus au large. [Mon désir serait de faire taper à la machine votre Mémoire, en omettant le deuxième alinéa de la p. 16: «Que pensera ... à cette question»[83]. J'en remettrais un ex(emplaire) à chacun des confrères de notre réunion, qui aura lieu en Mai prochain, première quinzaine de mai, à des jours non encore fixés]. J'ai le pressentiment que cette communication ferait faire un pas de géant vers la «ré-union» à un groupe important d'anglo-catholiques. Les Anglais, gens pratiques, attachent beaucoup plus d'importance à des institutions qu'à des idées. Et, ma foi, on ne peut le nier, si le nationalisme outrancier est un péril, contenu dans les limites de la subordination à l'unité, il est une force.

[Mais avant de remettre ce projet de base d'union, aux Anglais, je devrais m'assurer qu'il ne serait pas en principe et en bloc désavoué par Rome. Je voudrais donc consulter le C(ar)d(inal) Gasparri et le Saint-Père.

La Providence nous vient en aide. Voici ma suggestion: Vous mettrez le Père Justinien[84] au courant de votre exposé; vous lui direz que j'en ai pris connaissance et que je suis disposé à le faire mien, désireux de l'appuyer. Qu'il veuille *privatim* en parler au C(ar)d(inal) Gasparri, et vous avec lui. Si le Cardinal fait bon accueil, approuve ou, tout au moins, tolère la présentation du Mémoire à nos chers Anglicans, je proposerai à ceux-ci de vous admettre à notre prochaine conversation (Et voyez la bonne Providence, elle vous renvoie ici pour Pâques) où nous vous inviterions à exposer le plan et à fournir aux membres les éclaircissements qu'ils pourraient solliciter.

Le Saint Père serait éclairé soit par vous et par le P. Justinien directement, soit par l'intermédiaire du C(ar)d(inal) Gasparri. Vous jugeriez sur place.]

Voilà, cher Ami, grâce à vous, nous sortons du rêve, nous entrons dans le domaine des réalités espérables si pas encore des faits accomplis.

[Je demande, les évêques belges demandent des prières aux fidèles de Belgique aux trois intentions du S(ouverain) Pontife pour l'année sainte. La

82. Le texte publié porte «nos amis anglicans».

83. P. 23 du texte de la brochure de Dessain. J.A. Dick (n. 2), p. 225.

84. Dom Justinien Serédi, professeur de droit canonique à Sant'Anselmo, avait été le collaborateur du cardinal Gasparri pour la rédaction du Code de Droit canonique de 1917. Il avait ensuite édité avec lui les *Fontes* du Code (Petrus Gasparri - Justinianus Serédi, *Codicis Iuris Canonici Fontes*, 9 vol., Rome, 1923-1939). Il devint archevêque d'Esztergom et cardinal en 1927, et en 1930 il intervint en faveur de dom Lambert Beauduin. Décédé en 1945.

seconde intention va y avoir une large place. Je redouble de confiance dans le Saint-Esprit et en Marie Médiatrice.

Votre très dévoué in Xo]

† D.J.C(ar)d(inal) Mercier, arche(vêque). de Mal(ines)

Dom Lambert répondit au cardinal le 20 février 1925[85] :

Rome, 20 février 1925

Éminence,

Quel réconfort et quelle joie est votre si bienveillante et si encourageante lettre! Comme je rentrerai en Belgique dans une quinzaine de jours, en me rendant jusqu'à Pâques en Russie Blanche polonaise et à Lemberg, j'aurai sous peu l'occasion d'entretenir Votre Éminence du rapport en question. Qu'il me suffise de soumettre pour le moment une suggestion à Votre Éminence. Ne serait-il pas préférable de procéder comme suit dans la consultation du Vatican:

Un des membres *anglicans* des Conversations de Malines s'assimilerait le rapport et en ferait un exposé en anglais, en ferait en quelque sorte son projet, à titre privé et l'adresserait à Votre Éminence. Votre Éminence, par un intermédiaire que je lui indiquerais, ferait pressentir le Vatican à titre privé et confidentiel. Je crois que la provenance *anglicane*, même à titre tout personnel et sans préjuger de l'avis des autorités, serait de nature à rendre le Vatican bienveillant et sympathique; au moins à prendre la chose en spéciale considération. Au contraire, une provenance occidentale catholique serait pour beaucoup inexcusable.

Si Votre Éminence juge le procédé qu'elle propose plus loyal et plus direct, je crois du moins que dom Justinien ne serait pas le «*right man*». C'est en effet un *canoniste latin*, aussi compétent qu'exclusivement *latin*, et un anti-oriental comme tous les Hongrois, qui sont dans les marches du latinisme. Je n'ai pas osé lui faire allusion à mon travail, malgré l'intimité qui nous unit. Or, il aurait bientôt compris que les conclusions du rapport sont un coup porté à *son* sacré code, même en Occident; et une extension du principe patriarcal d'Orient. Mais dom Placide De Meester, qui a des relations fréquentes et faciles avec le Vatican et est complètement dans ces idées, ferait au moment voulu toutes les démarches. Il serait d'autant plus facilement entendu que, vivant dans la familiarité du cardinal Gasquet à St-Calixte, sans partager nullement ses conceptions étroites sur ces matières, son intervention serait bien accueillie.

Je ne ferai donc rien, Éminence, avant d'avoir eu l'honneur de vous entretenir sous peu. Entre temps le travail est à sa libre disposition pour tout ce que Votre Éminence jugera bon d'en faire.

Je me réjouis d'avance de lire le mandement de carême de Votre Éminence. Je suis...

---

85. Texte de la lettre d'après la publication de R. AUBERT, *op. cit.* (n. 2), Appendice XXXII, pp. 450-451.

L'histoire de la présentation du mémoire «L'Église anglicane unie non absorbée» par le cardinal le 20 mai, la réaction des participants catholiques, pris au dépourvu, et celle des Anglicans, sont bien connues. Mais, comme le remarque R. Aubert, nous ne savons rien des entretiens oraux entre le cardinal et dom Beauduin après cet échange de lettres que nous avons citées[86]. Pourquoi le cardinal, qui avait l'intention de faire dactylographier le texte du mémoire pour le distribuer aux participants, ne l'a-t-il pas fait, au moins pour avoir à l'avance l'avis des historiens catholiques qui prenaient part aux Conversations, Batiffol et Hemmer? Pourquoi l'a-t-il présenté comme venant d'un canoniste dont il taisait le nom[87]? Il est certain que les deux historiens catholiques eussent été beaucoup mieux disposés si le texte leur avait été communiqué à l'avance. On ignore même si Mgr Van Roey, alors vicaire général du cardinal et son futur successeur, avait eu connaissance de ce rapport. Toujours est-il que le cardinal prit entièrement sur lui-même la responsabilité du texte[88].

Par ailleurs, on ne peut savoir que par induction ce que le cardinal avait communiqué à dom Lambert du contenu des Conversations de Malines. Il nous paraît certain, après les rappels faits ci-dessus, qu'il connaissait et l'Appel de Lambeth, dont la finale, telle qu'elle est publiée par Halifax, lui a inspiré le titre de son mémoire, et les questions posées par les Anglicans et les suggestions qui avaient été faites, au cours des secondes Conversations en mars 1923. Il connaissait sûrement les deux résumés mentionnés ci-dessus, qui furent signés et contresignés par les deux parties. On ne s'expliquerait pas sans cela que le mémoire y corresponde si parfaitement. Le texte du mémoire est désormais bien

86. *Loc. cit.*, p. 418.

87. On pourrait supposer, en se fondant sur un membre de phrase du cardinal dans une lettre à Lord Halifax, du 6 mars 1925 (c'est-à-dire deux semaines après la réponse de dom Beauduin), que Gasparri, le Secrétaire d'État, avait eu connaissance du mémoire de dom Lambert et avait réagi positivement. Mercier écrit, en effet: «Proportionnellement à la mesure dont le Souverain Pontife et le cardinal Secrétaire d'État au Vatican font connaître toujours plus clairement leur confiance dans nos humbles efforts, et désavouent ainsi indirectement certaines oppositions des Catholiques romains anglais, il semblerait...» (BELL, *Randall Davidson*, p. 1289). Mais ce n'est qu'une hypothèse.

88. Le 22 février 1930, après la publication par Lord Halifax du volume *The Conversations at Malines* (n. 3), le cardinal Van Roey crut devoir faire dans *La Libre Belgique*, une déclaration où il affirmait entre autres à propos de «L'Église anglicane unie non absorbée»: «Quand le cardinal Mercier donna lecture de cette étude, au sujet de laquelle les membres catholiques ne manquèrent pas de faire leurs réserves, il eut soin de préciser qu'elle traduisait les vues particulières de l'auteur, et il fut convenu qu'elle ne ferait pas partie des documents relatifs aux Conversations de Malines». Quoi qu'il en soit de la précision qu'aurait donnée le cardinal Mercier, il est assuré qu'il faisait entièrement sienne l'étude de dom Lambert.

connu et l'un des propos des présentes pages était de montrer que, quoi qu'on en ait prétendu, il répondait aux requêtes des Anglicans au moment où le cardinal Mercier a demandé à dom Lambert de le produire[89].

On a fait grief à son auteur d'avoir parlé du «patriarche de Cantorbéry» et de ses droits «patriarcaux», alors qu'il n'a jamais porté ce titre[90]. On peut répondre que rien n'empêchait le pape de donner ce titre avec des privilèges très étendus au successeur de saint Augustin à Cantorbéry. Lisbonne, en effet, n'a reçu le titre patriarcal (à titre honorifique) qu'en 1716 et il est certain que les privilèges de Cantorbéry au haut moyen âge, comme aussi ceux de Westminster au temps du dom Lambert, excédaient de beaucoup ceux d'un simple métropolitain[91]. Si l'on met entre parenthèses les épithètes de patriarcal et de patriarche, le rappel historique du mémoire correspond bien aux faits.

Quant à la comparaison avec les droits d'un patriarche oriental catholique, en fait avec ceux du patriarche grec-catholique d'Antioche, elle était suggérée, comme on l'a vu, par les Anglicans eux-mêmes.

89. Depuis la publication faite par HALIFAX, *The Conversations at Malines*, en 1930 (pp. 241-261), le texte a été republié en 1977 par le chanoine J. Dessain à Malines (texte: pp. 11-24). Il se trouve aussi intégralement dans J. DE BIVORT DE LA SAUDÉE, *Documents* (n. 37), pp. 212-224, et en appendice F de l'ouvrage de J.A. DICK (n. 2), pp. 216-225. G.K.A. Bell en a donné une traduction anglaise dans *Documents on Christian Unity*, Third Series 1930-1948, Document 149, Oxford, 1948, pp. 21-32 (voir dans ce volume, pp. 35-46). En introduisant ce texte, Bell relève que le rapport du Comité pour l'Unité de l'Église à la Conférence de Lambeth de 1930 déclare que l'encyclique *Mortalium animos* de Pie XI (1928) propose une «méthode de complète absorption», au contraire du mémoire lu à Malines «L'Église anglicane unie non absorbée». Il commente: «Les difficultés sont peut-être plus grandes qu'on ne les concevaient dans le schéma proposé, mais il a le grand mérite d'essayer de faire droit à une certaine autonomie qui serait possible dans une Église unie» (p. 21).

90. Sur ce reproche, cf. encore R.T. GREENACRE, *La signification des Églises orientales catholiques au sein de la Communion romaine dans la perspective de «l'Église anglicane unie non absorbée»*, in *Irénikon* 65 (1992) 339-351 (344). On se souvient que le parallélisme avait été proposé par les Anglicans en 1923 et que certains évêques anglicans lors de la Conférence de Lambeth de 1897 envisageaient déjà que l'archevêque de Cantorbéry fût patriarche de la Communion anglicane.

91. On pourrait aussi relever que dom Beauduin, s'il pose la question de la préséance des cardinaux sur les patriarches, ne fait pas état dans son mémoire de la bulle *Non mediocri* de 1439 par laquelle Eugène IV décidait la préséance de l'archevêque d'York John Kemp devenu cardinal sur l'archevêque de Cantorbéry Henry Chichele qui ne l'était pas. On sait que cette bulle déclarait la préséance absolue des cardinaux même sur les patriarches «et aujourd'hui encore dans ce saint concile» de Florence (§ 11, *Bullarium Romanum* V, Turin, 1860, p. 37). Il est vrai que la décision de saint Grégoire le Grand prévoyait que les archevêques de Cantorbéry et d'York auraient la préséance à tour de rôle (cf. G.R. EVANS, *The Church and the Churches. Toward an Ecumenical Ecclesiology*, Cambridge, 1994, pp. 60-61) et que, par ailleurs, le mémoire de dom Beauduin parle de la préséance des patriarches sur les cardinaux «avant le schisme».

On a reproché au mémoire de ne pas mettre en première place l'accord nécessaire sur les questions doctrinales avant d'en venir aux régulations pratiques. C'est oublier que la solution des graves problèmes doctrinaux était présupposée par le cardinal Mercier – et donc par l'auteur du mémoire – avant qu'on en vienne à ces applications pratiques. Les déclarations du cardinal sont assez claires sur ce point.

On l'a blâmé aussi – et le Dr Gore le premier – de ne pas tenir compte du fait que l'ampleur de la Communion anglicane était bien différente de ce qu'était l'Église d'Angleterre à la fin du moyen âge[92]. C'est oublier que Cantorbéry conservait et conserve toujours aujourd'hui une place toute spéciale d'honneur dans la Communion anglicane et que, par ailleurs, il était clairement prévu au cours des Conversations que les autres primats anglicans auraient aussi une position à part[93].

On a vivement reproché encore au texte de dom Lambert d'avoir envisagé comme une évidence que dans le cas d'une réunion «les sièges (épiscopaux) catholiques nouveaux depuis 1851 seraient supprimés à savoir: Westminster, Southwark, Portsmouth, etc.». Il ajoutait cependant: «Évidemment c'est une mesure grave: mais qu'on se rappelle que Pie VII lors du Concordat français supprima les diocèses existants et demanda la démission de tous les titulaires (plus récents)»[94]. Faisons à ce sujet deux remarques: 1° Lors des conversations de mars 1923 les Anglicans avaient admis que soit maintenue la hiérarchie catholique actuelle en Angleterre, comme on l'a rapporté plus haut, mais avec cette clause «pour le présent», comme «arrangement transitoire», «susceptible de révision dans l'avenir». La suggestion faite par le cardinal Mercier et par M. Portal qu'il existât une double juridiction, comme c'est le cas en Orient, ne paraît pas avoir été retenue telle quelle. 2° Pour la suppression des sièges catholiques, dom Lambert, dans une note qu'il a ajoutée au manuscrit envoyé à Mercier et que J. Dessain a publiée dans son édition[95], dom Lambert spécifiait: «Le cardinal Bourne (archevêque de Westminster à ce moment: E.L.) écrivait: Il n'y a pas un évêque parmi nous qui ne serait heureux d'abdiquer de son siège et de se retirer dans une complète obscurité, si l'Église d'Angleterre pouvait de nouveau être catholique»[96]. L'hypothèse n'était donc pas aventurée, même

---

92. HALIFAX, *The Conversations at Malines* (n. 3), pp. 57-58. Même critique de la part de Greenacre (n. 90), pp. 344-345.
93. *Ibid.*, pp. 34ss., 86-88.
94. *Ibid.*, p. 256.
95. Éd. J. DESSAIN, p. 21.
96. Dom Lambert indique avoir pris cette citation dans *Columbia* d'octobre 1924 (*ibid.*, note 1).

si elle était susceptible de choquer les Catholiques anglais. Dom Lambert prévoyait d'ailleurs une telle opposition à ses propositions, aussi écrivait-il avec beaucoup de sagesse et de modestie dans les «Conclusions pratiques» de son mémoire:

> Si les principes généraux indiqués dans ce rapport pouvaient servir de base à une entreprise pour l'union des Églises, il serait nécessaire évidemment de développer ce travail et d'en établir scientifiquement les différentes assertions historiques et canoniques. Vu l'opposition inévitable et probablement très vive que ces idées trop neuves pourront soulever, il est nécessaire, avant de les rendre publiques, de les appuyer de considérations et de développements qui, au point de vue théologique et historique, sont inattaquables, et de leur donner une forme précise et détaillée, de façon à éviter toute équivoque. Pareil travail ne pourrait se faire que grâce au concours de plusieurs qui pourraient élaborer ensemble une œuvre complète[97].

Le mémoire de dom Beauduin ne reçut pas l'accueil qu'il méritait parce que les participants n'en avaient pas le texte sous les yeux, que les membres catholiques n'en avaient pas eu connaissance à l'avance et que, au moment où il était produit, il paraissait un hors-d'œuvre. On était, en effet, dans la discussion des questions dogmatiques et non plus dans les suggestions pour des arrangements pratiques. Plusieurs Anglicans rendirent pourtant hommage à son auteur, parmi lesquels G.K.A. Bell qui écrit dans sa biographie de l'archevêque Davidson: «Le mémorandum n'a pas été discuté en détail, bien qu'il ait soulevé un vif intérêt. Il se pourrait bien qu'il s'avère ne pas être le résultat le moins durable de Malines»[98].

Ce jugement est confirmé par les paroles de Paul VI s'adressant au Dr Coggan, archevêque de Cantorbéry le 28 avril 1977: «L'allure de ce mouvement (de rapprochement entre l'Église catholique et la Communion anglicane) s'est accélérée merveilleusement au cours des dernières années à tel point que ces paroles pleines d'espoir: 'L'Église anglicane unie non absorbée' seront dorénavant plus qu'un simple rêve». J. Dessain qui rapportait ces paroles ajoutait en concluant: «Le document magistral et toujours actuel (...), cité par Paul VI et par bien d'autres, est là pour démentir que les 'Conversations de Malines' furent un échec et pour prouver que le travail des précurseurs ne fut pas inutile»[99].

Un fait reste à signaler qui n'a guère été relevé. Au cours des Conversations que présida Mgr Van Roey, nouvel archevêque de Malines, les 11 et 12 octobre 1926, les Catholiques produisirent un mémoire qui fait

---

97. Éd. J. DESSAIN, p. 23; J. DE BIVORT DE LA SAUDÉE, *Documents* (n. 37), p. 223; J.A. DICK (n. 2), pp. 224-225.

98. BELL, *Randall Davidson* (n. 4), p. 1291.

99. Dans la «Note préliminaire» de son édition de *L'Église anglicane unie non absorbée*, Malines, 1977.

le bilan des précédentes Conversations. Le dernier point (VI) de ce mémoire suppose la prise en compte de ce que proposait le texte de dom Beauduin. À ce titre nous croyons opportun de le citer, car il s'agit de la dernière page de la publication de Halifax en 1930, qui contenait aussi le texte alors anonyme de «L'Église anglicane unie non absorbée»[100]:

> Les vérités dogmatiques ont retenu[101] l'attention des anglicans et des catholiques à Malines. Cependant les discussions ont également effleuré les questions de discipline. Il est naturel que l'Église anglicane, après quatre siècles de séparation, ayant ses habitudes et ses traditions, s'inquiète du régime sous lequel elle pourrait avoir à vivre en cas de réunion.
>
> D'autre part, il ne saurait appartenir à des interlocuteurs catholiques, dépourvus de mandat officiel, d'apporter des promesses qui pourraient devenir l'origine de déceptions graves.
>
> Cependant il leur était possible de dire combien grande est la diversité des disciplines sous lesquelles l'Église a vécu sans dommage pour son unité, et quelle variété d'institutions existe encore actuellement au sein de l'Église catholique malgré l'uniformité progressive à laquelle tend sa législation surtout depuis que le protestantisme l'a contrainte à renforcer sa centralisation administrative. Le respect que Rome témoigne aux Églises orientales, le scrupule avec lequel elle maintient leurs rites, leurs langues liturgiques, leurs droits patriarcaux, leurs coutumes et leurs législations particulières, leur autonomie relative notamment dans l'élection de leurs évêques et de leurs patriarches, dans la gestion de leurs biens, dans la célébration des synodes... tout permet d'entrevoir avec quelle largeur d'esprit pourraient être traitées, entre l'Église romaine et l'Église anglicane, les clauses disciplinaires de leur union[102].

Il est difficile de ne pas voir dans ces lignes une référence implicite non seulement aux questions soulevées par les Anglicans au cours des Conversations, mais surtout au mémoire de dom Lambert. La mention du pallium et de l'autonomie historique de l'Église en Angleterre est absente, mais l'appel aux Églises orientales catholiques, à leurs droits patriarcaux, à leur discipline propre et à leur autonomie relative s'inspire, sans doute possible, du mémoire lu par le cardinal Mercier au matin du mercredi 20 mai 1925.

Ce rappel de la conjoncture œcuménique au moment des Conversations de Malines et du contexte dans lequel le cardinal Mercier a demandé à

---

100. Le texte avait déjà été publié dans le rapport officiel des Conversations de Malines *The Conversations at Malines 1921-1925 – Les Conversations de Malines 1921-1925*, Oxford, 1927, pp. 72-95 (texte bilingue), ici, pp. 92-93.

101. Le texte de 1927 dit «...ont retenu principalement l'attention...».

102. *The Conversations at Malines* (n. 3), pp. 304-305. Le texte ajoute encore deux paragraphes sur la diversité présente de la discipline des provinces de la Communion anglicane.

dom Lambert Beauduin de rédiger un mémoire sur le passé et l'avenir ecclésial possible du siège de Cantorbéry a montré que le mémoire de dom Lambert Beauduin est à situer dans les perspectives œcuméniques plus larges du temps et dans celles des Conversations de Malines en 1923. À cette époque les relations entre Anglicans et Orthodoxes ont évolué de manière assez spectaculaire par la reconnaissance des ordinations anglicanes de la part de Constantinople, Jérusalem et Chypre. Par ailleurs, loin d'être une construction artificielle de l'imagination, le mémoire sur «L'Église anglicane unie non absorbée» entendait répondre aux requêtes précises formulées par les Anglicans avant et pendant les secondes Conversations de Malines de mars 1923. Il nous a semblé que mettre ces faits en lumière au moment où l'on célèbre le 75e anniversaire des Conversations de Malines pouvait encourager la recherche actuelle de l'unité entre Catholiques et Anglicans, mais aussi avec les Orthodoxes. Le moment œcuménique présent a bénéficié des ouvertures des pionniers de cette époque.

Comme l'a reconnu R.T. Greenacre, dom Lambert a eu le mérite de «prendre au sérieux la réalité ecclésiale de l'anglicanisme»[103]. Il était le premier à le faire de manière détaillée. Quatre décennies plus tard Vatican II et l'Église catholique l'ont suivi. Aujourd'hui, il est vrai, la situation est aussi complexe qu'alors, sinon davantage sous certains aspects. Certaines espérances pour le présent paraissent bloquées, mais, en même temps, les relations fraternelles entre les Églises sont devenues solides. Certaines défiances se sont atténuées. L'exemple de l'audace confiante d'un Mercier et d'un Halifax, d'un Portal et d'un Lambert Beauduin dont nous sommes les héritiers doit susciter des émules qui verront peutêtre – s'il plait à Dieu – le jour que ceux-là ont tant désiré voir.

Abbaye de Chevetogne
B-5590 Chevetogne

Emmanuel LANNE

---

103. *La signification* (n. 90), pp. 345-346. Un peu plus loin Greenacre cite le Dr Runcie, alors archevêque de Cantorbéry: «Malgré certains défauts sérieux (...) ce document garde son importance, car il représente la première reconnaissance claire que les Églises de la Communion anglicane doivent rechercher une unité qui respecte leur tradition autonome. On y trouve le premier essai systématique sur le *type* d'unité que Rome et Cantorbéry doivent rechercher (...)» (p. 350).

2

"THE CHURCH OF ENGLAND UNITED NOT ABSORBED"

MEMORANDUM BY A CANONIST READ BY CARDINAL MERCIER*

[This Memorandum was read aloud by cardinal Mercier on May 19, 1925, at the 21
fourth and last Conversation, as the work of an anonymous canonist. Its title was
L'Église Anglicane unie non absorbée. It is printed in *The Conversations at
Malines, 1921-1925, Original Documents*, ed. by Lord Halifax (Philip Allan,
1930). The canonist was Dom Lambert Beauduin. It aroused deep interest at that
time of reading, but was not discussed in detail. The Report of the Committee of
the Lambeth Conference, 1930, on "The unity of the Church" contains this
reference to it: "They regret also that in the Encyclical (*Mortalium Animos*) the
method of 'complete absorption' has been proposed to the exclusion of that
suggested in the Conversations, as, for example, in the paper read at Malines,
L'Église Anglicane unie non absorbée. There are difficulties greater than
perhaps were realized in the scheme proposed, but it has the great merit of
attempting to recognize to some extent at any rate the autonomy which might be
possible in a united Church" (*The Lambeth Conference, 1930*, p. 131).]

INTRODUCTION

1. If we only consider divine right, all Bishops are equal among
themselves. One alone, the successor of St. Peter, Bishop of Rome, is
constituted the supreme head of the episcopal body and of the whole
Catholic Church. His episcopal jurisdiction is extended to all individual
Churches without exception – he is *Episcopus catholicus*.

2. But human law, whether by ancient custom or by actual precept,
has set up a hierarchy of jurisdiction among bishops, which implies relationships of superiority and subordination between patriarchs, primates,
archbishops, and suffragans. To be legitimate and in accordance with
divine right, these different powers must be established explicitly, or
admitted implicitly, or recognized *post factum* by the supreme power
mentioned above.

---

* The English translation that is reproduced here was first published in G.K.A. BELL
(ed.), *Documents on Christian Unity. Third Series 1930-1948*, London/New York/
Toronto, 1948, pp. 21-32. Page numbers in the margin. The original French text can be
found in J. DICK, *The Malines Conversations Revisited* (BETL, 85), Leuven, pp. 216-225.
See also in this volume, p. 29, n. 89.

3. These two principles have been exactly applied in the development and history of the Anglican Church during the first ten centuries of its existence (594-1537). On the one hand the Church had an autonomous organization through the dependence of the bishops on the very real and extensive power of the Patriarch of Canterbury. On the other hand there was the most explicit recognition both in theory and practice of the juris-diction of the Roman Pontiffs, and the clear subordination of the patriar-chal power of Canterbury to the See of Peter, which made the Church of England the most thoroughly Roman of all the Churches of East and West.

4. In other words, the Anglican Church stands throughout its history not as an assembly of scattered dioceses attached to Rome and without any real hierarchic unity, but as a strongly organized body, as a compact whole united under the authority of the successors of St. Augustine, an organization in accordance with the aspiration of a self-governing and island race, where splendid isolation was an ideal.

On the other hand there is no Church so Roman in its origin, in its tra-ditions, spirit, and history; there is no Church so strongly bound to the Apostolic See, to that Church, Mother and Mistress of all the others, so much so that after four centuries of separation a writer has been able to say "England is a Catholic Cathedral occupied by Protestants".

5. A large measure of self-government and fidelity to the Roman See, such are the two marks of its history, and such are perhaps the lines of reconciliation. This statement takes into account these two aspects.

I. First Section: Historical evidence of these two characteristics; the approach from History.
II. Second Section: The possibility of a Catholic basis in modern times for the Anglican Church on these historic lines: the approach from Canon Law.
III. Conclusion.

I. HISTORICAL APPROACH

1. From the beginning, St. Augustine of Canterbury was made head of the Church of England by St. Gregory the Great and invested by him with the pallium, the insignia of patriarchal powers:

– "We concede to you the use of the pallium to be used only in solemnities" (Letter to Augustine quoted in Bede's *Ecclesiastical History*, P.L., vol xcv, col. 69). This conferred effective jurisdiction over all the bishops both present and future of the English Kingdom,

– "We commit the care of all bishops of the Britons to your Fraternity, that the ignorant may be instructed, the week strengthened by per-
suasion and the perverse corrected by authority" (Letter to Augustine,
P.L., vol. lxxvii, col. 1192).

2. There is no doubt possible as to the reality of this Patriarchal juris- 23
diction. In fact, St. Augustine wished to obtain more precise instructions
and asked if his power covered at the same time the bishops of Gaul
whom he doubtless visited on his journeys to Rome. St. Gregory writes
to him: "We grant you no authority over the bishops of Gaul because
from the days of our predecessors the Bishop of Arles received the pallium and we must not deprive him of the authority he has received....
You cannot of your own authority judge the bishops of Gaul, save by
persuading, encouraging, and showing them your good works as an
example ... but we commit the charge of all the British bishops to your
Fraternity, &c..." There is no question then of a mere precedence of
honour or of a fraternal influence; the Bishop of Arles in Gaul and the
Bishop of Canterbury in Great Britain enjoy Patriarchal powers over all
the Churches of their respective countries.

3. This Patriarchal jurisdiction is conferred by a symbol that is at
once venerable and significant, the imposition of the pallium; and in
order to understand the documents used in this study it is necessary to
realize fully the exact meaning of this rite of investiture to which was
formerly attached so much importance. The pallium is a garment, a
broad scarf of wool, that covered the neck and shoulders. The pallium of
the popes soon took on a higher meaning; it symbolized the power of
the Good Shepherd Who takes the lost sheep on His shoulders and holds
it clasped round His neck. Then in order to pass on to a bishop a share
in the power of the chief Pastor, what was more natural than to clothe
him with the symbolic robe of the Successor of Peter, the pallium, that
is, pontifical investiture? This symbol was already ancient in the time of
St. Gregory the Great, as is shown by the letter to St. Augustine already
quoted (*ab antiquis temporibus*), and was held in great veneration in the
Middle Ages. It was made out of lambs' wool solemnly offered at the
altar, and was blessed by the pope in the Vatican Basilica on the Feast
of St. Peter, being afterwards placed over the Confession of the Prince of
the Apostles until it was given. It is asked for, delivered, and imposed in
three successive ceremonies; it is the sign of the investiture of a power
beyond that of a bishop which can only have as its origin the tomb in
possession of the successor of Peter, *in quo est plentitudo pontificalis
officii cum archiepiscopalis nominis appellatione.*

Thus in imposing the pallium upon St. Augustine, St. Gregory said to
him: "Your Fraternity shall have subject to yourself by the authority of
24 Our Lord Jesus Christ, nor only the bishops ordained by you, nor only
those ordained by the Bishop of York, but all the bishops of Britain"
(Bede's *Eccl. Hist.*, Lib. 1, c. 29, *P.L.*, vol. xcv, col. 69).

4. In the Records of the Archbishop of Canterbury we find frequent
mention of the patriarchal power of Canterbury: "Elfsin ... going to Rome
for the pallium ... died" (959). Quoted from Mabillon, *Annales*, lib. 46,
Lucca (1739), vol. iii, p. 518.

The account of the Life of his successor Dunstan begins thus: "Dunstan, setting out for Rome for sake of the pallium ...". From Augustine to Cranmer all the archbishops of Canterbury received their pallium from the Sovereign Pontiffs; most of them even, according to
the ancient rule, made the journey to Rome in person to receive it at the
hands of the pope himself. Before receiving investiture the archbishop
had no patriarchal rights; the pallium imposed by the pope is as it were
the consecration of his supra-episcopal jurisdiction. Thus an archbishop
who had received the pallium from an anti-pope was not received in
England as Patriarch (Edwin Burton, *Catholic Encyclopaedia*, vol. iii,
p. 301).

5. This patriarchal power of Canterbury conferred by St. Gregory on
St. Augustine became later the unifying principle of the Anglican
Church. In 668 Pope Vitalian nominated to this See Theodore, an Eastern monk of Tarsus in Cilicia, who had passed many years in Rome, and
who was famed for his sacred and humanistic learning. According to his
famous contemporary the Venerable Bede (675-735) (cf. *Hist. Eccl.
Anglorum*, Lib. iv, *P.L.*, vol. xcv, col. 171) he was for more than a
quarter of a century (668-90) one of the greatest archbishops of Canterbury and firmly established the patriarchal power. He set up new dioceses, nominated or dismissed bishops, held visitations of the dioceses,
and summoned to his patriarchal council the different ecclesiastical
provinces. In short, he organized the very real and very extensive jurisdiction of the Patriarch on the model of the Eastern Churches and with
the constant support of Rome.

6. Two centuries later Pope Formosus III (896) in a famous letter
addressed to the Bishops of England solemnly confirms these patriarchal
powers and threatens with ecclesiastical penalties the bishops who might
try to claim exemption from this perfectly legitimate jurisdiction (Allusion to the Archbishop of York who would have liked to withdraw his

metropolitan see from this jurisdiction). Seeing the importance of this document it is necessary to quote the principal passage:

> Who amongst you should hold the first place, and which episcopal see has 25
> power before all others and holds the primacy, is well known from ancient
> times. For as we learn from the writings of Blessed Gregory and his
> successors the metropolitan and first episcopal see of the kingdom of the
> English is in the city of Canterbury, over which our venerable brother Pleg-
> mund (890-914) now presides. On no account do we permit the honour of
> his high office to be diminished, but we ordain him to carry out all things
> as with Apostolic Authority. As Blessed Pope Gregory ordained first to
> your nation that all the bishops of the English should be subject to Augus-
> tine, so we to the forenamed brother the Archbishop of Canterbury and
> his lawful successors confirm the same dignity. We ordain and decree, by
> the authority of God and of Blessed Peter Prince of the Apostles, that all
> should obey his canonical decisions, and that no one should violate what-
> ever has been granted to him and to his successors by Apostolic Authority
> (*Bullarium*, Editio Taurinensis, 1857, vol. i, p. 369).

7. In the following century, at the Council of Brandanford in 964, all the bishops approve the decree of King Edward putting an end to the persecution of his predecessor, and recalling St. Dunstan to the see of Canterbury:

> "That the Church of Christ in Canterbury shall be the mother and mistress
> of the other Churches of our kingdom ..." (Mansi, vol. xviii A, col. 476).

8. All the life of St. Anselm (d. 1109) bears witness to this same truth. The whole English episcopate is present at his consecration in 1093 and proclaims him Primate of all Britain, *totius Britanniae primatem*. It will be seen that this is not merely a title of honour (cf. Mansi, vol. xx, col. 792).

At the Council of Rockingham in March 1094 (ibid., col. 791), in the speech where St. Anselm explains to the assembly of all the bishops his conflict with the king, he says:

> For when recently I had asked him for permission to visit Urban, the ruler
> of the Apostolic See, to receive the pallium according to the custom of my
> predecessors....

At the Council of Bari (1098) Urban II made Anselm sit beside him and his archdeacon saying, "Let us put him in our immediate sphere, for he is as it were Pope of the other sphere" (*Includamus hunc in orbe nostro quasi alterius orbis papam*. Mansi, xx, col. 948).

A still more significant fact and one which shows the efficacy and extent of this primatial jurisdiction: Gerard, bishop of Hereford, was 26 promoted in 1107 to the metropolitan see of York, the first see in Britain after Canterbury and which sought to be free of its dependence. Anselm wished to obtain from the newly-elect another explicit profession of obedience and submission, not being satisfied with that made by Gerard on entering into possession of the see of Hereford. Hence a conflict in which the king found a satisfactory solution: without making a fresh profession the elect would renew explicitly that made for Hereford:

> Anselm agreed, and Gerard, with his hand placed in that of Anselm and his bond placed between, promised that he would show the same subjection and obedience to Anselm and his successors as he had promised when he was to be consecrated Bishop of Hereford (Mansi, vol. xx, col. 1229).

9. Nothing indeed was lacking for the reality of this patriarchal jurisdiction. Numerous ecclesiastical benefices were withdrawn from the dependence of the local bishop and made to depend directly on the see of Canterbury. It is what we would call exemption, but to the advantage of the Patriarch. In the time of St. Anselm there were about 80 benefices exempted in this sense. Many monasteries followed the same law.

10. Under the pontificate of Alexander III (1159-81) the patriarchal rights of the see of Canterbury were strongly attacked by the bishops of York and London, and the king, anxious to humble the Patriarch in order to have a stronger hold on the Church, upheld these claims; just as later on in Russia Peter the Great substituted the Holy Synod for the Patriarch of Moscow. Archbishop Thomas, who was soon to die a victim of his zeal, vindicated the rights of his Church and excommunicated the insubordinate bishops and the king himself. Alexander III confirmed by several bulls all the rights and privileges of the see of Canterbury:

> As it is established that your predecessors from the time of St. Augustine have held by the authority of the Apostolic See (Mansi, vol. xxi, cols. 871-2).

These few historical facts that have just been mentioned and that could be multiplied, are surely proof of the two principles mentioned at the outset. A Church strongly unified and organized under the very real patriarchal authority of the Archbishop of Canterbury, the Anglican 27 Church is a Catholic and historic reality constituting one homogeneous whole. She cannot be absorbed and fusioned without losing the proper character of all her history. On the other hand this Church was strongly united from the beginning to the see of Peter. Invested with the symbolic mantle of the prince of the Apostles, the Archbishop of Canterbury shares in the apostolic jurisdiction not only over the faithful but also over the bishops. As once Elisha took on the mantle of his master and found thereby the influence of his spirit, so St. Augustine and all his successors without exception sought at Rome, by the imposition of the pallium, the investiture of their patriarchal jurisdiction. This historical position is so evident that it must in truth be said that an Anglican Church separated from Rome is above all things an historical heresy.

In brief, an Anglican Church ABSORBED by Rome and an Anglican Church SEPARATED from Rome are two conceptions that are equally inadmissible. The true formula must be sought somewhere between, which is the only position based on history, namely, in an Anglican Church UNITED to Rome.

II. PROJECT OF A CATHOLIC STATUS ACCORDING TO THESE DATA

According to Western Canon Law of the present day, the title of Patriarch or Primate is purely one of honour and does not imply of itself any special jurisdiction (Can. 271). This was not always the case. Historically, until the twelfth century, and longer still for certain sees, the function of Patriarch or Primate implied effective and very extensive jurisdiction both over different ecclesiastical provinces and dioceses. Had this jurisdiction a share in the power of the Primate of the whole Church of Christ, borne the same name, and more especially had it the same extent in the Latin as in the Byzantine Church? The greater proximity of Rome and the title of Patriarch of the West that the Sovereign Pontiff still uses officially to-day, diminished the utility and importance of the hierarchic rank and gradually brought about its decline. But it is incontestable that, under the different name of Primate, the reality existed in the west as in the east, and more especially, as has been shown, in the Church of England.

Let us first examine from this point of view the present status of the Eastern Churches united to Rome. Then we shall see what application can be made to the Church of England.

i. The Internal Organization of the United East Churches

Patriarchal organization is still the practice, as is known, of the Eastern Churches. It can even be said that it is more effective in the Churches 28 united to Rome than in the Separated Churches where the interference of the Civil Power and of the laity often make it illusory.

To take a concrete example, let us examine the patriarchal organization of the Catholic Melkite Church. The jurisdiction of the Patriarch, Mgr. Cadi, includes all the Melkite faithful who were living in the Ottoman Empire in 1894, the date of this concession by Leo XIII.

The Melkite Patriarch of Antioch, who at the same time administers the two patriarchates of Jerusalem and Alexandria, counts in his patriarchate five metropolitan sees and seven bishoprics, in all twelve dioceses, and together about 170,000 faithful.

1. As soon as the synod of bishops has elected the new patriarch, he sends to the Pope a detailed profession of faith and asks him for the patriarchal pallium as a sign of his apostolic investiture. Before he has received this investiture the elect has no patriarchal power.

2. The choice of bishops is made in the following manner. The Patriarch proposes three candidates among whom the secular priests must make their choice. The newly-elect is then confirmed and consecrated by the Patriarch, without any intervention from Rome which is not even informed of the election and consecration. Thus no Eastern bishop is proclaimed in the Consistory. As for the titular bishops, their choice and consecration depend on the Patriarch alone, without Rome interfering or being informed.

3. At certain times the Patriarch convokes the Archbishops and Bishops to the Patriarchal Synod, over which he presides. The decrees and decisions are afterwards submitted for the approval of the Holy See.

4. The Patriarch has a right of inspection and visitation in the different dioceses. For more important measures, as would be the dismissal of a bishop, the approval of the Synod is required.

5. The exemption of certain great monasteries from episcopal jurisdiction means that they are submitted to the Patriarch. They are called stavropegiac and depend directly on the Patriarch. Among the Orthodox Melkites, of 17 monasteries five are stavropegiac.

6. The Pastriarchal Churches have their own laws and customs, regulated by the Synods, their own liturgies and their own enterprises; in short, they constitute, under the authority of the Patriarch, autonomous institutions with their own organization; but they are in communion with and depend on Rome.

29   7. Far from being prejudicial to this autonomous internal organization, Rome has assured to the Eastern Churches the conservation of this wide autonomy. The first article of the Codex of Canon Law declares that Western legislation does not affect them and that the Catholic East preserves its own Laws and institutions. The same is true of the Liturgy and for the whole ecclesiastical organization. Leo XIII has admirably stated in his encyclical *Praeclara* of June 20, 1894, and in the Constitution *Orientalium Dignitas* of November 30, 1894, the basic line of conduct of the Roman Church: "The real unity among Christians is that which the Founder of the Church, Jesus Christ, has instituted and willed;

it consists in the unity of faith and government. Neither We nor Our successors will ever suppress anything of your Law, nor the privileges of your Patriarchs, nor the ritual customs of each Church. It has always been and will be part of the mind and policy of the Holy See to show itself generous in concessions that affect the traditions and customs of each Church".

ii. *Application to England*

1. There is then a Catholic formula for the Reunion of the Churches, which is not an absorption but which safeguards and respects the internal autonomous organization of the great historic Churches, while maintaining their perfect dependence towards the Roman Church, the centre of unity for the Universal Church.

2. If any Church by reason of its origins, its history, and the habits of its people, has a right to these concessions of autonomy, it is the Anglican Church. We have shown it in our historical inquiry. The principle affirmed by Leo XIII and applied by him to the Eastern Churches can equally well be applied to the Anglican Church: "It has always been and will be part of the mind and policy of the Holy See to show itself generous in concessions that affect the traditions and customs of each Church".

3. In practice, the Archbishop of Canterbury would be re-established in his traditional and effective rights as Patriarch of the Anglican Church. After receiving his investiture from the successor of St. Peter by the traditional imposition of the pallium, he would enjoy patriarchal rights over the whole Church of England. These would include the nomination and consecration of bishops, the convocation and presidency of inter-provincial councils, the inspection of dioceses, and jurisdiction over the chief religious institutes that would be exempt from episcopal jurisdiction. The internal organization of the Anglican Church would be modelled on that sanctioned and maintained by Rome for the united Eastern Churches.

4. The Codex of Canon Law for the Latin Church would not be 30 imposed on the Anglican Church. In an inter-provincial Synod she would establish her own ecclesiastical laws, and these would be submitted for the approval of the Holy See and sanctioned for the Anglican Church. It is well known that the Eastern laws are quite different from the Latin laws, except on matters of the natural or divine law. If by chance it was deemed opportune for the Anglican Church, there should be no hesitation in not imposing celibacy of clergy any more than in the East.

5. The Anglican Church would have its own Liturgy, the Roman Liturgy of the seventh and eighth centuries, as she practised it at that period and as it is found in the Gelasian Sacramentaries. Already at the present time there is a great desire in the Anglican Church to return to the classic beauty of this Roman Liturgy, which has unfortunately been lost by Rome and which the Anglican Church would restore to honour. As the worship of Our Lady and of the Saints is less exuberant in this classic Liturgy than in the present Roman Liturgy, there would thus be a useful means of effecting a transition.

6. Evidently all the historic sees of the Anglican Church would be maintained and the new Catholic sees created after 1851, such as West-minster, Southwark, Portsmouth, &c., would be suppressed. Doubtless that would be a serious measure but it should be remembered that at the time of the Concordat with France, Pius VII suppressed the existing dio-ceses and demanded the resignation of all those in possession, more than a hundred.

7. An important question as to precedence would be raised: are the Patriarchs to have precedence over Cardinals? A serious question that might compromise and spoil all negotiations unless it is decided accord-ing to historical data, as outlined below.

(a) Several Oecumenical Councils have solemnly decreed (IVth Con-stantinople in 869, Can. 21, and IVth Lateran in 1215, Can. 5) that the four effective Patriarchs of Constantinople, Alexandria, Antioch, and Jerusalem had a right to the first four places, in the order indicated, immediately after the Sovereign Pontiff of Rome. If then Canterbury has the fullness of its patriarchal function restored, it would rank in this category and occupy the fifth place among the Patriarchs, immediately after the Pope and before the Cardinals. It should be clear that there is only question here of the great Patriarchs, who had a residence in Rome, and each of whom was attached by name to a Basilica. Thus the Lateran was the residence of the Catholic Patriarch, the supreme and universal Pontiff; St. Peter's was the residence of the Patriarch of Constan-tinople, St. Paul's of the Patriarch of Alexandria, St. Mary Major's of the Patriarch of Antioch, and St. Lawrence's outside the Walls of the Patriarch of Jerusalem. All these usages from before the Schism should be resumed, and the Archbishop of Can-terbury should be assimilated to these four Patriarchs. There can be no doubt that before the Schism the Patriarchs were before the Cardinals.

31

(b) However, in view of the ideas dominant since the eleventh century, it would be difficult to apply these ancient uses. Advantage
might then be taken of a rule that has been followed at certain
times for princely persons, who ranked after the Dean of the Sacred
College. The precedence of the members of the Sacred College
was admitted in the person of its Dean.

(c) Finally, another system that has prevailed at certain times is for
the Patriarchs to rank after the Cardinal Bishops and before the
Cardinal Priests and Deacons.

(d) A good solution would be to establish an order of Cardinal Patriarchs, as in the eighth century was established the order of Cardinal Bishops, several centuries after the Cardinal Priests and
Deacons. This solution has the disadvantage of being new and in
a domain where the Church is very traditional; but in spite of
being new the solution respects the lines of tradition.

In any case, it must not be forgotten that these questions of precedence, because of the principles that they symbolize, are most important
and must be considered according to traditional principles.

PRACTICAL CONCLUSIONS

1. Union, not absorption, such would seem to be the formula of reconciliation. On the one hand the Anglican Church, a religious society
with its own internal organization and a moral entity enjoying autonomy, its own institutions, laws, and Liturgy, under the authority of its
head, the Archbishop of Canterbury, but without the principle of unity
and the infallible ground of truth that Christ desires in the Church He
founded: *unum ovile et unus Pastor*. On the other hand the Roman
Church with her own institutions, laws, and Liturgy, in a word, with
her internal Latin organization, but who also especially possesses in
her head the principle of unity, the ground of truth and apostolicity, 32
the unshakable rock on which the whole Church of Christ is founded.
It would be necessary, then, if the Anglican Church wished to belong to
the unique and visible society of Christ, for her to establish between
herself and the Roman Church a link of dependence and submission to
the successor of Peter, in other words she must become not Latin but
Roman; while preserving all her internal organization, all her historical
traditions and her legitimate autonomy, on the model of the Eastern
Churches, she would strongly establish this essential link of subordination to the universal Church whose centre of unity is in Rome.

2. If the general principles indicated in this memorandum could serve as a basis for a movement of Reunion of the Churches, it would be necessary to develop this sketch and to establish the historical and canonical positions in a scientific way. In view of the inevitable and probably strong opposition that these unaccustomed ideas would arouse, it would be necessary before their publication to strengthen them with different considerations and developments that would make them theologically and historically unassailable, and it would be necessary to give precisions and details to prevent any uncertainty. Such a work would need the collaboration of several who would be able to produce a complete work.

3. What will Rome think of this plan? It is clear that it suggests a principle of decentralization which is not in accordance with the actual tendencies of the Roman Curia, a principle that could have other applications. Would it not be a good and a great good? Yet would Rome be of this opinion? Nothing can allow us to foresee what would be the answer.

[Lambert BEAUDUIN]

3

THE CONVERSATIONS AT MALINES 1921-1925
THE ANGLICAN STATEMENT (July 1927)*

Prefatory Note

This pamphlet contains a Report presented to the Archbishop of Can- 2 terbury by the Anglican members of the informal Conference which, under the presidency of the late Cardinal Mercier, met at intervals in the years 1921–1925.

The Archbishop of Canterbury shares our opinion that the Report which was presented to His Grace may usefully be made public.

With a view to making clear what was the Archbishop's relation to these "Conversational" meetings, we are allowed to reprint from the official *Chronicle of Convocation* a portion of a speech which the Archbishop delivered in the Upper House on February 6, 1924.

It will, of course, be understood that the responsibility for what was said by the Anglican Group at Malines and for this summary of the proceedings rests entirely with those who took part in the Conversations and who transmitted this Report to the Archbishop.

July 1927.

To His Grace the Lord Archbishop of Canterbury 4

We have the honour to present to Your Grace an Account of the Conversations which took place at Malines under the presidency of Cardinal Mercier on four occasions in the years 1921–1925.

An independent account of the proceedings has been written on behalf of the Roman Catholic members of the conferences, and our desire is that, if your Grace approves, both accounts may be published together.

We trust that the Report will be held both to justify what has been done so far and also to warrant the hope that further Conversations may,

* Originally published in *The Conversations at Malines 1921-1925. Les Conversations de Malines 1921-1925*, London, [1927], pp. 2-48, pair pages. The French translation on the corresponding unpair pages is not reprinted here.

under God's guidance, contribute yet more to the great cause which we have at heart.

(Signed) HALIFAX.
Walterus TRURON.
Charles GORE, *Bishop*.
J. Armitage ROBINSON.
B.J. KIDD.

6 THE CONVERSATIONS AT MALINES 1921–1925

The Origin of the Conversations

In the Autumn of 1921 Lord Halifax paid a visit to His Eminence Cardinal Mercier at Malines, and asked him if he would be disposed to receive some of his friends, members of the Anglican Communion, who like himself were anxious to labour for a *rapprochement* of the Anglican Church to the Roman Catholic Church.

The moment, he said, was favourable, since the Anglican Bishops, united to the number of two hundred and fifty at Lambeth Palace, had expressed in a very explicit and exact way their eager wish for the realization of a visible catholic reunion of Christendom.

The Cardinal gladly assented to the request of Lord Halifax and of the Abbé Portal who came with him.

As reference is here made to the Lambeth Conference of 1920 (at which were assembled Bishops from all parts of the world, including the United States of America), it will be well to quote the fourth section of the Appeal then issued to all Christian people:

IV. The times call us to a new outlook and new measures. The Faith cannot be adequately apprehended and the battle of the Kingdom cannot be worthily fought while the body is divided, and is thus unable to grow up into the fullness of the life of Christ. The time has come, we believe, for all the separated groups of Christians to agree in forgetting the things which are behind and reaching out towards the goal of a reunited Catholic Church. The removal of the barriers which have arisen between them will only be brought about by a new comradeship of those whose faces are definitely set this way.

8 The vision which arises before us is that of a Church genuinely Catholic, loyal to all truth, and gathering into its fellowship all "who profess and call themselves Christians", within whose visible unity all the treasures of faith and order, bequeathed as a heritage by the past to the present, shall be possessed in common, and made serviceable to the whole Body of Christ. Within this unity Christian Communions now separated from one another

would retain much that has long been distinctive in their methods of worship and service. It is through a rich diversity of life and devotion that the Unity of the whole fellowship will be fulfilled.

It was in the hope expressed in these words that two of Lord Halifax's Anglican friends assented to his proposal that they should accompany him to Malines.

The First Meeting: 6–8 December, 1921

At the first two of these meetings there were present:

His Eminence the Cardinal;
Viscount Halifax;
The Very Reverend Dr. Armitage Robinson, Dean of Wells;
The Reverend W.H. Frere, Superior of the Community of the Resurrection;
Mgr. Van Roey, Vicar-General of Malines;
M.F. Portal, Priest of the Mission, Paris.

Of the First Meeting the Cardinal, to whose large-hearted hospitality the thanks of all his guests are due, has written as follows: "The first conference, which was quite informal, filled us all with a deep feeling of mutual esteem, of confidence in one another, and of brotherly cordiality, and it quickened our common desire to help forward if possible such a *rapprochement* as was desired by the Lambeth Conference, and as is desired now, perhaps more than ever before, by all those who have to 10 look on pained and often powerless at the demoralization and even dechristianization of society".

After Divine guidance had been invoked, the proceedings began with the presentation of a memorandum prepared by one of the Anglicans, which dealt with the constitution of the Church and the nature of the Sacraments as indicated by the Anglican formularies. It passed on to make some tentative suggestions such as might facilitate discussion, promote agreement, and perhaps suggest the possibility of bridges where the difficulty of arriving at an agreement seem greatest.

This memorandum was by general consent taken as the basis of discussion and carefully considered paragraph by paragraph. Free and informal conversation followed the presentation of each topic. There was an eager desire that misapprehensions on either side as to the actual position of the other should as far as possible be removed, in order that there might be secured a foundation of common faith upon which to build new hopes of a reunion. These preliminary discussions occupied the whole day, and though no attempt was made at formulating conclusions there was unanimous agreement as to the necessity of a Catholic unity which must be visible; and the Anglicans did not decline to recognize that, if the obstacles which obstruct such unity could be removed, recognition could rightly be given to the historical primacy or precedence belonging to the See of Rome. This latter subject, however, was held in suspense.

On the second day the Lambeth "Appeal to all Christian People" was read, partly in Latin and partly in French from the authorized translations; and this again was freely discussed clause by clause.

Attention was at once focused on the principle of diversity within the unity of the Catholic Church, and it was pointed out, with various examples, that this was recognized also within the Roman Catholic Church in certain matters of discipline, though of necessity within limitations.

Some conversation followed on the statement that the Holy Scriptures are to be accepted as the "ultimate standard of Faith"[1], put forward as it was without reference to divergence of interpretations. The Roman Catholics could only accept this with the addition, "in accordance with the tradition of the Church". On the Anglican side it was observed that the Church of England had always invoked the authority of the Fathers in the interpretation of Scripture. It was further observed that the special points of belief enumerated in the clause in question were not intended as a statement of the whole belief of the Church of England, but only presented the minimum that must be accepted if unity were to be achieved.

Careful attention was then given to the seventh clause of the Appeal, which urged the claim of the Episcopate as "the best instrument for maintaining the unity and continuity of the Church". In reply to some criticism of this statement as insufficient it was pointed out by the Anglicans that here, as in the preceding clause, the language of the Appeal had more especially in view the positions of the Nonconformist bodies.

On the Roman Catholic side it was insisted that the Episcopate must needs have a visible head as the centre of its unity, even as the Bishops themselves are visible centres in their spheres. After some conversation it was realized that the whole question of the relation of the Papacy to the Episcopate was of such great importance that it must be reserved for a full consideration hereafter.

1. LAMBETH, *Appeal*, VI.

On the Anglican side, however, it was thought right even at this stage
to emphasize the fact that the unity contemplated in the Appeal included
both the Oriental Churches and the various Protestant groups throughout
the world; that, in the view of the Anglicans, the Orientals hold in
regard to this question of visible headship the same view as themselves;
it was very generally believed among Anglicans that their own Church
had been placed by Providence in an intermediate position which involved
a corresponding responsibility; so that, in attempting any approach towards
unity, they are bound to maintain contact so far as may be possible with
the Oriental Churches, and that they are under a similar obligation in
respect to the Nonconformists.

It was urged by the Cardinal in reply that some of those who were   14
separated from the Roman Communion would be far from willing to
make any approach, and that it would not do to wait for them. Perhaps
the good of the Church might require that the Anglicans should set the
example without waiting for the Orientals and the Nonconformists. Yet,
it was added, we must not hurry matters. We must wait in prayer for the
time appointed by the Spirit, for "He bloweth as He willeth".

Further plain talk followed on the general subject of the Papal headship, and the changes in the position of the Papacy in various ages; and at
the end one of the Anglicans said (and with the approval of his colleagues): "We wish for unity, and, if the necessary preliminary conditions
had been duly met, we should not shrink from the idea of a Papacy acting
as a centre of unity; but, in so saying, we have in view not the Papacy
such as it exists in theory and practice among Roman Catholics at the present time, but a conception or unity such as may emerge in the future".

The next subject approached was the section of the Lambeth Appeal
which deals with regularization of ministries in the reunited Church. It
was pointed out by the Anglican representatives that the section in question was inserted to meet the difficulties of non-episcopalians, as its
wording shows. Incidentally it may doubtless be applied to the attitude
of Anglicans towards Rome; but it is vital to notice that everything turns
on the preliminary requirement that other matters shall have been satisfactorily adjusted first. It is desirable here to quote the section in full:

> VIII. We believe that, for all, the truly equitable approach to union is by
> the way of mutual deference to one another's consciences. To this end, we
> who send forth this appeal would say that if the authorities of other Com-
> munions should so desire, we are persuaded that, terms of union having
> been otherwise satisfactorily adjusted, Bishops and clergy of our Commu-
> nion would willingly accept from these authorities a form of commission or
> recognition which would commend our ministry to their congregations, as   16

having its place in the one family life. It is not in our power to know how far this suggestion may be acceptable to those to whom we offer it. We can only say that we offer it in all sincerity as a token of our longing that all ministries of grace, theirs and ours, shall be available for the service of our Lord in a united Church.

It is our hope that the same motive would lead ministers who have not received it to accept a commission through episcopal ordination, as obtaining for them a ministry throughout the whole fellowship.

In so acting no one of us could possibly be taken to repudiate his past ministry. God forbid that any man should repudiate a past experience rich in spiritual blessings for himself and others. Nor would any of us be dishonouring the Holy Spirit of God, Whose call led us all to our several ministries, and Whose power enabled us to perform them. We shall be publicly and formally seeking additional recognition of a new call to wider service in a reunited Church, and imploring for ourselves God's grace and strength to fulfil the same.

After some conversation one of the Roman Catholics remarked on the importance of what he regarded as an offer on the part of the Anglican Bishops. Those who recalled the state of feeling at the time of the controversy on the validity of Anglican Orders could never have imagined that such an offer could be made so soon after the condemnation. The Anglican Bishops were setting a great example of Christian humility and making a real sacrifice for the sake of unity. In reference to this it has to be remembered that what is suggested could only become practical, if agreement had first been reached upon the large questions which at present separate the two Churches.

Towards the close of this first conference one of the Anglicans asked to be allowed to express his deep satisfaction that it had been possible to hold such meetings as these, which he thought were without any parallel in the last 200 years and more. They had not had as their object the conversion or submission of individuals, but had been meetings of theologians anxious to see whether the Church of England and the Church of Rome can come to an understanding. Understanding was after all the meaning of the word *entente*, and this must be an *entente cordiale*.

The warmest thanks were expressed to the Cardinal by his guests for His Eminence's gracious hospitality, and a desire was unanimously expressed that further meetings should be held.

The Second Meeting: 14, 15 March, 1923

At the Second Meeting the same six persons met as on the former occasion, but the Anglicans now came with the friendly cognizance of the Archbishops of Canterbury and York, and the Roman Catholics with the knowledge of the Holy See. The Anglicans had expressed a desire that at this meeting the conversations should be concerned not so much with doctrinal discussions as with certain practical questions which would become of great importance, if and when a measure of agreement seemed likely to be reached on fundamental matters of faith. Though it would be premature to spend much time on questions of administration while the far graver problems of doctrinal difference remained unsolved, they believed that even at this early stage a preliminary survey of the situation on its practical side was almost unavoidable if progress were to be made. They had drawn up a memorandum to serve as a basis for a discussion of this kind.

It was agreed to take this memorandum, which had been circulated beforehand, as the subject of consideration. The Anglicans thought it important to emphasize at the outset the difference in both geographical and numerical extent between the Church of England at the beginning of the sixteenth century and the Anglican Communion as it stands at the present day. In the former period the Bishops occupying English sees were 21 in number; whereas the number of Bishops summoned to the Lambeth Conference of 1920 was 368, of whom 250 actually attended. This large number represented Bishops exercising episcopal superintendence in all parts of the world, and looking to Canterbury as their centre.

A question was asked as to the position held by the Archbishop of Canterbury in relation to the Anglican Communion as a whole. It was answered that like all metropolitans he has effective canonical jurisdiction only in his own province; but in addition to this he holds a central position in the Anglican Communion, without claiming any sort of jurisdiction over the provinces or dioceses which are in communion with Canterbury. Thus he convokes conferences, such for example as those of Lambeth, and he presides over them. Recourse is had to him for counsel, but he cannot impose his recommendations.

The Anglicans desired to add that it was not merely the growth in extent of the Anglican Communion to which they were bound to call attention, but also its solidarity. In matters of reunion they act together. Asked how this could be possible, they suggested that the Lambeth Conference might provide a natural means of common action.

Attention was next drawn on the part of the Anglicans to the well-known axiom, "No foreign potentate hath any jurisdiction in this realm of England". Was it possible to interpret the spiritual authority of the Pope in such a way that the jurisdiction of the English Bishops should not be interfered with? Could this be secured side by side with a recognition of the right claimed by the Pope to intervene in matters which concerned the general interests of the Universal Church?

It was pointed out on the part of the Roman Catholics that the right of the Pope to intervene anywhere could not be surrendered; but it might be a question how far he need exercise it. If the principle of the right were acknowledged, it was not inconceivable that the Sovereign Pontiff might allow that normally the local authority should work without his intervention.

22   In answer to a question as to the source of jurisdiction it was replied that with regard to this there were two opinions among theologians in regard to jurisdiction: some would derive all jurisdiction from the Pope; others hold that the jurisdiction of the Bishops was given to them directly by our Lord, as it was to the Apostles, it being, however, understood that the exercise of the jurisdiction must be authorized by the Pope. The methods of authorization or approval had varied at different periods and varied to-day in different countries, as in the case of some Uniat Churches of the East.

The Anglicans said that the principle of the right to a universal jurisdiction was not at the moment under discussion: that was to be considered fully on another occasion, so that they must not be understood as admitting jurisdiction of any kind. But the English were and always had been a practical people, and it was important to know from the Roman Catholic standpoint whether it was conceivable that such a right might be maintained consistently with the freedom which Anglicans demanded to control their own affairs.

They were grateful for the suggestions which had been tentatively made. They would in any case hope that the Pope might restrict himself to dealing directly with the Archbishop of Canterbury as recognized leader of the Anglican Communion, or with the several Metropolitans in Anglican Provinces.

After this the discussion turned again to the section of the Lambeth Appeal which deals with the regularization of ministries in the reunited Church in cases where terms of union should have been otherwise satisfactorily adjusted. What 'form of commission or recognition' was likely to be asked for by the Roman authorities? The Anglicans thought that the offer implied in the general statement of the Bishops at Lambeth with reference to all bodies of Christians throughout the world might in this instance have been met in a large spirit. One of them ventured to say that the question of Anglican Orders ought to be examined afresh; it was keenly felt that the mother Church had done a very grievous wrong to

24   the daughter Church, and it ought to be undone. The Roman Catholics gave it as their opinion that the conditions under which such a regularization might take place could only be ascertained from the Holy See,

and that in view of a possible reunion they would certainly be very carefully considered.

Among the topics which came up for consideration was the statement of the Anglicans that an essential part of such a settlement as had been under discussion would be the express provision for the recognition and retention of certain characteristic Anglican rites and customs: as for example

(a) The use of the vernacular and the English rite.

(b) Communion in both kinds.

(c) Permission of marriage of clergy.

On the three points mentioned the Roman Catholics replied that precedents exist which partially are in agreement with the desires expressed by the Anglicans; but that such precedents come from the Uniat Churches of the East. There is no absolute bar to the granting of these desires, at any rate in part. But the Roman Catholic representatives are not in a position to anticipate what judgement the Holy See would pass on the motives that prompt these requests.

At the close of this Second Meeting it was felt that this general survey had been helpful for the understanding of our several positions, and that the main points raised in the discussions should be brought to the notice of the authorities on either side.

The Third Meeting: 7, 8 November, 1923

At the Third Meeting the membership of the Conference was enlarged on both sides. On the one hand Dr. Gore, formerly Bishop of Oxford, and Dr. Kidd, Warden of Keble College, Oxford, were present at the request of the Archbishop of Canterbury; on the other side Mgr. Batiffol, Canon of Notre-Dame, Paris, and M. Hemmer, Curé de la Sainte Trinité, Paris, had been invited by His Eminence the Cardinal.

A paper had been prepared by one of the Anglicans entitled "The Position of St. Peter in the Primitive Church: a Summary of the New 26 Testament Evidence". This paper was carefully considered section by section. A reply to it, which had also been prepared beforehand, was read and considered in the same way. After a full discussion in which all present took part it was decided that each group should set out its view in a brief statement, account being taken of difficulties raised and explanations offered, bringing into prominence those points on which there seemed to be an approach to agreement.

At a later session these statements were presented and read.

The following is the statement of the Anglican group:

A Summary of the New Testament Evidence as to the Position of St. Peter.

1. The point with which we are concerned in this brief statement is solely the position of St. Peter among the other Apostles, as evidenced by the New Testament.

2. We recognize that St. Peter was the accepted chief or leader of the Apostles, and was so accepted because he was treated so by our Lord.

3. In the passage of St. Matthew XVI, we recognize that it was to St. Peter as the chief leader of the apostolic company that our Lord made the threefold promise; but we find in the New Testament reason to believe that the promises there made to one were fulfilled to all the Twelve – so that all constitute the foundation of the Church, all have the keys of the kingdom, and all have the authority to bind and to loose. St. Peter's special position, therefore, we hold to have lain, not in any jurisdiction which he alone held, but in a leadership among the other Apostles.

4. What is here said from the biblical evidence is not intended to exclude the consideration of the bearing of the later tradition of the Church upon the whole subject.

The writer of the Anglican memorandum desired to add to it a sup-
28 plementary statement to express his view in a summary form as the result of the discussion which had taken place:

> "There is, so far as I am able to judge the evidence, no trace in the New Testament of a jurisdiction of St. Peter over other Apostles, or over churches founded by them. Everything in the history there recorded points the opposite way. 'Jurisdiction' may be asserted in the case of St. Paul in regard to the local churches of his foundation: the history makes it plain that he claimed to rule them absolutely in Christ's name and by the guidance of the Holy Spirit. We may perhaps assume that the like was true of local churches founded by St. Peter or others of the Twelve, but direct evidence is wanting.
> » On the other hand, the evidence of the New Testament justifies us in saying that St. Peter was chosen and marked out by our Lord to exercise a primacy of leadership among the Twelve – to be their spokesman and leader, though not their ruler. This seems abundantly attested in the first half of the Acts of the Apostles. But in the second half of that book a new figure fills the scene – another Apostle with a

new and independent commission from Christ; and he in his own sphere is found to exercise a similar primacy of leadership, more especially in regard to the churches of the Gentiles. He desires to be in accord with St. Peter, for the sake of the unity of the Church; but he does not admit that he is in any way dependent upon him[1].

» Do we then affirm that in what has been said above we have exhausted the meaning of the promises addressed by our Lord to St. Peter? For myself I cannot say so. In accordance with what I believe to be a principle of the *Ecclesia Anglicana* I cannot accept as final an interpretation of Scripture which takes no account of the interpretations placed upon it by the early Fathers, or of the providential 30 guidance of the Church as revealed in history. The words 'Thou art Peter, and on this rock I will build my Church' have haunted the mind of Christendom, and have been, in part at least, the cause of the pre-eminent position of the Church of Rome throughout the centuries. It remains to be considered what that pre-eminence may rightly be said to involve, whether we regard it as an inheritance derived from the pre-eminence of St. Peter among the Twelve, or whether we regard it as originally due to some other cause. This is the inquiry on which we are next to enter".

The following is a translation of the statement of the Roman Catholic group:

I. There are abundant indications in the Synoptic Gospels and in the Gospel of St. John that Peter fulfilled a peculiar function of service towards Jesus and among His disciples. The cause of this is to be found neither in the fact that he was the first that was called by Jesus, nor in the forcefulness of his character, but in a determination of the will of Jesus.

The Saviour manifests more explicitly this His will by the words 'Thou art Peter' of St. Matthew, 'Strengthen thy brethren' of St. Luke, and 'Feed my lambs' or the Fourth Gospel.

II. This will discloses itself in the Acts by the fact that Peter appears and acts as the head of the primitive community (leader of the Church); and Paul, who, claims the apostolate of the Gentiles, recognizes Peter as the apostle of the Circumcision, and never attempts to deny to Peter a more extended mission.

---

1. I remark in passing that it was a true instinct that made the Church of Rome emphasize in early days the fact that it was consecrated by the blood of both those great Apostles.

III. We hold that the sayings of the Gospel – notably the *Tu es Petrus* and the *Pasce agnos* – express a prerogative of Peter as the foundation of the Church and the principle of its unity.

We consider that the events of history have thrown light on these texts which has brought out more clearly their true significance.

32 IV. The Vatican Council defines as of the Catholic Faith the primacy of universal jurisdiction conferred on Peter, grounding itself on the two texts *Tu es Petrus* and *Pasce oves*. It declares that the denial of the primacy is contrary to the plain sense of Holy Scripture as the Catholic Church has always understood it.

The Council does not indicate the numerous testimonies which prove the tradition in the interpretation of the texts, and which are to be found in the patrology and ancient Christian literature.

After this a memorandum was presented by another member of the Anglican group under the title, "The Petrine Texts, as employed to A.D. 461". This memorandum concluded with a series of points on which the writer was of opinion that there would now be universal agreement. A memorandum on the other side having been presented and read, discussion followed; after which it was generally agreed that the points stated in the Anglican memorandum should be modified and formulated as follows:

1. That the Roman Church was founded and built by St. Peter and St. Paul, according to St. Irenaeus (*adv. Haer.* iii. 3. 2).
2. That the Roman See is the only historically known Apostolic See of the West.
3. That the Bishop of Rome is, as Augustine said of Pope Innocent I, president of the Western Church (*Contra Iulianum Pelagianum*, i. 13).
4. That he has a primacy among all the Bishops of Christendom; so that, without communion with him, there is in fact no prospect of a reunited Christendom.
5. That to the Roman See the churches of the English owe their Christianity through "Gregory our father" (Council of Clovesho, A.D. 747) "who sent us baptism" (Anglo-Saxon Chronicle, *Anno* 565).

A second memorandum was then presented by the same Anglican 34 writer on the historical question, "To what extent was the Papal authority repudiated at the Reformation in England"? As this paper consisted largely of quotations from official acts of parliament or provincial synods, it did not call for discussion in detail; but attention was directed to the larger considerations which arose out of it.

In regard to the Papal authority it was explained by the Roman Catholics that this transcends but does not extinguish episcopal authority: in exceptional crises, however, the Pope intervenes in full power.

One of the Anglicans said at this point that it was right to make it plain that they could not admit the "universal jurisdiction" claimed either for St. Peter individually or for the Roman Church, but only a spiritual leadership and a general solicitude for the well-being of the Church as a whole.

To the objection that a mere Primacy of Honour cannot be admitted by the Roman Church, it was insisted that this was more than a Primacy of Honour, it was also a Primacy of Responsibility.

At the close it was felt that, while the results of the present Meeting had been encouraging, nothing further could usefully be said until the doctrine underlying the Papal claim had received a fuller examination.

The Fourth Meeting: 19, 20 May, 1925

At the Fourth Meeting a memorandum was presented on the Roman Catholic side, entitled "The Episcopate and the Papacy considered from the theological point of view". This was accepted as an exposition of the teaching of Roman Catholic theologians, though not of all: the Anglicans, however, desired to put questions as to certain expressions in it on which they asked for further information. Some discussion followed in which members on both sides took part, and the writer of the memorandum agreed to introduce certain modifications and supplementary clauses in view of the questions raised.

A memorandum was then presented by another member on the same side, entitled "The Relation between the Pope and the Bishops considered from the historical point of view". After the reading one of the Anglicans declared that he agreed in recognizing that many of the developments in the Roman Church were clearly providential; but in his view there existed, in the Anglican Church, in the Eastern Orthodox Church, and among the Protestants, elements of spiritual importance belonging to the original Christianity of the New Testament, and also in harmony with what is best in the modern ideas of democracy, criticism, &c., which appear to have been more or less decisively excluded by the Roman Church.

Another Anglican remarked that Anglicans must in various respects amend their estimate of the Roman Church. Notably they must admit that it is a Church which was reformed at the Council of Trent: but this

reform was associated with a growth of centralization which has aggravated the difficulties: while centralization was now becoming complete,
he yet seemed to recognize the beginnings of a decentralization which he
hailed with hope.

In reply it was said that Roman Catholics felt that in being reunited
the Anglicans would bring considerable spiritual values, and a spirit and
habits which with the co-operation and agreement of the Holy See might
produce instances and models of decentralization that would be useful to
the whole Church.

Another speaker on the same side said that we were agreed that the
reunion of Anglicans and Roman Catholics would be to the advantage of
both. Anglicans would gain from the power of unity which the Roman
Primacy would bring them. On the other hand the Roman Catholics
would gain from the experience of the Anglicans and their *génie propre,*
and also from their enormous influence in propagation of the Faith in
the world. It had long been present to his mind that our efforts at *rapprochement* could not have as their end an absorption of the Anglican
Church by the Latin Church; but they imperiously require, in the name
alike of Catholic principle and of the past history of the Anglican
Church, the union of the latter with the Roman Church. The possibilities
of the practical embodiment of these two leading ideas – viz. no absorption of the Anglican Church in the Roman, and no separation from
Rome – were deserving of careful study.

After further suggestions had been made on the lines of this important
observation, one of the Anglicans drew attention to the fact that in any
aim at reunion it would be necessary to deal not only with Canterbury
and the Bishops in England, but also with the Bishops of America
and with others in communion with the Archbishop of Canterbury, and
finally with the Lambeth Conference. He wished also to insist afresh that
organization is relatively of secondary importance and that the dogmas
are the things of primary importance. The Roman Catholics accept this
entirely, and insist further on the necessity of unity in doctrine.

Another of the Anglicans said that he asked himself, Was it conceivable to have in the first instance a *rapprochement* leaving Anglicans
free not to give adherence to certain dogmas which have been defined
since the separation and which consequently were defined without their
participation?

It was observed on the other side that to the Roman Catholics the English Church presents much more difficulty in regard to doctrine than the
Eastern Orthodox Church: there is among Anglicans a freedom in matters of belief which appears to be excessive, and a hindrance to unity.

One of the Anglicans replied by describing two different mentalities which are observable with regard to definitions. One is inclined to define increasingly in order to get clearness of doctrine: the other wishes to define as little as possible in order to leave to truth the whole of its content. The two, however, equally admit that there are occasions which call for definition.

It was further said on the part of the Anglicans that Roman Catholics would be perfectly right in demanding from Anglicans fidelity to the Creeds; but there should be a distinction drawn between what is fundamental and what is not. It should be possible to make a reconciliation on the basis of the Faith of the Early Councils, as the Anglicans are trying to do with the Eastern Churches.

The speaker passed on to read a memorandum bearing on this subject, 40 as a motto for which he had chosen St. Augustine's words, *Concedit* (Cyprianus) *salvo iure communionis... diversum sentire* (Aug. *de Bapt.* iii. 5). A memorandum in reply to this was then read, the writer of which observed that the toleration shown at that period was of a suspensory character. To this the Anglican writer agreed, but he added that this is exactly the position which the Anglicans are claiming for themselves, as they have always claimed it: their whole position is suspensory: they have not accepted the Council of Trent or the Vatican Council. The basis suggested by the Anglicans is the Œcumenic Faith of the Councils, with a tolerance of diversities determined by the distinction between fundamental and non-fundamental. This must be considered a permanent element in the position of Anglicans: the demand for the distinction will go on.

To this the Roman Catholics replied, first that this distinction between fundamental and non-fundamental articles is one that cannot be reconciled with the presupposition that such articles are alike defined by one and the same infallible authority and thus must be held equally to be *de fide*. This reply gave the Anglicans the opportunity of explaining that by "fundamental" they mean what is *de fide* and by "nonfundamental" what is not *de fide*. Secondly, the Roman Catholics replied that the authority of an oecumenical council would be only an illusion, if bishops who were not present were thereby dispensed from submitting to its decisions. Such a plea to estop proceedings (*fin de non recevoir*) had never been admitted in the Church.

This led to further discussions in which opinions were very freely expressed on both sides. Towards the close of this Fourth Meeting the following document was read, which had been drawn up by the Anglicans in conference among themselves:

Some considerations following on the discussion about relations between the Pope and the Bishops

42   The Church is a living body under the authority of the bishops as successors of the Apostles: and from the beginnings of Church history a primacy and leadership among all the bishops has been recognized as belonging to the Bishop of Rome. Nor can we imagine that any reunion of Christendom could be effected except on the recognition of the primacy of the Pope.

But while we think that both the Eastern Orthodox and the Anglican Churches would be prepared to recognize such primacy, we do not think it likely that they would be ready to define it more closely.

However, the following points maybe usefully stated:

1. The authority of the Pope is not separate from that of the episcopate; nor in normal circumstances can the authority of the episcopate be exercised in disassociation from that of its chief.

2. In virtue of that primacy the Pope can claim to occupy a position in regard to all other bishops which no other bishop claims to occupy in regard to him.

3. The exercise of that primacy has in time past varied in regard to time and place: and it may vary again. And this adds to the difficulty of defining the respective rights of the Holy See on the one side, and of the episcopate upon the other.

After some conversation as to the publication of any account of the proceedings of these Meetings, it was agreed that the matter should be referred to the discretion of the Cardinal and the Archbishop of Canterbury.

It may be convenient to add a few words to the Report, partly of summary, and partly of anticipation. The Conversations have touched upon questions both of doctrine and discipline. On the first two occasions the main object was to ascertain that in both of these spheres there was sufficient agreement to justify a further and more detailed examination of the main points at issue.

The First Conversation showed that a considerable number of dogmatic questions, which had been subjects of contention in the past, need not be so in the future at all, or at any rate not in the same degree.
44   The Second revealed new possibilities with regard to organization. Then the more detailed examination began with the Third Conversation, at which the membership was increased from six to ten. On that occasion the crucial question of the papacy occupied the whole time; and this subject was continued during the greater part of the Fourth Conversation. Some space, however, was given to further proposals on the subject

of organization put forward from the Roman Catholic side. The Fifth
Meeting (October 11 and 12, 1926), with its members reduced on the
one side by the irreparable loss of Cardinal Mercier and the Abbé Portal
and on the other by the absence of Bishop Gore and the Dean of Wells,
was concerned only with the drawing up of this Report.

The net gain of this series of Conversations may be described as the
elimination of several subjects which have ceased to be causes of difference, and the elucidation of others that still remain. As regards other
dogmatic points, including those that were handled briefly in the First
Conversation, and, in particular, the doctrine of the Sacraments, we say
no more here because they are sufficiently treated in the French Report
with which we are in substantial agreement, and also because there is an
opening for further discussion which, we think, would be profitable, and
would lead not only to a better understanding but also to a greater measure of general agreement upon the matters in question.

The Anglicans who have had the privilege of being present at the
group of Meetings above described desire to place on record their deep
sense of the unvarying kindness shown to them by Cardinal Mercier, of
the greatness of the debt which they feel is owing to him, of the profound and heartfelt sorrow which his death has caused them, and of the
affectionate remembrance in which his name will ever be cherished by
those who have during the past years enjoyed his unbounded hospitality.

The Cardinal's gracious presidency secured an atmosphere in which
the plainest speaking on either side was compatible with unbroken friend-
liness and an ever-increasing desire for a sympathetic understanding of
the several positions entertained by those who had met for conference 46
under his roof. They feel that it would be altogether premature, and
might even be misleading, were they to attempt any further indications
of progress toward agreement on the one hand and outstanding differences on the other, than can be readily gathered from a careful perusal of
the brief account here given of their proceedings. Though the conferences have been held with the goodwill of authority, the utterances made
at them have been made quite freely on the responsibility of those present, and formally commit no one but themselves. They are convinced
that it is on the lines of such friendly conversations that true progress is
to be made in achieving the reunion of Christendom, which must be so
near to all Christian hearts; and they would express the earnest hope that
similar conferences may be continued in the future, in order that the
work begun with Cardinal Mercier's blessing and under his auspices
may be still further carried on, and by God's blessing and in God's time
fulfil words so constantly on the Cardinal's lips, "Ut unum sint".

48 # APPENDIX

List of Documents submitted at the Conversations.

FIRST CONFERENCE, December 1921.

(1) *Memorandum on the constitution of the Church and the nature of the Sacraments, as indicated by the Anglican formularies.* By the Right Hon. Viscount Halifax.

(2) Part of the *Appeal to all Christian people* put out by the Lambeth Conference, 1920;

(3) *Minutes of the Conference of 6th-8th December 1921.*

SECOND CONFERENCE, March 1923.

(4) *Anglican Memorandum on questions of administration.*

(5) *Minutes of the Conference of 13th-16th March 1923:* with statements in French and English.

THIRD CONFERENCE, November 1923.

(6) *The position of St. Peter in the Primitive Church: a summary of the New Testament evidence.* By the Very Reverend Joseph Armitage Robinson, D.D., Dean of Wells.

(7) *La position de Saint Pierre dans l'Église primitive.* Par Mgr. Pierre Batiffol, Chanoine de Notre-Dame, Paris.

(8) *The Petrine Texts, as employed to A.D. 461.* By the Reverend Canon B. J. Kidd, D.D., Warden of Keble College, Oxford.

(9) *Le Siège de Rome et Saint Pierre.* Par Mgr. Batiffol.

(10) *To what extent was the papal authority repudiated at the Reformation in England?* By Dr. Kidd.

(11) *Minutes of the Conference of the 7th-8th November 1923.*

FOURTH CONFERENCE May 1925

(12) *L'Épiscopat et la papauté au point de vue théologique.* Par Mgr. Van Roey, Vicar general of Malines.

(13) *Memorandum in reply to Mgr. Van Roey.* By Dr. Kidd.

(14) *Rapports du Pape et des évêques, considérés du point de vue historique.* Par M. l'abbé Hippolyte Hemmer, Curé de la Sainte-Trinité, Paris.

(15) *"Concedit* [Cyprianus] *salvo iure communionis... diversum sentire"* (St. Augustine). By the Right Reverend Charles Gore, D.D., formerly Bishop of Oxford.

(16) *Réponse à Dr. Gore.* Par Mgr. Batiffol.

(17) *Minutes of the Conference of 19th-20th May 1925.*

4

LES CONVERSATIONS DE MALINES 1921-1925

MÉMOIRE

Présenté pour les Catholiques à la Conférence de Malines
des 11 et 12 Octobre 1926*

Préface

Ce Compte Rendu et celui qui précède des quatre conversations qui
eurent lieu à Malines furent rédigés indépendamment par les Catholiques
Romains et les Anglicans, mais à une cinquième conférence des 11 et
12 octobre 1926 ils furent tous les deux lus, discutés, et modifiés par les
deux parties en collaboration. Chaque côté n'est responsable que de son
propre compte rendu, mais chacun a eu l'avantage de la critique de l'autre.

Peut-être avons-nous profité de ce que les Comptes Rendus ont suivi
de différents programmes et résumé les faits de différents points de vue.
De cela, peut-on espérer, il arrivera que le lecteur obtiendra une impression plus complète de ce qui eut lieu qu'il n'aurait eu autrement; et en
même temps il ne manquera pas de s'apercevoir de la convergence qui
se trouve en large mesure dans les deux documents.

Compte rendu des Conversations de Malines de 1921-1925

Notre réunion de 1926 a pour objet de récapituler les points abordés et
discutés entre Catholiques et Anglicans, sous la présidence de Son Éminence le cardinal Mercier, de 1921 à 1925, et d'arrêter un texte, qui sera
communiqué au public sur ce qui s'est dit dans les conférences.

Les Anglicans ont entrepris de rédiger un compte-rendu général offrant
aux chefs et aux membres de leur Église un récit de leurs rencontres
avec les Catholiques en même temps qu'un exposé sommaire des sujets
traités et surtout des observations et explications apportées de part et
d'autre.

Les Catholiques ont estimé qu'il n'était pas à propos de composer à leur
tour un compte-rendu qui renfermerait inévitablement beaucoup de redites.

70

72

* Publié pour la première fois dans *The Conversations at Malines 1921-1925. Les
Conversations de Malines 1921-1925*, London, [1927], pp. 70-94, pages paires; la traduction anglaise imprimée en regard n'est pas reproduite ici.

Sans doute ils renoncent ainsi à présenter avec tout leur relief les idées et les doctrines qu'ils ont soutenues et qu'ils se sont efforcés de faire saisir dans leur sens précis avec toutes les nuances désirables. Il leur a paru qu'il serait plus utile pour une communication au public, de donner un aperçu synthétique des points de doctrine où les Anglicans se sont accordés avec eux dans des affirmations communes.

Ce faisant, ils suivent la ligne de conduite tracée par Son Éminence le cardinal Mercier dans son admirable lettre à l'archevêque de Cantorbéry, écrite au mois d'octobre 1925. Puisqu'ils essaient de mettre le point final à tout ce qui a été traité avec le cardinal Mercier, que peuvent-ils faire de mieux que de réaliser dans la mesure de leurs forces les derniers vœux que le cardinal ait exprimés?

Dans sa lettre à l'archevêque de Cantorbéry, le cardinal écarte l'idée de publier les procès-verbaux des conférences. Il tient pour préférable de rédiger deux comptes rendus: L'un qui serait publié et qui présenterait les énoncés sur lesquels Catholiques et Anglicans se sont mis d'accord; l'autre qui demeurerait secret, et dans lequel seraient notés les points où l'accord n'a pas été obtenu, ou dont l'examen aurait été ajourné.

«Des conclusions négatives, disait-il, ne pourraient avoir d'autre effet que de susciter des polémiques de presse, de réveiller des animosités séculaires, de creuser des divisions, au détriment de la cause à laquelle nous avons résolu de nous dévouer».

«Notre mission, pensait-il, est de mettre progressivement au jour ce qui est de nature à favoriser l'union; ce qui y fait obstacle doit être écarté ou différé».

C'est donc en nous inspirant de cette idée directrice que nous avons rédigé le résumé suivant de ce qui a été dit et traité dans les conférences et sur quoi l'accord est sensible.

I

Les Catholiques qui ont pris part aux conférences de Malines sous la présidence du cardinal Mercier, sont unanimes à dire que leurs entretiens avec leurs amis anglicans ne les ont pas seulement charmés et édifiés par la sincérité, la liberté d'esprit, l'ouverture d'âme et la cordialité qui n'ont cessé d'y régner; mais que, sans méconnaître la gravité des obstacles qui s'opposent encore à l'union, ils sont remplis d'espérance relativement aux fruits que l'on peut attendre de recherches poursuivies en commun dans une atmosphère de sympathie mutuelle et de confiance.

Leur espérance se fonde sur les résultats déjà obtenus du vivant du cardinal Mercier dans les entretiens qu'il a présidés et dirigés.

Tout d'abord, Catholiques et Anglicans ont également admis cette vérité d'importance primordiale que Jésus-Christ a fondé une seule véritable Église: sa volonté est que tous ses fidèles demeurent unis entre eux dans une société dont l'unité et la continuité soient visibles et sensibles, et notre devoir à tous est de travailler à maintenir cette unité.

Ils estiment de plus que l'unité de l'Église ne doit pas être simplement extérieure et verbale mais qu'elle doit tenir aussi à quelque chose d'intime et de profond, savoir une foi commune exprimée en des articles qui s'imposent.

La détermination des points de foi commune est chose assez délicate, 76 malgré l'existence chez les Anglicans de formulaires autorisés et des textes liturgiques du *Prayer Book*.

Cependant l'accord existe incontestable sur les points définis par les premiers conciles œcuméniques. Anglicans et Catholiques ont toujours reconnu ces assemblées comme les organes autorisés de l'Église enseignante. Leurs décisions dogmatiques contiennent une expression authentique de la tradition et de la foi de l'Église.

Les Anglicans de nos jours les ont même proposés aux orthodoxes d'Orient comme une sérieuse base d'entente. En acceptant la doctrine des premiers conciles œcuméniques, Anglicans et Catholiques sont déjà d'accord, même sans les avoir encore explicitement passés en revue, sur les vérités capitales du mystère de la sainte Trinité: existence - égalité - consubstantialité des trois personnes dans l'unité de la nature divine, et sur les principaux chapitres de la christologie traditionnelle: Jésus-Christ est Homme-Dieu, possédant les deux natures divine et humaine, sans confusion ni changement, dans l'unité de sa personne qui est la personne du Fils de Dieu.

L'accord s'étend pareillement aux articles des différents Credos: symbole des Apôtres, symbole de Nicée, symbole dit de saint Athanase.

Parmi les moyens de déterminer les vérités de foi dans l'Église de Jésus-Christ, Anglicans et Catholiques donnent une place éminente à l'Écriture Sainte. Si dans l'Église catholique l'argument de tradition joue un plus grand rôle que dans l'Anglicanisme, la tradition n'est cependant pas méconnue chez les Anglicans, puisqu'ils admettent que l'Écriture a besoin d'être interprétée, qu'il appartient à l'Église seule d'en donner une interprétation qui fasse loi pour tout ce qui touche la foi et les mœurs. Pour s'aider dans cette tâche, elle recourt aux Pères de l'Église dont elle consulte les œuvres.

Une définition de foi, de quelque manière qu'elle soit faite, n'a pas pour objet de formuler un dogme qui serait inventé, étranger à l'Écriture ou à la tradition de l'Église, mais seulement de déclarer explicitement et

78   avec autorité, sur un point donné, ce qui est de la foi commise par Jésus-
     Christ à la garde de son Église.

     Des explications échangées, il résulte que les trente-neuf articles ne
     constituent pas, autant que le craignaient les Catholiques, un obstacle
     insurmontable à l'entente des deux Églises. Parmi les Anglicans, en
     effet, il est des théologiens qui croient pouvoir donner à ces articles une
     interprétation qui les concilierait avec la doctrine du concile de Trente
     (ainsi pensaient le Dr. Pusey et le Dr. Forbes, évêque de Brechin). De
     plus, le clergé anglican, lorsqu'il adhère à ces articles, ne se considère
     pas pour autant comme obligé «d'accepter toutes et chacune des propo-
     sitions qui s'y trouvent», enfin beaucoup d'Anglicans et spécialement
     les membres de l'Église épiscopalienne d'Amérique les considèrent sim-
     plement comme périmés.

                                    II

     Si, de ces considérations générales, on passe au détail des institutions
     sacramentelles, et à leur efficacité comme moyen de sanctification pour
     les âmes, l'accord s'établit sans beaucoup de difficultés sur les points
     suivants:

          1. Le baptême donne l'entrée dans l'Église, et l'initiation que consti-
          tue le baptême doit se développer dans une vie sociale organisée.
          2. La vie sociale des chrétiens s'organise autour d'une hiérarchie
          épiscopale.
          3. La vie sociale organisée se manifeste dans l'Église par l'existence
          et l'emploi des sacrements.
          4. Dans l'Eucharistie, le corps et le sang de Notre Seigneur Jésus-
          Christ «sont vraiment donnés, pris et reçus» par les fidèles. Par la
          consécration, le pain et le vin deviennent le corps et le sang du Christ.
          5. Le sacrifice de l'Eucharistie est le même sacrifice que celui de la
          croix, mais offert d'une manière mystique et sacramentelle.
          Les Anglicans s'étant particulièrement référés, pour leur doctrine sur
          l'Eucharistie, à la lettre que publièrent les archevêques anglais en
80   réponse à la Lettre encyclique de Léon XIII sur les ordinations angli-
          canes, nous mettons en note la citation qu'ils ont déclarée être une
          expression particulièrement autorisée de leur véritable sentiment[1].

     1. Nous enseignons en outre un véritable sacrifice de l'Eucharistie et nous ne le regar-
     dons pas comme «une simple commémoraison» du sacrifice de la croix (opinion qui
     semble nous être imputée par le Concile que nous venons de citer). Mais dans la liturgie
     dont nous usons à la célébration de la sainte eucharistie, élevant nos cœurs à Dieu et alors

6. La communion sous les deux espèces a été en usage dans l'Église universelle, et réduite, pour des raisons pratiques, donc contingentes, à la communion sous une seule espèce.

Il en résulte que la pratique de la communion sous les deux espèces n'est pas affaire de doctrine mais de discipline ecclésiastique.

7. Dans les deux Églises, il existe un ministère et une discipline de la pénitence qui comporte une réconciliation du pécheur avec Dieu par le moyen de l'absolution sacramentelle que le prêtre prononce sur le pécheur.

Quoique l'emploi du sacrement de pénitence avec absolution sacra- 82 mentelle soit beaucoup plus étendu dans l'Église catholique, cependant les formules du *Prayer Book*, aussi bien dans l'ordre du service de la communion que dans l'ordre de la visite des malades, ne laissent pas de doute sur la croyance de l'Église anglicane à cet égard et sur la possibilité laissée à ses fidèles de recourir à l'absolution sacramentelle pour se réconcilier avec Dieu lorsqu'ils ont commis une faute grave.

consacrant les dons qui ont été précédemment offerts, et les consacrant pour qu'ils nous deviennent le corps et le sang de Notre Seigneur Jésus-Christ, nous exprimons ainsi suffisamment le sacrifice qui s'accomplit à ce moment même. En effet, la mémoire perpétuelle de la précieuse mort du Christ, qui est notre avocat auprès du Père et qui est la propitiation pour nos péchés jusqu'à son avènement, est ce que nous célébrons conformément à son précepte.

Premièrement donc nous offrons un sacrifice de louange et d'action de grâces; mais ensuite nous posons devant le Père et lui rendons présent le sacrifice de la croix, et par lui nous obtenons la rémission des péchés et tous les autres bienfaits de la passion du Seigneur pour toute l'Église universelle; enfin nous offrons au Créateur de l'Univers le sacrifice de nous-mêmes, sacrifice que nous avons exprimé par les offrandes de ses créatures. Toute cette action, dans laquelle le peuple prend nécessairement sa part avec le prêtre, nous avons coutume de la nommer «sacrifice eucharistique».

Voici le texte latin originel:

Eucharistiae etiam sacrificium vere docemus, nec sacrificii crucis *nudam esse commemorationem* credimus, ut Concilio illo citato nobis videtur imputari. Satis tamen credimus in liturgia nostra qua in S. Eucharistia celebranda utimur - corda habentes ad Dominum, et munera quae antea oblata sunt iam consecrantes, ut nobis corpus et sanguis fiant Domini Nostri Jesu Christi – sacrificium quod ibidem fit ita significare. Memoriam scilicet perpetuam pretiosae mortis Christi, qui Ipse est Advocatus noster apud Patrem et propitiatio pro peccatis nostris usque ad Adventum Eius secundum praeceptum Eius observamus.

Primo enim sacrificium laudis et gratiarum offerimus: tum vero sacrificium Crucis Patri proponimus et repraesentamus, et per illud remissionem peccatorum et omnia alia Dominicae passionis beneficia pro tota et universa Ecclesia impetramus: sacrificium denique nostrum ipsorum Creatori omnium offerimus, quod per oblationes creaturarum Ipsius significavimus. Quam actionem totam, in qua plebs cum sacerdote partem suam necessario sumit, sacrificium Eucharisticum solemus nominare.

(Responsio archiepiscoporum Angliae ad litteras apostolicas Leonis Papae XIII de ordinationibus anglicanis, p. 16.)

8. Quant au sacrement des malades, si l'accord est moins sensible il est à remarquer qu'une tendance existe chez les Anglicans à faire revivre l'ancien usage de conférer l'onction aux infirmes.

De nouvelles rencontres entre Catholiques et Anglicans sont souhaitables pour éclaircir ces affirmations générales et éviter toute ambiguïté et méprise sur leur signification profonde. Toutefois, il ressort des explications échangées une impression très encourageante, sur la possibilité d'une mise au point satisfaisante quant à la doctrine des sacrements comme moyens de grâce et de vie spirituelle.

III

S'il n'a pas été question du sacrement de l'ordre, dans cette revue des institutions sacramentelles, ce n'est pas que les deux églises ne reconnaissent son existence et ne pratiquent l'imposition des mains comme étant un rite essentiel pour la collation des ordres sacrés. Mais il a semblé à propos de s'en tenir provisoirement à considérer la démarche de haute portée qu'ont accomplie les évêques anglicans dans l'appel de Lambeth en 1920, lorsqu'ils se sont déclarés prêts, en vue de l'union, à accepter des autorités des autres églises ce que celles-ci jugeraient nécessaire pour que le ministère du clergé anglican fût reconnu par elles.

D'après une déclaration autorisée, la pensée première des évêques anglicans était de régler leur situation à l'égard des églises qui ne possèdent point de hiérarchie épiscopale, presbytériens d'Écosse, par exemple, wesleyens, méthodistes, etc. Les anglicans leur eussent conféré une ordination épiscopale, et ils eussent accepté en retour telle forme de reconnaissance qui eût paru nécessaire pour établir, au bénéfice de leurs fidèles, l'intercommunion de ces différentes églises. Cependant l'offre des évêques anglicans n'excluait pas l'idée d'une entente avec les églises constituées autour d'une hiérarchie épiscopale. Elle semblait même y conduire. Si toutes choses par ailleurs étaient réglées relativement à la doctrine, et si l'accord était conclu sur un régime disciplinaire, il n'y aurait pas de difficulté de la part des évêques anglicans à accepter tel élément d'ordination qui paraîtrait nécessaire à l'Église romaine pour mettre hors de doute, aux yeux de tous, la validité de leur ministère *(ministry)*.

L'Église catholique prend toujours le parti le plus sûr en matière de sacrements. Elle réordonne ses propres prêtres et évêques dès qu'il y a un doute sérieux sur l'exacte observation des rites traditionnels de ses ordinations. Ses précautions prudentes ne sont pas une manifestation de défiance à l'égard des personnes mais une mesure de sûreté en faveur des fidèles.

Les évêques anglicans ont ouvert une voie de résolution pratique dans une affaire particulièrement épineuse, et les catholiques rendent hommage au sentiment très élevé qui a inspiré l'épiscopat anglican dans cette circonstance, et à son esprit de sacrifice en vue de l'union.

IV

À la différence des églises non-conformistes, l'anglicanisme et le catholicisme ont ce caractère de se gouverner par un épiscopat. La hiérarchie est pour eux un trait essentiel de l Église.

Selon leur doctrine commune, la hiérarchie doit venir en droite ligne des apôtres par la succession ininterrompue des évêques leurs héritiers et continuateurs. L'institution des évêques est de droit divin. Même dans la conception catholique, de quelque liberté que le pape jouisse pour limiter en certains cas les pouvoirs des évêques en vue du bien général, il ne lui appartient pas de supprimer l'épiscopat et ce serait attenter à la constitution divine de l'Église que de prendre des mesures qui, sans le supprimer, l'annuleraient pratiquement. 86

Les évêques ont une juridiction immédiate et ils sont, de par la volonté du Christ, en tant que successeurs des apôtres, pasteurs ordinaires des fidèles dans leur territoire. Ils font partie de droit des conciles généraux où ils sont témoins et organes de la tradition et juges de la foi.

V

Sur la situation spéciale du pape dans l'Église, les divergences des croyances et opinions sont plus graves et plus difficiles à réduire. Cependant les conversations de Malines ont permis aux Catholiques de s'expliquer sur le sens précis de leurs affirmations doctrinales quant aux pouvoirs du pape et quant aux conditions dans lesquelles ces pouvoirs sont exercés. Les Anglicans d'autre part se sont exprimés en termes qui, sans dire tout ce que pensent et croient les Catholiques, nous semblent justifier beaucoup d'espérances,

Son Éminence le cardinal Mercier introduisit en quelque sorte le sujet, et s'étendit sur l'impossibilité pour une société de vivre sans un chef (*Caput*): – «Même si nous faisions abstraction de la preuve tirée des Livres Saints et de la tradition pour démontrer que le Christ a fait reposer positivement l'unité de l'Église sur la tête de Pierre et de ses successeurs, nous pourrions déclarer a priori que la sagesse providentielle se devait de réaliser sur une tête l'unité de l'Autorité dans l'Église. Sans doute, l'épiscopat peut être un agent d'unification, mais les évêques eux-mêmes qui devaient après plusieurs siècles arriver au nombre d'un millier et au-delà ne sont-ils pas exposés à se diviser entre eux, tout comme les prêtres d'un même diocèse ou les fidèles d'une même paroisse? Quel sera donc le facteur de l'unité? Celui qui dans une famille s'appelle le Père et dans une société le Souverain».

Au cours des conversations très franches sur le sujet, Anglicans et Catholiques ont exprimé certaines vues communes que nous empruntons soit aux propositions formulées par les uns et les autres, soit à des explications fournies en manière de glose et dont le résumé suivant ne force aucunement le sens:

88   Saint Pierre a été accepté comme chef ou *leader* parce qu'il a été accepté comme tel par Notre-Seigneur.

Le siège de Rome est le seul siège apostolique que connaisse l'Occident. Aucun patriarcat n'y a été constitué à côté de celui de Rome, et le pape, selon le mot de saint Augustin sur Innocent 1er, «préside à l'Église d'Occident». L'Église d'Angleterre, en particulier, doit son christianisme au siège romain lequel, par la volonté de saint Grégoire, lui a envoyé le baptême.

De plus, le pape possède une primauté parmi tous les évêques de la chrétienté: si bien que, sans communion avec lui, il n'est aucune perspective ni espérance de voir jamais la chrétienté réunie; il occupe à l'égard de tous les évêques une position telle qu'aucun autre évêque ne peut en revendiquer une semblable à son égard.

Dès les commencements de l'histoire de l'Église, il a été reconnu à l'évêque de Rome parmi tous les évêques une primauté et un pouvoir de direction générale (*leadership*).

Ainsi la primauté du pape n'est pas seulement une primauté d'honneur, elle comporte un devoir de sollicitude et d'action dans l'Église universelle en vue du bien général, de telle sorte que le pape soit effectivement un centre d'unité, une tête imprimant une direction d'ensemble. De fait, c'est grâce à l'action de la papauté que les évêques au moyen-âge ont pu se défendre contre les empiétements du pouvoir civil. Elle a été une garantie pour l'indépendance spirituelle de l'Église.

Sur la manière dont le pape a usé de ses pouvoirs dans le passé, les Anglicans émettent quelques réserves, mais reconnaissent que beaucoup de jugements sont à réviser, chez eux, sur l'Église romaine: celle-ci notamment, ils en conviennent, s'est réformée elle-même au concile de Trente.

Si l'on essaie d'aller plus loin, et par exemple de caractériser par des traits particuliers le devoir du pape d'agir pour le bien général de l'Église universelle, si l'on entreprend de détailler les droits qui y correspondent, il se manifeste chez nos amis anglicans quelque répugnance à donner des précisions.

Il peut être utile cependant de reproduire ici quelques-unes de leurs 90 expressions. Elles sont d'un haut intérêt, en ce qu'elles indiquent une même tendance de pensée, une pareille direction de recherche, et qu'elles permettent de présager un accord beaucoup plus étendu dans l'avenir.

Les nuances d'expression ont ici leur importance, à cause du fond qu'elles enveloppent et recouvrent: responsabilité spirituelle (*spiritual responsibility*); pouvoir spirituel de direction (*spiritual leadership*); surintendance générale (*general superintendence*); sollicitude du bien de l'Église universelle (*care for the well-being of the Church as a whole*); il semble qu'à travers toutes ces expressions l'esprit s'attache à une conception très positive d'un pouvoir riche de contenu, mais dont on éprouve quelque embarras à circonscrire l'étendue. Des souvenirs anciens ont laissé quelque amertume dans les cœurs. Plutôt que de revenir sur les chemins du passé, l'esprit essaie de conjecturer les formes que l'action de la papauté pourrait prendre dans l'avenir. Mais ce qui perce à travers ces expressions c'est le sentiment d'une haute mission qui est celle du pape, et qu'à la primauté d'honneur s'ajoute pour lui une «primauté de responsabilité» (*primacy of responsibility*).

Sans essayer pour le moment d'ajuster ces expressions au vocabulaire théologique de la doctrine catholique, ne peut-on espérer qu'en approfondissant ces pensées et en explicitant leur contenu, il se fera un rapprochement sensible avec beaucoup de points de la doctrine sur la papauté catholique. Les études poursuivies dans le monde anglican semblent y acheminer[1].

Des divergences de vues ne pouvaient pas ne pas se produire entre les interlocuteurs de Malines sur la doctrine de la papauté; elles ne sont pas si radicales qu'elles excluent pour l'avenir les perspectives de reprise de la question avec de nouveaux éléments de discussion et des chances sérieuses de progrès dans l'accord des esprits et des cœurs.

VI

Les vérités dogmatiques ont retenu principalement l'attention des 92 anglicans et des catholiques à Malines. Cependant les discussions ont également effleuré les questions de discipline. Il est naturel que l'Église anglicane, après quatre siècles de séparation, ayant ses habitudes et ses traditions, s'inquiète du régime sous lequel elle pourrait avoir à vivre en cas de réunion.

---

1. Tels les articles en cours de publication dans *Theology* du Dr Turner sur S. Pierre et S. Paul dans le Nouveau Testament et la primitive Église (août et octobre 1926). [C.H. TURNER, *St. Peter in the New Testament*, in *Theology* 13 (1926) 66-78; ID., *St. Peter and St. Paul in the New Testament and in the Early Church*, in *Theology* 13 (1926) 190-204.]

D'autre part, il ne saurait appartenir à des interlocuteurs catholiques, dépourvus de mandat officiel, d'apporter des promesses qui pourraient devenir l'origine de déceptions graves.

Cependant il leur était possible de dire combien grande est la diversité des disciplines sous lesquelles l'Église a vécu sans dommage pour son unité, et quelle variété d'institutions existe encore actuellement au sein de l'Église catholique malgré l'uniformité progressive à laquelle tend sa législation surtout depuis que le protestantisme l'a contrainte à renforcer sa centralisation administrative. Le respect que Rome témoigne aux Églises orientales, le scrupule avec lequel elle maintient leurs rites, leurs langues liturgiques, leurs droits patriarcaux, leurs coutumes et leurs législations particulières, leur autonomie relative notamment dans l'élection de leurs évêques et de leurs patriarches, dans la gestion de leurs biens, dans la célébration des synodes... tout permet d'entrevoir avec quelle largeur d'esprit pourraient être traitées, entre l'Église romaine et l'Église anglicane, les clauses disciplinaires de leur union.

Les Anglicans ont insisté sur le fait que l'Église anglicane compte beaucoup de provinces ecclésiastiques et de diocèses en dehors de l'Angleterre et que les évêques en communion avec le siège de Cantorbéry étaient en 1920, à l'époque de l'Appel de Lambeth, au nombre de 368. Il existe déjà dans l'Église anglicane elle-même des diversités importantes, notamment par rapport à l'élection des évêques qui est plus libre dans les colonies anglaises, dans l'Église épiscopalienne d'Amérique et dans les diocèses des missions, que dans l'Angleterre elle-même, où 94 la couronne jouit d'un droit de nomination. Mais l'unité de l'Église est compatible avec une très grande variété de régimes et de formes extérieures.

Les Conversations de Malines ont donné à tous leurs participants l'impression qu'à mesure de l'entente progressive et de l'accord sur les doctrines, l'aménagement du régime disciplinaire, si délicat qu'il puisse paraître, s'organiserait de manière satisfaisante. Les Anglicans s'attendent à faire des sacrifices pour l'union. Les Catholiques désirent ménager chez ceux qui viendraient à eux l'habitude de gouverner leurs propres affaires dans tout ce qui ne porterait pas atteinte à l'unité, dont une longue et douloureuse séparation de quatre siècles leur a, après l'Évangile de Jésus-Christ, enseigné tout le prix.

5

THE MALINES CONVERSATIONS
THE UNFINISHED AGENDA

In January 1932 – two years before his death – Lord Halifax wrote to his old friend in Louvain, Aloïs Janssens: "To be discouraged is a cowardice. And in my heart of hearts I know that the object for which in different ways we are struggling will one day in God's good time be accomplished"[1].

Today for a great number of Anglicans and Roman Catholics, the Malines Conversations are relatively unknown – often at best an historic footnote in the ecumenical movement. Nevertheless, it is important that we commemorate them today in prayer, theological reflection, friendly dialogue and fellowship. This "most astonishing adventure" as Lord Halifax called it[2] deserves to be remembered and to be celebrated because what occurred back then continues to inspire and challenge us today.

In my reflections this morning I would like to call attention to eight observations – outlining what I call the unfinished agenda of Malines. In no way are they intended to negatively criticize the dialogue and achievements of the first or second Anglican-Roman Catholic International Commission.

They are in fact a type of examination of conscience for all of us whose traditions link us to Canterbury or to Rome.

1. The Malines Conversations – with their atmosphere of openness and Christian brotherhood – inspired by Cardinal Mercier's conviction[3] that they were all "brothers in the Christian faith" provided a model for dialogue, captured the spirit of ecumenism, and set the stage for an ecumenical project which is far from complete. One of the biggest threats to that spirit of brotherhood – and sisterhood – today is not so much the

1. R. BOUDENS, *Lord Halifax: An Impression*, in *ETL* 60 (1984) 448-452, p. 452. See also J. DICK, *The Malines Conversations Revisited* (BETL, 85), Leuven, 1989, p. 190 (see also p. 11). This volume, here referred to by the author's name, is a revision of his doctoral dissertation (Leuven, 1986, directed by R. Boudens).

2. J.G. LOCKHART, *Charles Lindley Viscount Halifax*, Vol. 2, London, 1936, p. 268. See also DICK, p. 70.

3. DICK, p. 68.

lack of tolerance between Roman Catholics and Anglicans as it is
the growing disharmony within the respective church communities of
Canterbury and Rome. In each of our communities, we need to do some
bridge-building and healing. Discrimination against women priests, for
instance, is a painful sore in the Church of England. And Roman Catholic
power groups are now actively engaged in a post-Vatican II tug-of-war.
In this regard, the reaction to Chicago's Cardinal Joseph Bernardin's
announcement two weeks ago that he was starting a Catholic Common
Ground project is symptomatic of that tug-of-war. Bernardin denounced
the "fear and polarization that inhibits discussion and cripples leadership". He called for constructive dialogue within the Roman Catholic
Church which would be characterized by "Fresh eyes ... open minds ...
and changed hearts ... a renewed spirit of civility, dialogue, generosity
and broad and serious consultation". Sadly enough, Cardinal Bernardin's project was denounced immediately, by ultra-right U.S. Catholics
and by his U.S. cardinal colleagues – Cardinal Bernard Law of Boston
and Cardinal James Hickey of Washington, DC[4]. Such actions are
deeply disturbing. And we do well to remember the admonition of the
Great Teacher in the Gospel According to Matthew: "Every kingdom
divided against itself is laid waste, and no city or house divided against
itself will stand"[5].

2. The men at Malines dreamed dreams and shared visions. They
were unanimously emphatic about the absolute necessity for visible
Catholic unity. Yet it escaped them. For our world today – so greatly in
need of the word and ministry of the church – the church is becoming
increasingly peripheral. As Archbishop George Carey said in his July
1996 keynote speech in the House of Lords, religion and God are being
"banished to the realm of the private hobby"[6]. In an age when more men
and women look for signs of transcendence in fossils from Mars, mys-
teriously unexplained geometric patterns in wheat fields or in neo-pagan
feminist rituals, than they do in traditional Word and Sacrament, the
credibility problem for the church is real. Our Christian dreams and
visions must lead to transformative action – action which helps people
better see God. Action which helps a secularized culture re-discover
signs of Incarnation. Action which flows from and forms Gospel values.
Action which builds – not disrupts – the Reign of God.

4. As reported in *National Catholic Reporter*, August 23, 1996, pp. 3 and 20.
5. Matthew 12,25.
6. *Anglican News*, July 6, 1996, Issue 2, p. 1.

3. For the Anglicans and Roman Catholics at Malines, there was much personal growth. Growth in historical understanding, in theological development, and in appreciation for the faith experience of the other. The Cardinal Mercier, for instance, who at the start of the Conversations in 1921 hoped that Halifax would make his personal submission to Rome, was a different man in 1925 when he read Dom Lambert Beauduin's historic memorandum, calling for Roman Catholic acceptance of the Anglican church as a patriarchate in union with but not absorbed by Rome. The temperamental Charles Gore and Pierre Batiffol who publicly battled each other before Malines, ended the third Malines Conversation in "a wonderful atmosphere of good will". Gore even complimented Mercier for his generous hospitality and *tolerantia perseverantissima* and apologized for being perhaps too harsh in his frank remarks around the discussion table[7]. If the Anglican-Roman Catholic ecumenical project is to survive today and succeed, partners on both sides of the dialogue must believe in and guarantee an openness to the authentic faith experiences of the other as well as to the legitimacy of pluralism of form and expression in church structure and theology. These are not easy today – as so many people retreat into new and old tribalisms – but they are absolutely essential. They are in fact traditional *catholic* virtues, which only those who are blinded by fear or historical ignorance refuse to acknowledge.

4. The fear of modernism and the often less-than-Christian tactics of the Integrists – anti-modernist spies and hold-overs from the not-yet-so-dead *Sodalitium Pianum* of Pope Pius X – haunted the Malines Conversations from start to finish. And this fear greatly contributed to the publication of *Mortalium Animos* in 1928 and the Roman Catholic eclipse of ecumenical dialogue from Malines to Vatican II. Even before the Malines Conversations, Cardinal Mercier's name was found on a papal black list of those who were "suspicious and known to be connected with all the traitors of the church"[8]. But he was in good company, because that list – bearing the finger prints of Cardinal Merry Del Val – also included: Batiffol, Beauduin, Portal and della Chiesa (later known as Pope Benedict XV). Della Chiesa, by the way – who had been fired from his post at the Vatican Secretariat of State and ordered out of his Vatican apartment by Del Val when Del Val became Secretary of State

---

7. DICK, p. 115.
8. R. BOUDENS, *Kardinaal Mercier en de Vlaamse Beweging*, Leuven, 1975, p. 268. See also DICK, p. 58.

under Pius X – in one of his first acts as the new Pope Benedict XV, ordered Del Val to pack his bags and move out of his Vatican apartment. "We forgive", said Benedict XV "but we cannot forget"[9]. Today in an uncertain world, ultra-right Anglican and Roman Catholic fundamentalists promote seductively simple answers for complex questions. And with their own kinds of witch hunts and character assassinations, they haunt and threaten the work of ecumenism. Fundamentalism is an inadequate Christianity and we must not allow fundamentalists to become the principal spokespersons for the church of Christ.

5. A failure at the Malines Conversations was the exclusion – for a variety of reasons – of English Roman Catholics in the meetings. This serious failure became an aggravated open wound, especially in 1925, when word leaked out that Lambert Beauduin's memorandum called for the suppression of the English Roman Catholic dioceses created after 1851. The English Roman Catholic, Cardinal Bourne, had reason to be upset and hurt when he wrote to Mercier in October 1925: "The Anglicans are treated as friends – we, the Catholics of England, apparently as untrustworthy... I am powerless to intervene, for your Eminence has thought well to leave me ... absolutely in the dark... I have been treated as if I did not exist"[10]. Any successful Anglican-Roman Catholic dialogue today – at all levels – must also recognize and appreciate the unique life and experiences and traditions of English Roman Catholics since the sixteenth century. Anything less would be thoughtless and self-destructive.

6. The acceptance of married ordained ministers was not problematic for the men at Malines. It came up at the Second Conversation and especially in the Fourth in Lambert Beauduin's memorandum. Since their day, however, a host of issues surrounding ministry, human sexuality and sexism have arisen in the church. (Feminism, patriarchy, gay and lesbian rights, and the sexual abuse of children by church ministers ... to mention a few.) They can be neither denied nor ignored today and test, in fact, our understanding of the framework for Christian ethics, growth in human awareness and the prophetic role of the church. If we as Anglican and Roman Catholic Christian leaders cannot speak with conviction, credibility and true guidance about issues of human sexuality and about the roles of men and women in church and society, we are condemning

9. J.J. HUGHES, *Absolutely Null and Utterly Void*, Washington, 1968, p. 224, n. 50. See also DICK, p. 58.

10. E. OLDMEADOW, *Francis Cardinal Bourne*, Vol. 2, London, 1944, p. 383. See also DICK, p. 157.

the next generation to a do-it-yourself values wilderness in which the blind mislead the blind.

7. Without in any way denigrating the papal office or the ministry of the successor of Peter, the nature and exercise of the papal office and its relationship to the ministry of the local bishop and the ministry of the college of bishops remain problematic areas for ecumenical life and dialogue. And here the greatest challenge for study, dialogue and drawing from the fullness of Christian tradition may rest with Roman Catholic theologians and church leaders, as the Roman church continues its post-Vatican II growing pains. In recent years, it has become a big challenge and it will test the faith, scholarship, charity, courage, tolerance and communication skills of the best of us.

8. Prayer, good will, dialogue, respect for the experiences of the other: the essential ingredients at Malines, remain just as essential for us today. This is where we must begin and – if we do our work well – where we must end up. "That they all may be one", said Mercier on his deathbed during what Hippolyte Hemmer called "the supreme Malines Conversation"[11]. And "to be discouraged is a cowardice", said Lord Halifax to Father Janssens in 1932. May we be worthy of the project which awaits us. And may we go about it, united in charity, hope and faith – indeed as brothers and sisters in the Christian faith.

Geldenaaksebaan 85
B-3001 Heverlee

John A. DICK

---

11. H. HEMMER, *Monsieur Portal. Prêtre de la mission,* Paris, 1947, p. 208. See also DICK, p. 162.

6

THE MALINES CONVERSATIONS
ANNOTATED BIBLIOGRAPHY

I

The following books and articles have been selected to provide the reader with a survey of significant published documents about the people and events surrounding the Malines Conversations. Some of the resources listed here were also listed in J. Dick's book on the Malines Conversations. Publications which appeared after the publication date of his book (1989) are marked with *.

Alcuni pregiudizi anglicani sulla autorità del Sommo Pontefice. – *Civiltà Cattolica* 79/3 (1928) 193-205.

Alla ricerca dell'unità nella chiesa anglicana. – *Civiltà Cattolica* 75/1 (1924) 209-219.

*AUBERT, R., *Le Cardinal Mercier (1851-1926). Un prélat d'avant-garde*, Louvain-la-Neuve: Academia, 1994. 500 p.

—, Un homme d'Église: Dom Lambert Beauduin. – *La Revue Nouvelle*, 31 (1960) 225-249.

—, Les Conversations de Malines. Le Cardinal Mercier et le Saint-Siège. – *Bulletin de la Classe des lettres et des sciences morales et politiques [de l']Académie Royale de Belgique*, 5ᵉ série, 53 (1967) 87-159 (= ID., *Le Cardinal Mercier*, 1994, pp. 393-452).

—, L'histoire des Conversations de Malines. – *Collectanea Mechliniensia* 52 (1967) 43-54. ET: *The History of the Malines Conversations*, in *One in Christ* 3 (1967) 56-66.

—, Cardinal Mercier, Cardinal Bourne, and the Malines Conversations. – *One in Christ* 4 (1968) 372-379 (= ID., *Le Cardinal Mercier*, 1994, pp. 453-459).

—, À propos de la chaire dom Lambert Beauduin. – *Revue Théologique de Louvain*, 1 (1970) 76-88.

—, *Le Cardinal Mercier. Archevêque de Malines 1906-1926. Un prélat d'avant-garde*, s.d., s.l. [Malines, 1976], 32 p.; Engl. transl.: *Cardinal Mercier, Archbishop of Malines, 1906-1926: A Churchman ahead of his Time*; Dutch transl.: *Kardinaal Mercier, aartsbisschop van Mechelen, 1906-1926. Kerkvorst en voorloper*.

—, Cardinal Mercier's Visit to America in the Autumn of 1919. – *Studies in Catholic History in Honour of John Tracy Ellis*, Wilmington, 1985, pp. 307-344 (= ID., *Le Cardinal Mercier*, 1994, pp. 329-352).

AVELING, J.C.H., et alii, *Rome and the Anglicans*, Berlin and New York, 1982.

BARLOW, B., The Conversations at Malines. – *Louvain Studies* 4 (1972) 51-72.

*—, *A Brother Knocking at the Door. The Malines Conversations 1921-1925*, Norwich: Canterbury Press, 1996. 261 p. Cf. below, p. 92.

BEAUDUIN, E., *Le Cardinal Mercier*, Tournai-Paris, 1966.

BECK, G.A. (ed.), *The English Catholics 1850-1950*, London, 1950.

BELL, G.K.A., *Documents on Christian Unity: The Anglican Position*, 3 vols, London, 1924-1948.

—, *Bishop Randall Davidson, Archbishop of Canterbury*, 2 vols, London, 1935.

—, *Christian Unity: The Anglican Position*, London, 1948.

BILL, E.G.E. (ed.), *Anglican Initiatives in Christian Unity*, London, 1967.

BIVORT DE LA SAUDÉE, J. DE, *Anglicans et catholiques. Le problème de l'Union anglo-romaine, 1833-1933*, Bruxelles, 1949.

—, *Documents sur le problème de l'Union anglo-romaine (1921-1927)*, Paris, 1949.

*BOILEAU, D.A., *Cardinal Mercier: A Memoir*, Leuven: Peeters, 1997. 417 p.

BOLTON, A., *A Catholic Memorial of Lord Halifax and Cardinal Mercier*, London, 1935.

BOSSY, J., *The English Catholic Community 1570-1850*, London, 1975.

BOUDENS, R., George Tyrrell and Cardinal Mercier. A Contribution to the History of Modernism. – *Église et Théologie* 1 (1970) 313-351.

—, *Kardinaal Mercier en de Vlaamse Beweging*, Leuven, 1975.

—, Lord Halifax: An Impression. – *Ephemerides Theologicae Lovanienses* 50 (1984) 449-452.

*—, *Two Cardinals. John Henry Newman – Désiré Joseph Mercier*, ed. by L. GEVERS (BETL, 123), Leuven: Peeters/University Press, 1995. 362 p.

BOURNE, F., The Union of Christendom. – *The Tablet* 143 (1924) 309-310.

BUEHRLE, M.C., *Rafael Cardinal Merry del Val*, London, 1957.

BUTLER, B.C., United Not Absorbed. – *The Tablet* 224 (1970) 220-221.

The Call to Reunion. – *The Tablet* 140 (1922) 720-721.

Cardinal Merry del Val. – *The Tablet* 145 (1925) 625-626.

Catholics and Lord Halifax. – *The Tablet* 151 (1928) 466.

CELI, G., Di un recente invito agli anglicani per il ritorno all'unità romana. – *Civiltà Cattolica* 74/1 (1923) 203-215.

—, Esame del 'Memorandum' del Visconte Halifax. – *Civiltà Cattolica* 74/1 (1923) 401-411.

—, Ancora sul "Memorandum" del visconte Halifax. – *Civiltà Cattolica* 74/2 (1923) 44-50.

CLARK, A.C. & DAVEY, C. (eds.), *Anglican/Roman Catholic Dialogue*, London, 1974.

The Commemoration of the Malines Conversations 1926-1966. – *Collectanea Mechliniensia* 52 (1967) 3-78. Cf. above, AUBERT, R.

CONFERENCE OF BISHOPS OF THE ANGLICAN COMMUNION (Lambeth Palace July 5 to August 7, 1920), *Encyclical Letter*, London, 1920.

The Conferences at Malines. – *The Tablet* 143 (1924) 4-6.

The Conversations at Malines 1921-1925. Les Conversations de Malines 1921-1925, London, [1927].

COPPENS, J., Une lettre inédite de Lord Halifax. – *Union et désunion des chrétiens* (Recherches œcuméniques. Université catholique de Louvain. Chaire Adrien VI,1), Bruges-Paris, 1963, pp. 139-143.

DAL-GAL, G., *Il Cardinal R. Merry del Val*, Roma, 1953.

DALPIAZ, V., *Cardinal Merry del Val*, London, 1937.

DAVIDSON, R.T. (ed.), *The Five Lambeth Conferences*, London, 1920.

DE MENDIETA, E.A., *Rome and Canterbury*, London, 1962.

DESMET, F. (ed.), *Le Cardinal Mercier*, Bruxelles, 1927.

DESSAIN, J., Les progrès de l'œcuménisme: l'incident Mercier 1919-1922. – *Revue Théologique de Louvain* 5 (1974) 469-476.

DESSEAUX, J. (ed.), Dossier: Fernand Portal, Lazariste (1855-1926): Une vie sur la route de l'unité. – *Unité des Chrétiens* 22 (1976) 1-33.

— (ed.), Dossier: Le Cardinal Mercier (1851-1926). Les Conversations de Malines. – *Unité des Chrétiens* 23 (1976) 1-30.

DICK, J.A., *English Roman Catholic Reactions to the Malines Conversations*, Doctoral Dissertation, Catholic University of Leuven, 1986.

—, The Start of An Ecumenical Revolution: England and the Road to Malines. – *Louvain Studies* 11 (1986) 151-169.

—, Cardinal Merry del Val and the Malines Conversations. – *Ephemerides Theologicae Lovanienses* 62 (1986) 333-355.

—, The Malines Conversations Revisited (BETL, 85), Leuven, 1989. 278 p.

EDWARDS, D.L., *Leaders of the Church of England 1928-1944*, London, 1971.

EVENNETT, O., A Historian Looks at Malines. – *The Dublin Review* 186 (1930) 243-265.

FORBES, F.A., *Rafael Cardinal Merry del Val*, London, New York, Toronto, 1932.

FOUILLOUX, E., *Les catholiques et l'unité chrétienne du XIXᵉ au XXᵉ siècle. Itinéraires européens d'expression française*, Paris, 1982.

— & DESSEAUX, J. (eds.), Dossier: Dom Lambert Beauduin (1873-1960). – *Unité des Chrétiens* 29 (1978) 1-27.

FRERE, W.H., *Recollections of Malines*, London, 1935.

GADE, J.A., *The Life of Cardinal Mercier*, New York, London, 1934.

GOOD, J., *The Church of England and the Ecumenical Movement*, London, 1961.

GOYAU, G., *Le Cardinal Mercier*, Paris, 1930.

GRATIEUX, A., *L'amitié au service de l'union. Lord Halifax et l'Abbé Portal*, Paris, 1951.

GREENACRE, R., *Lord Halifax*, Oxford, 1983.

*—, La signification des Églises orientales catholiques au sein de la Communion romaine dans la perspective de "l'Église anglicane unie non absorbée". – *Irénikon* 65 (1992) 339-351.

GUITTON, J., *Trois serviteurs de l'unité chrétienne: le P. Portal, lord Halifax, le cardinal Mercier*, Paris, [1937].

—, Souvenirs concernant Lord Halifax. – *La vie intellectuelle* (1937) 9-49.

—, *Dialogue avec les précurseurs*, Paris, 1962.

—, Le Père Portal initiateur. – *Mission et Charité* 15 (1964).

HALE, R., *Canterbury and Rome: Sister Churches. A Roman Catholic Monk Reflects upon Reunion in Diversity*, London, 1982.

HALFLANTS, P., Autour des Conversations de Malines. – *La Libre Belgique*, February 26, 1934; February 28, 1934; March 2, 1934.

HALIFAX, *A Call to Reunion*, London, 1922.

—, *Further Considerations on Behalf of Reunion*, London, Milwaukee, 1923.

—, *Reunion and the Roman Papacy*, London, Milwaukee, 1925.

—, *Catholic Reunion Together with an Account of the Last Days of Cardinal Mercier and Some Appreciations*, London, Milwaukee, 1926.

—, *Notes on the Conversations at Malines 1921-1925*, London, 1928.

— (ed.), *The Conversations at Malines 1921-1925. Original Documents*, London, 1930.

—, *The Good Estate of the Church*, London, New York, Toronto, 1930.

HEMMER, H., *M. Portal, prêtre de la Mission*, Paris, 1948.

—, *Fernand Portal 1855-1926, Apostle of Unity*, London, 1961.

JEROME, Fr. (Albert Gille), *A Catholic Plea for Reunion*, London, 1934.

KEATING, J., Clearing the Air, in *The Month* 143 (1924) 97-105.

—, Malines and Corporate Reunion. – *The Month* 144 (1924) 260-262.

—, A Last Word on Malines. – *The Month* 149 (1925) 163.

—, Once More Malines. – *The Month* 155 (1925) 158-161.

KOTHEN, R., *Catholiques et Anglicans. Vingt ans après les Conversations de Malines*, Lille, 1946.

LADOUS, R., *L'Abbé Portal et la campagne Anglo-Romaine 1890-1912*, Lyon, 1973.

—, Dom Lambert Beauduin et Monsieur Portal - veilleur avant l'aurore. – *Colloque Lambert Beauduin*, Chevetogne, 1978, pp. 97-133.

—, *Monsieur Portal et les siens (1855-1926)*, Paris, 1985.

LAHEY, R.J., The Origins and Approval of the Malines Conversations. – *Church History* 43 (1974) 366-384.

—, Cardinal Bourne and the Malines Conversations. – A. HASTINGS (ed.), *Bishops and Writers*, London, 1976, pp. 81-86.

La vera unità religiosa dichiarata e inculcata nella recente enciclica 'Mortalium Animos'. – *Civiltà Cattolica* 79/1 (1928) 202-213.

Le Conversazioni di Malines (1921-1925). – *Civiltà Cattolica* 79/2 (1928) 223-234; 417-428.

Le nuove 'Conversazioni di Malines' e la Parola del Visconte Halifax. – *Civiltà Cattolica* 76/3 (1925) 410-419.

LESOURD, P., *Entre Rome et Moscou, le jésuite clandestin Mgr. Michel d'Herbigny*, Paris, 1976.

LOCKHART, J.G., *Charles Lindley Viscount Halifax*, 2 vols, London, 1935-1936.

—, *Cosmo Gordon Lang*, London, 1949.

Lord Halifax's "Call to Reunion". – *The Tablet* 140 (1922) 624-625.

Lord Halifax and Father Woodlock. – *The Month* 146 (1925) 256-260.

MERCIER, D.J., Les Conversations de Malines. – *Œuvres Pastorales* 7 (1924) 288-305.

MOYES, J., An Anglican "Call to Action". – *The Tablet* 145 (1925) 617-619.

—, What Does Lord Halifax Mean? – *The Tablet* 146 (1925) 74-75.

MURPHY, L.D., Bishop Gore Once More. – *The Month* 141 (1923) 137-146.

OLDMEADOW, E., More About Malines. – *The Tablet* 143 (1924) 168-169.

—, A Layman on Malines. – *The Tablet* 144 (1924) 660.

—, Continuity Continued. – *The Tablet* 149 (1927) 573.

—, *Francis Cardinal Bourne*, 2 vols, London, 1940-1944.

*PARRÉ, P. and FRANCIS, P., *Rapprochements anglicans-catholiques aux XIXe et XXe siècles*, Mechelen: Archevêché de Malines. Service de Presse Malines, 1996.

PAWLEY, B. and PAWLEY, M., *Rome and Canterbury through Four Centuries. A Study of the Relations between the Church of Rome and the Anglican Churches 1530-1973*, London, 1974.

PHILLIPS, C.S., *Walter Howard Frere, Bishop of Truro: A Memoir*, London, 1948.

PORTAL, F., Le rôle de l'amitié dans l'union des Églises. – *La revue catholique des idées et des faits* 5 (1925) 5-8.

PRESTIGE, G.L., *The Life of Charles Gore*, London, 1935.

PRIBILLA, M., Canterbury und Rom. – *Stimmen der Zeit* 120 (1930) 94-110.

QUITSLUND, S., "United Not Absorbed" Does It Still Make Sense. – *Journal of Ecumenical Studies* 8 (1971) 255-285.

—, *Beauduin. A Prophet Vindicated*, New York, 1973.

RAMSEY, M., *Charles Gore and the Anglican Theology*, London, 1948.

ROUSSEAU, O., Le sens œcumenique des Conversations de Malines. – *Irénikon* 44 (1971) 341-348.

ST. JOHN, H., The Anglo-Catholic Problem. – *Blackfriars* 10 (1929) 1176-1183.

—, The Malines Conversations: A Pioneer Effort in Ecumenism. – *One in Christ* 4 (1966) 377-384.

SCHYRGENS, J., La destinée de Lord Halifax. – *Vingtième Siècle*, February 2, 1934.

SIMON, A., *Le Cardinal Mercier* (coll. Notre Passé), Bruxelles, 1960.

—, Le Cardinal Mercier et l'Union des Églises. – *Union et désunion des chrétiens* (Recherches œcuméniques. Université catholique de Louvain. Chaire Adrien VI,1), Bruges-Paris, 1963, pp. 109-137.

TALIANI, F.M., *Vita del Cardinale Gasparri*, Milan, 1950.

TAVARD, G., *Two Centuries of Ecumenism*, London, 1961.

*TAYLOR, T.F., *J. Armitage Robinson*, Cambridge, 1991, 139 p.

THILS, G., *Histoire doctrinale du mouvement œcuménique* (BETL, 8), Louvain, 1955; nouvelle édition, 1962.

*TRETJAKEWITSCH, L., *Bischop Michel d'Herbigny S.J. and Russia*, Würzburg: Augustinus-Verlag, 1990, 317 p. See esp. pp. 93-108.

VAN DE POL, W.H., *Anglicanism in Ecumenical Perspective*, Pittsburgh, 1965.

*VAN DŸCK, M., *Worden Rome en Canterbury één: over een evangelisch gezag in de kerk van Christus*, Tielt: Lannoo, 1990, 299 p. ET: *Growing Closer Together: Rome and Canterbury: A Relationship of Hope*, Middlegreen: St. Paul Publications, 1992, 267 p.

VERHELST, D., Lord Halifax and the Scheut Father Aloïs Janssens. – *Ephemerides Theologicae Lovanienses* 43 (1967) 222-258.

WALKER, L., Anglia Quaerens Fidem. – *Gregorianum* 3 (1922) 219-238; 337-354.

WOODLOCK, F., At an Anglican Reunion Lecture. – *The Tablet* 143 (1924) 306-308.

—, The Malines Conversations. – *The Tablet* 146 (1925) 484-485.

—, Gli anglicani e la 'Riunione della Cristianità'. – *Civiltà Cattolica* 77/1 (1926) 514-526; 77/2 (1926) 3-15.

—, English and American Modernism. – *Gregorianum* 8 (1927) 23-40; 183-203.

—, The Upshot of Malines. – *The Month* 145 (1928) 158-163.

—, The Malines Conversations Report. – *The Month* 155 (1930) 238-246.

II

J.A. DICK, *The Malines Conversations Revisited* (BETL, 85), Leuven, University Press & Uitgeverij Peeters, 1989, 278 p.

Based on my 1986 (STD) dissertation, this book locates the Malines Conversations in the history of Roman Catholic/Anglican relations in six parts. The first chapter covers early developments from the Du Pin – Wake Correspondence (1717-1719) until the death of Cardinal Vaughan (1903). Chapter Two treats the first Malines Conversation (December 6-8, 1921) and the early twentieth-century developments leading up to it. Chapters Three, Four and Five treat consecutively the Second (March 14-15, 1923), Third (November 7-8, 1923), and Fourth (May 19-20, 1925) Conversations. The final chapter covers the death of Cardinal Mercier (January 23, 1926) and the concluding Malines Conversation held without him (October 11-12, 1926), the changing climate at the Vatican and the publication of Pope Pius XI's encyclical *Mortalium Animos* (January 6, 1928), which for all practical purposes closed the Roman Catholic ecumenical door until the Second Vatican Council (1962-1965). The book and concludes with the death of Lord Halifax (January 19, 1934).

The Malines Conversations Revisited is concerned with the historic background issues and events surrounding the Malines Conversations and draws attention to four important issues: the strongly assertive (and sometimes too aggressive) role of Lord Halifax, the Vatican diplomacy of Cardinal Mercier, the undermining (due to fears of modernism and distrust of Halifax and Portal) of the Conversations by Cardinal Merry del Val and company, and the fact that the English Roman Catholic Cardinal Bourne was more positively inclined toward church unity discussions and activities than was believed at the time of the Malines Conversations.

The book includes an appendices section which provides readers with seven key documents which had a major impact on the Malines Conversations: The Lambeth Appeal of 1920; an Anglican "Outline of Provisional Scheme for a Conference" dated 1922; the 1923 Memorandum by the Archbishops of Canterbury and York; the 1923 pastoral letter of the Archbishop of Canterbury; the 1924 Letter from Cardinal Mercier to his Clergy; Dom Lambert Beauduin's *L'Église anglicane unie non absorbée*; and Pope Pius XI's *Mortalium Animos*.

As a tool for further research, the book provides a biographical index, list of names, and a bibliography of unpublished (archival) and published sources.

In what follows, I would like to respond to some observations of reviewers of my book. The reviews are cited chronologically, from 1990 to 1993.

1990

D. ARMENTROUT writing in *The Journal of Ecumenical Studies* (27, 1990, 410-411) summarizes the content of the book and concludes by noting "Dick tells the story in a full and helpful way". J.J. HUGHES in *The Catholic Historical Review* (76, 1990, 392-393) found the book "a thoroughly researched and well written study" which calls attention to the fact that at the time of the Conversations there was a significant group of English Catholics supportive of the Conversations. H.J. RYAN in *Theological Studies* (41, 1990, 564) notes that the book "does not supplant but complements Aubert's classic *Les Conversations de Malines*". H. CHADWICK in *Journal of Ecclesiastical History* (76, 1990, 323-324) finds the book an "important blow-by-blow account" with nine pages of excellent bibliography; and he applauds my calling attention to another way of viewing Cardinal Bourne. L. V[OS] writing briefly in *Irénikon* (3, 1990, 446-447) also points out the importance of this more positive viewing of Bourne. N.P. MORITZEN in *Theologische Literaturzeitung* (115, 1990, 831-832) reviews the history of the Conversations and is generally complimentary. He likes the documents in the appendices, the biographical index, and finds the book "von grosse Interesse für den Spezialisten". His announcement, however, that I come "aus England" would make my Yankee great grandparents roll-over in their graves! M. WALSH writing in the *Church Times* (12 January, 1990, 11) calls the book a "learned volume" and notes, as other reviewers have noted, that the book considers the "agenda" more than the "acta". He is correct of course. My intention was not to repeat in detail the content of the individual conversations, because this information has been published by Halifax and others several times. My concern was the story behind the events. And Walsh finds my treatment here "very illuminating". He calls particular attention to the exoneration of Cardinal Bourne as much more ecumenically minded than his biographer E. Oldmeadow was capable of admitting, and to the role of English Jesuits, who worked hand-in-hand with Cardinal Merry del Val to undermine and discredit the Conversations. All-in-all Walsh found my book "fascinating" and "replete with good things" but "not at all well written". I suspect we have a bit of American English and British English coming into play here. De gustibus.... The most critical review, in every sense of the word, came in 1990 from R.J. LAHEY writing in *Journal of Theological Studies* (41, 1990, 772-776). Lahey offers his readers a summary of the key personalities and events of the Conversations and then points out that my book pays more attention to the context than the content of the Conversations, an approach which Lahey finds can "make absorbing history".

He observes that my book, based on the earlier doctoral dissertation, pays closer attention to the English Catholics and "is far weaker in its treatment of Anglicanism". I agree. He finds my book "most convincing" in its treatment of the demise of the Conversations with the interplay of personalities and ideologies "vividly detailed" and "the overall account is certainly superior to any other to date". He pointedly notes however some "inexplicable oversights". Foremost among these is my too brief explanation of the Jesuit side of the Malines Conversations story. Here I hint and should have gone beyond my hints. At the time of my doctoral dissertation and later the publication of the book, I had intended to follow-up with another study about the "Jesuit connection". I believe I should still do this, because several reviewers have expressed a desire for a more complete exposition here. I know it would be a fascinating story on its own. I must still disagree with Lahey, however, when he asserts (and disagrees with me) that the Jesuit Michel d'Herbigny "was obviously in Mercier's confidence". Mercier in fact had little regard for the Jesuits and had several suspicions about the goings on of Michel d'Herbigny, which I hope to explain in greater detail in my "Jesuit Malines book". Lahey's observations about bibliographic materials I failed to include as well as his observations about some minor historical inaccuracies are appreciated.

1991

A. PEELMAN in *Église et Théologie* (22, 1991, 112-113) provides readers once again with a point-by-point summary of the Malines Conversations and notes near the end of his review that my "well-written book convincingly demonstrates" that English Roman Catholics were not unanimous in their opposition to the Conversations. A. DE HALLEUX, writing closer to home in *Revue théologique de Louvain* (22, 1991, 234) notes positively the number of archives I consulted and the biographical index, but he takes me to task about a couple errors: e.g., Michel d'Herbigny was not a Belgian but was born in Lille, France. In the end he finds that the book enriches our "connaissance" of the Conversations but does not go far enough in its exploration of some of the mysteries, especially the Jesuit connection. J. VERCRUYSSE in *Gregorianum* (72, 1991, 174-176) read the book "in one sitting" and found it an "exciting study of the intriguing conversations of Mechelen" and judges that the book will become "a standard work" on the Conversations. He calls attention to Italian Jesuit publications about the Conversations, which we have inserted here in the bibliography above. J. KENT in *The Expository Times* (102, 1991, 59) sees two contributions made by the book: (1) it shows that Bourne, contrary to the viewpoint of his biographer Oldmeadow, was more ecumenically inclined than many believed at the time and (2) it shows why and how the Malines Conversations should be viewed against the background of the post-Modernist-frenzy evolution of 20th-century Roman Catholic theology. The most negative review in 1991 came from C. KRIJNSEN, writing in *Het Christelijk Oosten* (43, 1991, 216-217). He found it a readable book but misleading. He dwells on my term in the title "revisited". Krijnsen focuses on what others have seen as my interest in the agenda rather than the acta but he sees this as a major shortcoming and reports that in the end my book does not do what it says it will do, i.e., "revisit" the Malines Conversations. He misses my point, I believe. – I add here a summary of my book given by J. BONNY, in *Collationes* (3, 1992, 327-328).

1993

R. AUBERT's review which appeared in *Revue d'histoire ecclésias-tique* (1, 1993, 294-296) summarizes and concurs with the observations made by R.J. Lahey and A. de Halleux, mentioned above. He notes that the definitive book on the Malines Conversations can not be written until all the Vatican archives are available to scholars and that the papers of Pope Pius XI should be very helpful here. He sees the great value of my book in the analysis of the background goings on, especially the involvement of Cardinal Merry del Val, Cardinal Gasquet, Canon Moyes and the English Jesuits. He also suggests, of course, that the Jesuit story needs to be explored in more detail. Another contribution to the history of the Malines Conversations is my exploration of the papers of Lord Halifax in York, of Cardinal Bourne at Westminster, and of Fr. Woodlock in London. Aubert believes that I did not pay sufficient attention to the correspondence between Armitage Robinson and Lord Halifax. He may be correct. My thorough exploration of the Halifax papers in York however did not point me toward the Robinson papers. On a few points, Aubert corrects some inaccuracies which also others had mentioned, e.g., that Michel d'Herbigny was French not Belgian, Chafttal should be Chaptal and that Benigni was never secretary of the Congregation for the Propagation of the Faith. Aubert wonders if I was aware of the thesis of R. Ladous, *M. Portal et les siens*. The answer is affirmative, but I did neglect to mention the work in my bibliography. All in all, I was pleased with Professor Aubert's review and the fact that my book "n'en constitue pas moins une contribution non négligeable à l'histoire des célèbres Conversations".

III

B. BARLOW, '*A Brother Knocking at the Door*' *The Malines Conversations 1921-1925*. Norwich, Canterbury Press, 1996, 261 p.

The first eight chapters of Barlow's book cover the same terrain as my book: nineteenth-century developments in Anglican/Roman Catholic relations and the Malines Conversations specifically. My focus is more historical and stresses the background events and ecclesiastical and personal maneuverings before, around and between each of the Conversations. Barlow's focus is more theological and provides more insight into the theological discussions in each of the sessions. We both provide summaries of the content of each session.

In terms of unpublished archival materials, Barlow relies on fundamentally the same archives as I. He cites some documents which I consulted and did not choose to cite in my text and viceversa. His conclusions about the flow of events and the role, for instance, of Cardinal Merry del Val conincide with mine. Occasionally Barlow choose to publish an entire letter or memorandum, when I cite what I considered the most salient portion of that document. Here one confronts more matters of personal editorial and writing style than matters of historical accuracy. Barlow does cite an interesting journal of Armitage Robinson (see page 63 of his book) in which Robinson gives a very personal day-by-day account of his involvement in the Conversations. This document, now in the Westminster Abbey archives, provides much human interest as well as further affirmation for the observation made by most observers of the Conversations that Lord Halifax's positions were often not representative of those of his Anglican colleagues and in fact were often a cause for concern and alarm. Barlow was also able to consult the Portal papers held by the Sisters of the Assumption in Paris as well as the archives of the Congregation of the Mission in Paris. These archives did not reveal anything new about the Conversations or Portal's involvement in them. When it comes to researching the Vatican archives, Barlow ran into the same stumbling block as I. The most important Vatican documents are still under lock and key.

A new element in Barlow's book is his analysis of the Malines Conversations in relation to the work of ARCIC (in his chapter 9). His analysis is a helpful summary of where we are today and the way in which the themes at Malines have been found in ARCIC. In an appendix, Barlow gives the English-speaking world his own translation of Lambert Beauduin's *L'Église anglicane unie non absorbée*.

Geldenaaksebaan 85   John A. DICK
B-3001 Heverlee

7

ECUMENICAL CONTACTS BETWEEN BELGIUM
AND ENGLAND SINCE THE MALINES CONVERSATIONS

"Cor ad cor loquitur"
J.H. NEWMAN

A few years ago, on 12th May 1991, something very special happened in Wulvergem, a town in West Flanders. The vicar of the Anglican parish of St. Johns and St. Edwards in Felixstowe, the Rev. Father Kenneth Francis, ceremoniously handed over a replica of the statue of Our Lady of Walsingham (Norfolk) to the assembled parish community of Wulvergem. He considered this to be an act of reconciliation. He is a descendant of a certain Anthoine De Zwaerte from Belle (1540-1625). In 1566, this 26 year old friar having become a Calvinist minister, led the iconoclasm which destroyed the church of Wulvergem. He married Catherine Carlier and in 1567 they emigrated to England where he died in 1625 in Norwich (?). When handing over the statue, Father Francis said (among other things): "In the 16th century one of my ancestors collaborated in destroying the unity of the church. Now on the threshold of the union of Europe, I want to contribute my mite towards reuniting the church". This event was a fundamental ecumenical experience for the community of Wulvergem, which is entirely Roman Catholic.

This anecdote is an eloquent illustration of the idea I would like to develop in my contribution to this day. In a few words it comes down to this: side by side with the official contacts and dialogues, the non-official meetings and initiatives, on all levels, are a real dimension of the ecumenical movement. The Dominican theologian Yves Congar, an eminent initiator of the Catholic contribution to the ecumenical movement, once said: "La vérité est que l'œcuménisme est une plénitude. C'est comme un orgue à quatre claviers et à combien de jeux?"[1]. The four keyboards of the ecumenical organ are according to him institutional, theological, spiritual and practical ecumenism. Perhaps we should add a fifth keyboard to this: basic ecumenism. By this I mean the entire

---

1. Y. CONGAR, *Formes prises par l'exigence œcuménique aujourd'hui*, in R.E. HOECKMAN (ed.), *Pluralisme et œcuménisme en recherches théologiques. Mélanges offerts au R.P. Dockx, O.P.* (BETL, 43), Paris-Gembloux, 1976, pp. 221-236, esp. 235.

network of informal contacts between Christians of different churches, who as it were form the concrete structure of the growing interecclesial communion. Without this vital network, the other dimensions of the ecumenical movement float in the air. What is more, the various domains where ecumenism is in progress depend on one another and influence each other reciprocally. I intend to indicate three aspects of ecumenical relations between Belgium and England during the last decades which bear witness to this. Of course this is a limited, but I believe representative, choice out of a much wider range of initiatives.

I. ECUMENICAL FRIENDSHIPS

There are first of all the personal contacts and/or friendships. Thus *in rebus oecumenicis* the truth emerges of the motto which John Henry Newman chose for his own when he was made a cardinal: "Cor ad cor loquitur". In *Mélanges Tillard*, published in 1995, there is an article by Julian Charley titled: "Friendship – the Forgotten Factor in Ecumenism"[2]. Referring to John 15,15 where Jesus calls his disciples 'friends', Charley emphasises the importance of friendship in the ecumenical approach: "The knowledge, understanding and love experienced among friends is of a different order from that of other relationships. It is this personal factor of friendship that is too readily overlooked in ecumenism or dismissed as naive"[3]. And he gives a number of concrete examples. It is fitting to emphasise one of these: "In the realm of ecumenism friendship has played a vital part. Would the Malines Conversations have ever taken place in such adverse circumstances but for the friendship between Abbé Portal and Lord Halifax, 'une amitié d'âme et de cœur absolue'"[4]?

1. Within the framework of the Belgian-English contacts which we are examining here, we should mention that the warmth of Lord Halifax's friendship also extended towards Belgium. It is a little known fact that since 1915 he maintained a real bond of friendship with the Flemish Scheutist Father Aloïs Janssens (1887-1941), his unassuming, but very expert counsellor during and after the Malines Conversations. A few years ago Prof. Daniël Verhelst published the correspondence between

2. G.R. EVANS – M. GOURGUES (ed.), *Communion et Réunion. Mélanges Jean-Marie Roger Tillard* (BETL, 121), Leuven, 1995, pp. 109-114.
3. *Ibid.*, p. 112.
4. *Ibid.*, p. 113, with reference to R. LADOUS, *L'Abbé Portal et la campagne Anglo-Romaine 1890-1912*, Lyon, 1973, p. 68.

these two men[5]. The great regard and friendship Lord Halifax had for Aloïs Janssens is evident from what he wrote in a letter to him on 4th November 1929: "My dear Friend, I cannot thank you too much for your long letter. It tells me just what I wanted to know, and, in addition to all that, it is delightful to get your mind and opinions upon so many of the subjects which make the interest of my life. I doubt if anyone out of England understands our affairs so well as you do, since Abbé Portal's death". For almost twenty years both these friends shared the same ecumenical ideal, which did not end after the breakdown of the Malines Conversations. In 1929 Aloïs Janssens wrote about Halifax, whom he characterised as an "English-gentleman-at-his-best". "Through his initiative the 'Malines Conversations' went ahead (1921-1925) where two of the greatest men of our time learnt to admire and love one another: the genial Belgian Primate, with his extensive insight, his warm heart and his world-embracing plans; and the veteran of Anglo-Catholicism, hoping against all hope that his people would one day return to the seat of unity. Here ... the final aim appears to be unattainable as yet. But the hearts – if not the minds – were brought together. To the Catholic world it was revealed how powerfully the time-honoured faith attracts separated brethren; and how love prepares us to value dissenters and thus prepare the way to reconciliation. The sublime gesture of the dying cardinal, who gave his episcopal ring as a last momento to the eminence grise of Anglo-Catholicism is, as it were, the dream of both their lives: That all Christians would be one and appear together under the banner of Christ. Speaking about the Belgian Cardinal, Halifax told me: 'We understood each other, we trusted each other, and we loved each other'. When the English Lord exchanges the temporal for the eternal, the ring of his great friend will be found on the heart of him who loved him most in this world"[6]. In the same article Janssens tells us that one evening during a visit to Halifax's castle at Hickleton they discussed the eucharist deep into the night so "that the perspiration ran down our cheeks. Then we decided, Janssens continues, to go to bed and to continue the dispute the next day. But just as I got into bed, someone knocked at my door. There was Lord Halifax, with a heavy woollen bedspread: 'Young man', he said, 'it is so cold here in our North that I feared for you. You might catch cold after we had discussed ourselves into such a sweat'!". And Janssens comments: "No matter how

5. D. VERHELST, *Lord Halifax and the Scheut Father Aloïs Janssens*, in *ETL* 43 (1967) 222-258.

6. A. JANSSENS, *Lord Halifax*, in *Ons Volk Ontwaakt* 15 (1929, n° 43) 674-676.

insignificant this incident is, it is typical of the noble man with his broad, warm heart". In 1931, not long before Halifax's death on 20.01.1934, Janssens was again his guest and they made plans for a private discussion among English, Belgian and French theologians about reunion[7].

2. As second example of the role which powerful personalities, endowed with the gift of empathy and friendship, can play in ecumenism, I would like - I cannot do otherwise in this place - to mention Canon Joseph Dessain (1911-1984)[8]. Via his uncle Canon Francis Dessain, private secretary to Cardinal Mercier, he became fascinated by the Malines Conversations and he identified himself as no one else did with the ecumenical heritage of this cardinal, for whom he had the greatest admiration. He was responsible for the commemoration of the Conversations both in York and in Mechelen in 1966 and in 1976. He was the promoter of the twinning between the chapters of York and Mechelen. In cooperation with Mgr. E.J. De Smedt and Mgr. G. Thils, he founded a R.-C. committee to work with Anglicans. This was the beginning of the Belgian ARC-group, which is now chaired by the Rev. Pierre Parré and which maintains regular contacts with the English and French ARC[9]. He founded the informal contact group between Roman Catholics and Anglicans: the "West European Anglican Roman Catholic Working Group". Even though he never held a top position in the ecumenical movement – he was secretary of the Diocesan Ecumenical Commission – his influence reached far beyond the borders of this diocese. His interest and efforts

7. D. VERHELST, *Lord Halifax* (n. 5), pp. 228-229.

8. Joseph Albert Dessain was born in Mechelen on 19.03.1911. After studies at the Higher Institute for Philosophy in Leuven and at the Major Seminary in Mechelen, he was ordained priest on 16.03.1936. From 1936 to 1944 he was a teacher at St. Bonifatius College in Brussels. During the war he was also chaplain to the secret army. From 1944 to 1966 he was chaplain in chief to the army. In 1966 Card. Suenens made him titular canon of St. Rombouts cathedral in Mechelen. From 1967 to 1981 he was a judge on the diocesan church-court bench and co-chairman of the Belgian ARC, from 1968 to 1976 secretary of the Diocesan Ecumenical Commission, and from 1977 expert at the same commission. He died in Bonheiden on 22.11.1984. See the funeral sermon by Card. G. DANNEELS in *Pastoralia* Jan. 1985, pp. 9-11.

9. The Belgian ARC publishes since 1973 a bulletin: *"ARC NEWS The Green Bulletin" (quarterly)*. See also P. PARRÉ, *L'eucharistie dans le Rapport Final d'ARCIC 1982*, in *Irénikon* 57 (1984) 469-489; P. PARRÉ – P. FRANCIS, *Rapprochements anglicans-catholiques aux XIXme et XXme siècles*, Mechelen, 1996. See also *Response of the Belgian Bishops' Conference regarding the Agreements of the "Anglican-Roman Catholic International Commission" (ARCIC I): "Eucharistic Doctrine" (Windsor 1971) and Eucharistic Doctrine: "Elucidation" (Salisbury 1979)*, in *Questions liturgiques* 70 (1989) 168-172.

were mainly – but not exclusively – directed towards relations with the Anglicans[10]. Many were the bonds of friendship he forged with bishops and theologians of the world-wide Anglican community, who trusted his judgement and advice. In the archidiocesan archives the copious correspondence he conducted with numerous people is preserved. With his tall stature, his aristocratic style, his fierce, unimpeachable love for the church and for the cause of unity, and his generous hospitality, he made an indelible impression on many. From the many tributes at the time of his death, from all over the world[11], it appeared how much the indefatigable effort of one person can influence the contacts between two sister churches.

3. A third example of an individual initiative with ecumenical repercussions that I want to mention here is of the family of Lucien Morren and Hélène Speth, who for twenty years were the spiritual heart of Maison Saint-Jean (1956-1976) in Leuven. This is an international and ecumenical home for post-graduate students, of all disciplines, mainly from the third world, but with a nucleus of Belgian and other European students. At that time the Secretariat for foreign relations of the Church of England was looking for accommodation for a number of her priests in a study centre of another confession. Among other places they sent them to Leuven for a year's study in theology. These people stayed in Maison Saint-Jean. In this way the Anglican priests experienced a lively stay in a Roman Catholic environment[12]. They were also involved in the religious accompaniment and training of confirmation candidates of Anglican pupils studying at the Ursuline girls' boarding school in Tildonk[13].

---

10. See J. DESSAIN, *Le cheminement des Églises catholique romaine et anglicane vers l'union*, in *NRT* 109 (1977) 481-506; ID., *Données nouvelles dans les relations avec les anglicans*, in *NRT* 113 (1981) 76-82.

11. On 23.11.1984 the archbishop of Canterbury wrote to Card. Danneels: "Without doubt he (Can. J. Dessain) was one of the great pioneers of Anglican-Roman Catholic reconciliation and he did more than keep alive the historic link between Belgium and the Anglican Church. We owe our friendship to his indefatigable efforts to maintain and build upon the tradition of the Malines Conversations". And his friend Canon Christopher Hill writes: "Joseph Dessain's death has been a most genuine personal loss to my wife Hilary and myself. He was an 'honorary' great uncle to our children and a good friend" (letter to Card. G. Danneels on 23.11.1984).

12. See Hélène et Lucien MORREN, *Maison Saint-Jean*, s.d. (1984), spec. pp. 54-57: they mention John Wilkinson, Martin Reardon, Roger Greenacre, David Keene, John Halliburton, Hugh Wybrew, David Miller, David Stonebanks, John Muddiman, Colin Wake.

13. From the (Anglican) "Confirmation Register" kept in the archives of the Ursulines in Tildonk it appears that Anglican girls were confirmed from 1961 to 1968 in Holy Trinity Church in Brussels or St Boniface in Antwerp. From 1969 to 1976 they were confirmed

That this experience has stimulated an ecumenical vocation among some of them is evident, as some of them are present at this meeting.

We can mention even more examples, such as the existence of the International Ecumenical Fellowship, a movement of Christians of all denominations, that organises an international conference every year round a certain theme, to celebrate their common faith and tradition. This year they met in Leuven from 5th to 12th August to consider the theme "Live as Children of Light" (Eph 5,12)[14]. Within this movement Belgian Catholics and Anglicans also meet regularly. Lack of time prevents us from going into this any further. Being not far from Leuven, the city which hosts an age-old Catholic University (1425), it is worth mentioning also that its Faculty of Theology receives regularly English students. The Faculty also organizes since 1949 the *Colloquium Biblicum Lovaniense*, which every year brings together biblical scholars from all denominations in open discussion and friendship, and the input of English scholars has always been highly appreciated[15].

II. THE INFLUENCE OF RELIGIOUS COMMUNITIES

Secondly we must acknowledge the role that Belgian monks, nuns and religious have played in promoting and stimulating the ecumenical approach in general, and contacts with the Anglican community in particular.

1. It must not be forgotten, that the theologically most prophetic text of the Malines Conversations, *L'Église anglicane unie, non absorbée*[16], was formulated by Dom Lambert Beauduin who, with the full approval

---

in the Ursuline chapel in Tildonk. Other religious services, from 1966, were held in the school (once a fortnight), first in the Assembly Hall, but from 1968 in the chapel. Confirmation classes were also first held outside the school, but since the Council and Can. J. Dessain's influence, they were permitted to take place within the school!

14. For the Congres of 1995 and 1996 see: J. BUDNIAK, *XXVIII Miedzynarodowy Kongres Ekumeniezny. Cieszyn 1995. Odnów naz przez modlitwe i prace. Ora et labora. XXVIII International Ecumenical Congres. Renew us through prayer and work. Ora et labora.* Cieszyn, 1996; P.F. RODRIGUEZ, *Los dos últimos Congresos Ecuménicos Internacionales de la IEF*, in *Renovación Ecuménica*, Salamanca, 28 (1996, n° 118) 9-17. About IEF, see K. LEHMANN, *IEF. Un nouveau visage de l'œcuménisme* (Mémoire de Maîtrise à la Faculté de théologie protestante de Strasbourg), Strasbourg, 1989.

15. Cf. F. NEIRYNCK (ed.), in collaboration with G. VAN BELLE, *Colloquium Biblicum Lovaniense. Journées Bibliques de Louvain. Bijbelse Studiedagen te Leuven 1949-1993* (ANL, 29), Leuven, 1994.

16. Lord HALIFAX (ed.), *The Conversations at Malines 1921-1925. Original Documents*, London, 1930, pp. 241-261; *L'Église Anglicane Unie, non Absorbée. Note préliminaire par le chanoine Dessain*, Mechelen, 1977.

of Cardinal Mercier, was at that time occupied with a much larger project, namely the Benedictine Work of Reunion in reply to the apostolic letter of Pope Pius XI *Equidem Verba* (21.03.1924)[17]. In the foundation text "For the Reunion of the Churches. A Benedictine Monks' enterprise", to which Cardinal Mercier personally gave his imprimatur (25.11.1925), two months before his death, the aim of the establishment of this international initiative in Belgium is given as follows: "In order completely to achieve its aim it (this enterprise) takes no account of nationalities and will willingly accept all monks and postulants to this apostolate without any distinction of congregation or nationality. It had to be established somewhere; but to be able clearly to express its independent character and to respect all sensitivities, a small peaceful country was chosen, easily accessible and having a large intellectual Catholic centre, important for the forming of monks". Dom Lambert Beauduin, professor at Saint Anselmus College in Rome, was appointed to set up this important project and to organise the group 'Monks of the Reunion'. The first priory of the Reunion, which was also to be the head office of this work, is at Amay-on-the-Meuse (Belgium). It goes without saying that the periodical *Irénikon*, which was first published in 1926, would become the mouthpiece of this project. The text continues: "A second priory of the Reunion will soon be opened at Schotenhof near Antwerp. Dom Constantinus Bosschaerts, in collaboration with Dom Franco de Wyels – both monks of the Reunion (coming from Affligem) – is charged with its foundation and organisation"[18]. A second priory, called Christus Koning (Christ the King) was indeed opened at Schotenhof (near Antwerp) and consecrated on 21.02.1926. A few months later, on 10.03.1926, an international group of Benedictine nuns from Eccleshall, England, came to Schotenhof to start the "Priory Regina Pacis". They called themselves the "Benedictine nuns of the Reunion". At the beginning of 1923 Dom Constantinus Bosschaerts, on the advice of the Abbot in Ramsgate, had moved as chaplain into the "The Priory of Our Lady of Mount Olivet" in Eccleshall, Staffordshire. He regarded this community as the

---

17. About Dom Lambert Beauduin, see *Dom Lambert Beauduin (1873-1960), In Memoriam*, publ. Chevetogne; *Dom Lambert Beauduin (1873-1960), le moine de l'Union*, in *Unité des Chrétiens*, n° 29, Jan. 1978; Sonya A. QUITSLUND, *Beauduin. A Prophet Vindicated*, New York, 1973. In this volume the article of E. Lanne, pp. 3-33.

18. Voor de Hereeniging der Kerken. Een onderneming van Benedictijner Monniken, Amay sur Meuse: Priory of the Reunion, s.d. (1925), p. 36; fr. ed.: *Une œuvre monastique pour l'Unité des Églises*. Inside the cover of this first issue of the periodical *Irénikon* (1926, April) the work of "Les Moines de l'Union des Églises" is introduced, with reference to the pamphlet mentioned, and stating: "Il existe une édition flamande. Les éditions anglaise et allemande sont en préparation".

seed which would grow into the female branch of a new order of monks, nuns and laity in mutual co-operation and interaction, with the aim: renewal of the Christian Spirit and Reunion of Christians[19]. Indeed the "Work of the Reunion" of the Benedictine monks and nuns was intended first of all to establish contacts with the Eastern Churches. But in the spirit of the initiators this project was conceived in a wider sense and certainly did not exclude contacts with, among others, the Anglican community[20]. These Benedictines are active now in Cockfosters (London) and in Turvey (Bedford). They edit the ecumenical periodical "One in Christ".

From his own experience Dom Lambert Beauduin knew very well that ecumenical openness towards the East could result in views which could benefit ecumenical contacts with the Anglican Church and personally he remained on a friendly footing with several Anglican notables[21]. His document, *L'Église anglicane unie non absorbée*, taken up

19. See about this period and about Dom Bosschaerts: Suzanne Irmgard DE VRIES, *Hoge verwachtingen in de lage landen* (MemoReeks. Herinneringen aan personen en gebeurtenissen uit het katholieke leven, ed. Jan Roes 14), Nijmegen, Catholic Documentation Centre, 1987; ID., *Abt Constantinus M. Bosschaerts OSB. 1889-1950*, Antwerp, 1988 (pro manuscr.). Sr. Paschale HARDIMENT, *Dom Constantine Bosschaerts and the Vita et Pax Foundation*, in *One in Christ* 16 (1980) 298-302, esp. p. 299: "When his health broke down he was sent to Ramsgate Abbey in England to recuperate. Here he gained his affection for the country and the spiritual traditions of the whole English Church, and made a significant friendship with Dom Bede Winshow. Dom Bede will be remembered as an outstanding ecumenist and founder-editor of the *Eastern Churches Quarterly*, the predecessor of ONE IN CHRIST". In 1927 the monks of the Priory Christus Koning published a pamphlet in three languages: "Hereeniging der Kerken. Priorij Christus Koning, Schotenhof bij Antwerpen. Vita et Pax"; "Union des Églises. Prieuré des Bénédictins Christus Koning, Schotenhof, Anvers. Vita et Pax"; "Union of the Churches. Benedictine Priory of Christus Koning, Schotenhof, Antwerp. Vita et Pax".

20. Cfr. S.I. DE VRIES, *Hoge verwachtingen* (n. 19), pp. 109-123. This also appears from the fact that the monks of Chevetogne, in the course of their existence, were also interested in relations with England. From time to time there were Anglican members in the community. Anglican priests held a retreat in Chevetogne, led by the Suffragan Bishop of Europe. Since 1930 Anglicans have participated on a regular basis in "Les Journées d'Amay-Chevetogne". Since 1983 the monks of Chevetogne have annually performed the office for a week in Canterbury Cathedral. The Abbot of Chevetogne, Dom Michel Van Parys, was present at the opening ceremony of the Lambeth Conference in 1988 and at the consecration of Archbishop George Carey. Anglican religious communities have contributed to the building of the Latin church in Chevetogne, the first stone of which was blessed in 1981 by Card. G. Danneels and Archbishop R. Runcie.

21. See R. GREENACRE, *Benedictines and Christian Unity*, in *One in Christ* 16 (1980) 283-289, spec. p. 290: "The story of Malines is in one sense an interruption in the story of the foundation of the Monastery of Amay; in another sense it is essential to the understanding of Dom Lambert's growing understanding of the universal scope of the quest for Christian unity and his refusal to allow his foundation to conceive of its vocation solely in terms of the East, let alone solely in terms of Russia. He maintained throughout his life a strong interest in Anglicanism; he was later to meet Lord Halifax, to get into trouble for signing a letter to the Anglican community at Nashdom "your brother in St. Benedict",

by Cardinal Mercier at the Malines Conversations, was eloquent proof of this. But under the influence of the French Jesuit Michel d'Herbigny, consultant of the Congregation for the Eastern Churches, whose interest was solely directed towards Russia and to individual conversions, the Work of Reunion and the vision behind this was brought to a halt and systematically dismantled. The publication of the encyclical letter *Mortalium animos* (1928) slowed down the first ecumenical initiatives within the Roman Catholic Church for a long time. It is only since the change in attitude of Vatican II that the ecumenical contacts have received a new impulse within the Catholic Church.

2. After the conclusion of the second Vatican Council other religious communities also entered into ecumenical contacts with England. As examples we will mention some of the initiatives.

The religious of Saint-Andrew (Ramegnies-Chin, near Tournai) had a community in Leuven, where they had good contacts with the University Parish (9, Place Hoover). Through the agency of the Rev. Pierre Parré the Superior Reverend Mother Claire Legrand came into contact with Rev. A.M. (Donald) Allchin of Oxford. They had just participated in a communal week of Anglican and Catholic religious in Arlington Heights, U.S.A., from 31.07 to 06.08 1965. Impressed by this intense experience Rev. Donald Allchin wanted to take a similar initiative in Europe, and Belgium appeared to be a suitable place. The first conference took place with about 120 participants, at Ramegnies-Chin from 3rd to 8th April 1967 with the theme: "Vivre ensemble l'aujourd'hui de Dieu. La vie religieuse, Signe du Royaume pour tous les hommes"[22].

and to resume his friendship with George Bell when he has become Bishop of Chichester. Nor did he stop short at Anglicanism; he was to follow with interest and sympathy the work of Faith and Order and of Life and Work and to communicate the same breadth of vision to his disciples".

22. I am grateful to Sister Elisabeth Schmid, religious of the community of Saint Andrew, and member of the National Catholic Ecumenical Commission of Belgium, for compiling three files from the archives of the congregation, and providing a list of publications. The acts of this conference were published under the title *Vivre ensemble l'aujourd'hui de Dieu. La vie religieuse, signe du Royaume pour tous les hommes. 3-8 avril 1967. Ramegnies-Chin-lez-Tournai 3rd-8th April 1967. To Live Together Today for God. The Religious Life as a Sign of the Kingdom for All Men*, Tournai, s.d. [1967], 188 p. The invitations went out from Dom Egender, prior of Chevetogne, Mère Claire, general superior of St. André, Archimandrite Damaskinos Papandreou of Taizé, Rev. Fr. G. Triffitt, General Superior s.s.j.e., Mère Marie, Sisters of Grandchamp, and ab. A. Bloom, exarch of the patriarch of Moscow in West Europe. The following lectures were given: Rt. Rev. V. Shearburn, *Opening address;* P. Dingemans, o.p., *Le monde s'interroge sur les religieux;* ÉTUDES BIBLIQUES: Fr. G. TRIFFIT, s.s.j.e., *The Kingdom;* R. GENTON, *L'apport des religieux dans l'écoute commune de la Parole de Dieu;* A. BLOOM, *La Prière;*

A second session with practically the same number of participants was also held at Ramegnies-Chin from 7th to 11th July 1969, round the theme "Prière et Action"[23]. The religious of St. Andrew for many years managed the secretariat of the group Kaire, a group of Anglican, Orthodox, Protestant and Catholic religious and deaconesses who were reflecting on their vocation and regularly met at conferences. One of these took place in Ramegnies-Chin from 7th to 13th July 1976 round the Bible text from Ephesians 4,13. Needless to say that these conferences took place on a multilateral basis, but via these meetings the religious of St. Andrew have built up a network of relations with the Church of England and the Anglican Community.

Another example is the Monastery of Nazareth which was founded in 1629 in Brugge from the Saint Monica convent in Leuven. This monastery for women is known in Brugge as "the English Convent", because for a long time it consisted of English Catholic exiles. Louis Van de Walle describes the history of the community, under the eloquent title: "The English Convent, a link between the Netherlands and England, or a meeting between Dutch mystics and the daughters of the English martyrs in Brugge"[24]. When they had to flee to Hengrave Hall (Suffolk) during the French Revolution they were assisted, among others, by the "Protestants" there. The convent also started a boarding school for English girls and some non-Catholics were converted to the Catholic Church. Since the second Vatican Council a remarkable change has occurred in the life of the community. Instead of being a bastion of English recluses, the community has become a centre of intense contacts between Belgium and England, and a hospitable home for Anglican parishes, communities and church leaders. This is happening to such an extent that some people -either jokingly or from ignorance? – wonder whether the "English convent" is an Anglican community.

Fr. Th. MATURA, o.f.m., *La signification du célibat en vue du Royaume*; Fr F. STOOP, Taizé, *La communauté*; CONFÉRENCES: Dom J. LECLERCQ, o.s.b., *Tradition et évolution dans le passé et le présent de la vie religieuse;* Fr. P. WESSINGER, s.s.j.e., *The renewal of the Religious Life in the Anglican Community*: P. J.M. FISCH, s.j., *"Comme le Père m'a envoyé. moi aussi je vous envoie"*; TÉMOIGNAGES: Père G. Bedoret, s.j., Mad. Camano, Argentine; Mad. Ilse Friedeberg; Mons. J.Cl. Simon; Sr. Colette, diaconesse de Reuilly; Sister Rachel, o.s.h.; Père Damascène Vrakas, Taizé.

23. The acts of this conference were also published: *Ramegnies-Chin lez Tournai, 7-11 juillet 1969. Recherche œcuménique: Prière et action*, Tournai, éd. C.D.D., 1970, 294 pages.

24. Louis VAN DE WALLE, *Het Engels klooster, een band tussen de Nederlanden en Engeland, of een ontmoeting tussen Nederlandse mystici en de Dochters der Engelse martelaren te Brugge*, Brugge, 1965. See also B. JANSSENS DE BISTHOVEN, *Monastère de Nazareth (Couvent Anglais) à Bruges*, in *Monasticon Belge* III *Province de Flandre Occidentale*. Vol. 4, Liège, 1978, pp. 1143-1165.

III. LINKS BETWEEN DIOCESES

Thirdly the links between Anglican and Catholic dioceses in both countries must be mentioned. On 17th February 1994 the Council for Christian Unity held a "Consultation on Diocesan Continental Roman Catholic Links", in Church House, Westminster. The chairman was the Rev. Canon Christopher Hill. At this meeting it appeared that no fewer than eight Anglican dioceses in England had links with Roman Catholic dioceses on the European continent, three of which were with Belgian dioceses: York (Mechelen-Brussels, Middlesborough), Lincoln (Brugge, Nottingham), and St. Edmundsbury (Hasselt)[25]. We will limit ourselves here to these diocesan links, although we are aware that there exist also twinnings between Roman-Catholic and Anglican parishes[26].

1. The link between Mechelen-Brussels and York goes back to the time of the Malines Conversations and the friendship between Card. Mercier and Lord Halifax, whose country estate was in the York diocese[27]. Under the impulse of the second Vatican Council the links between Mechelen and York were strengthened on the occasion of the 40th anniversary of the conclusion of the Malines Conversations. At the end of October 1966 Cardinal Suenens invited Dr. Ramsey, the archbishop of Canterbury, together with other important Anglicans to an ecumenical service of prayer at the grave of Card. Mercier. In April 1969 Card. Suenens was invited to York and preached in York Minster. In 1976 on the occasion of the fiftieth anniversary of the conclusion of the Conversations, the initiative was repeated on a larger scale. From the beginning of the eighties the contacts have been intensified and the relationships

25. The others are: Bristol (Bordeaux), Truro (Quimper and Léon), Canterbury (Arras), Chichester (Chartres, Bamberg), and Salisbury (Evreux). See COUNCIL FOR CHRISTIAN UNITY, *Consultation on Diocesan Continental Roman Catholic Links. Thursday 17th February* 1994 – Church House, Westminster. Aide Mémoire; C. PODMORE, *Links with Continental Roman Catholic Dioceses*, in *Unity Digest* (Council for Christian Unity), Issue 12 (Aug. 1995), p. 17. See also: *Twinnings and Exchanges. Guidelines Proposed by the Anglican-Roman Catholic Committees of France and England. Jumelages et échanges: Indications proposées par les Comités mixtes Anglican-Catholique de France et d'Angleterre*, London/Paris, 1990.

26. Cf. P. PARRÉ, *Multiplications de liens entre Églises*, in *La Foi et le Temps* 24 (1994) 312-330. In 1959 already, Father Ph. Liessens, a.a., took the initiative of twinning the Roman Catholic church "l'Église de la Madeleine" (Maudlin) (Brussels-central) with the Anglican parish of Maudlin, Oxford. In 1961 the chaplaincy to the Catholic University of Leuven started a twinning with the Roman Catholic and Anglican chaplaincies to the University of London.

27. See T. OSAER, *Een bijzondere band tussen Mechelen-Brussel en York*, in *Pastoralia*, Jan. 1991, pp. 15-16; ID., *75 jaar na de gesprekken van Mechelen*, in *Pastoralia*, May 1996, pp. 19-20.

deepened due to the impetus of Rev. Chris Ellis and Mgr. L. De Hovre, responsible for ecumenism in their dioceses. Contacts took place on three levels: personal, informal meetings between the bishops of both dioceses, meetings of theologians from both sides[28]; and finally contacts between representatives of the parochial or sector ministeries. More recently we have seen the phenomenon of personal contacts between those in pastoral charge, exchanges between parishes (and parish choirs)[29]. It is important that communities in the Catholic diocese of Middlesborough are involved in the "link".

2. The anglophile diocese of Brugge, that has had a number of contacts with Catholics from England since the 19th century[30], has also for the past twenty years formed a link with the Anglican diocese of Lincoln. In 1978 Canon John Nurser, Chancellor of the Lincoln diocese, came to Brugge at the suggestion of his bishop, the Rt. Rev. Simon Phipps, for the purpose of developing ecumenical contacts. The Lincoln diocese was looking to establish a relationship with a diocese on the European continent where Catholics formed a majority and where the socio-geographical conditions were comparable. The name and fame of Mgr. E.-J. De Smedt, who was well-known for his ecumenical commitment, did the rest: the choice fell on Brugge. As a result of this a delegation from Brugge, lead by Mgr. E. Laridon, undertook an exploratory trip to Lincoln[31]. It was decided to develop the link "step by step". A committee was formed on both sides to develop the link. In 1980 the bishop of Grimsby, Bishop David Tustin, led a delegation to Brugge. From 1981 the Roman Catholic diocese of Nottingham participated in the "link" and Fr. Brian Dazeley, chairman of the diocesan committee in

---

28. Cf. A. HANSON, *A Conference on the Eucharist Between Roman Catholics and Anglicans*, in *Questions liturgiques* 68 (1988) 121-124, brings a report on the conference between representatives from the archdiocese of Malines-Brussels and representatives from the archdiocese of York which took place at the end of April 1987 in Sleights in Yorkshire in England.

29. See e.g. the report of the project "Welzijnsschakels Mechelen en Vlaams Brabant (Varkensstr. 4, 2800 Mechelen)" of the Advent action "Welzijnszorg": *Ecumenical meeting and exchange round the action of teams in deaneries and parishes and groups of volunteers and Projects active in the building of solidarity in society so that the violation of human rights through poverty should cease to exist. Exchange between workers of the vicariate Mechelen and Flemish Brabant and the archdiocese of York, 1st to 5th April 1995*, Mechelen, s.d. (1995), 54 pages.

30. See R. BOUDENS, *Het anglofiele bisdom Brugge*, in *Kerk en Leven*, 15th Oct. 1992, p. 18.

31. The other members were Adelbert Denaux, professor at the Major Seminary in Brugge, Omer Linseele, editor of *Het Volk*, and Roger Vangheluwe, professor at the Major Seminary in Brugge.

Nottingham, became a member of the Brugge Steering Committee in Lincoln. In 1983 the first evaluation was made and it was decided to continue the experiment, in view of the positive harvest already gathered. The relations between the two dioceses resulted in numerous encounters, often in connection with a church festival or as a working visit. Exchanges between diocesan representatives, joint sessions in post ordination training of young priests, exchanges of professors and students from the Lincoln Theological College (which, alas, has ceased to exist this year) and the diocesan Seminary in Brugge, youth camps and trips for young people, and meetings of those people who are responsible for stimulating the parishes, links between schools, triennial meetings of the three bishops involved (Mgr. Roger Vangheluwe, The Rt. Rev. Robert Hardy and Mgr. James McGuinness). Official recognition of the link was made evident when Adelbert Denaux was appointed Canon of Lincoln Cathedral in a ritual stemming from the time before the "parting of the ways"[32], and the admission of Canon Nurser to the Confraternity of the Holy Blood.

3. The link between the Roman Catholic diocese of Hasselt and the Anglican diocese of Ipswich has its roots in the personal friendship between Mgr. P. Schreurs, bishop of Hasselt (1989) and the former bishop of Ipswich, the Rt. Revd. John Dennis. They learned to know each other in the Focolare Movement. They wished to extend this personal experience to their dioceses. The official link started in 1989. That year two exploring visits of an Ipswich delegation to Hasselt took place. The purpose was to learn to know each other and to come to an exchange of experiences on as many fields as possible. In 1990 two visits from Hasselt to Ipswich were organised, one of them being a visit of three priests of Hasselt to the Clergy Conference at Ipswich. It was also agreed that every year an official visit at the highest level (involving bishops) would take place and that at the same time contacts at a local level would be organised. The diocese of Hasselt was eager to involve the Roman-Catholic diocese of East Anglia in the link. The first kind of visits happened as was planned. They were very enriching because each time a specific theme was treated, such as spirituality, pastorate with youngsters, shortage of priests, rural parishes, etc. It was decided to exchange official documents from both sides. As to the local contacts: it

32. Cf. A. DENAUX, *The Word Preached to a Sister Church. From Bruges to Lincoln* (Lincoln Studies in Theology, 1), Lincoln, 1996, which contains a collection of ten sermons preached in Lincoln Cathedral by Adelbert Denaux.

appeared to be more difficult to organise them on an institutional basis. They depended mainly on private intitiatives of individual church people and language barriers inhibited easy contacts. The change of personnel seemed to go quicker in Ipswich than in Hasselt, so that new people had to be involved in the link regularly. It was felt that the link could be more stabilised by working together at a common Third World project[33].

It must be said here that the benefit of these sorts of contacts on both sides of the Channel, even after Vatican II, was not self-evident to everybody. There was not only the language difficulty – generally speaking the English are less fluent in Dutch than the Dutch-speakers are in English! –, and there was the important question of whether we were not embarrassing the Catholics in England. I would like to quote from a letter, dated 19.11.1979, which I received from Trier (in English): "Dear Professor, The news about your contacts between the diocese of Brugge and the Anglican diocese of Lincoln have even entered into Trier, the 'Roma Secunda'! I must confess that I was rather surprised and, even more, concerned about these activities. Why for God's sake an Anglican diocese and not, as one could have expected, a Roman Catholic one? ... I am afraid that your activities in the long run do not render a service to the reunion of the two great churches in England. The approach of the two churches has certainly made considerable progress in the past years since Vatican II. But this matter should to my opinion be left to the churches concerned and not be interfered by churches abroad which, by all good will, are not in a position to consider all that is necessary in such a delicate matter. Our R.C. brethren in England know better than we what to do. They do not need our help in a way of interfering but simply prayers!". I imagine that the writer of this letter was not alone in his reserves at that time. That is why we in Brugge have always taken care that the Roman Catholic diocese concerned, in our case Nottingham, was involved in our link. The same is true for Mechelen-Brussels and for Hasselt. In the course of time I think it has become clear, that this sort of triangular relationship is also beneficial to Catholics and Anglicans in England itself.

Let me conclude with my personal reply to my correspondent's opinion: "They do not need our help in a way of interfering but simply by prayers". I am convinced that prayer is and remains the soul of all ecumenical relations. That is why, as Honorary Canon of Lincoln Cathedral,

---

33. This information about the Hasselt-Ipswich link was given by Rev. Hans Tercic, responsable for the link at the Hasselt side.

I pray Psalms 23, 24, 25 and 26 daily for the reunion of our churches. My experience has taught me that this prayer becomes more concrete and authentic when the faces of particular people take shape in the heart, and when prayer, as it were, bubbles up out of definite meetings and exchanges. Meetings not to interfere in someone else's business, but to learn in humility from our brothers and sisters trusting that we may have a deeper experience of our calling as children of God. Dear people here present, isn't this finally the reason why we are gathered here? I think it is.

Tiensestraat 112
B-3000 Leuven

Adelbert DENAUX

PART II

THE WORK OF ARCIC

8

BRÈVE HISTOIRE DE L'ARCIC[1]

Le but de cet aperçu est d'informer le lecteur des activités et des déclarations communes de la Commission Internationale Anglicane-Catholique Romaine (ARCIC) en les situant dans un cadre chronologique.

Dans une *Déclaration Commune* faite à l'occasion de leur rencontre à Rome, le 24 mars 1966, le pape Paul VI et l'archevêque de Cantorbéry, Michael Ramsey, décidèrent d'entamer un dialogue officiel entre l'Église catholique romaine et la Communion anglicane. Le but de ce dialogue était de promouvoir des «sentiments de respect, d'estime et d'amour fraternel», dans l'espoir de lever «les graves obstacles qui entravent la voie à la restauration d'une complète communion de foi et de vie sacramentelle» et d'arriver finalement à «cette unité dans la vérité pour laquelle le Christ a prié». En ce qui concerne la méthode, ce dialogue devrait être «fondé sur l'Évangile et les traditions anciennes ... communes». Les signataires de la déclaration désignaient même brèvement les sujets à discuter: «le dialogue devrait inclure non seulement

---

1. Cette «Brève histoire» est une partie remaniée de mon article *J.-M. Tillard et les travaux de l'ARCIC. Réflexions à l'occasion des Mélanges Tillard*, in ETL 72 (1996) 181-205. Une collection des documents de l'ARCIC I et de leur réception a été éditée par C. HILL – E. YARNOLD, SJ (éds.), *Anglicans and Roman Catholics: The Search for Unity*, Londres: SPCK/CTS, 1994. Édition originale du Rapport Final de ARCIC I: ANCLICAN-ROMAN CATHOLIC INTERNATIONAL COMMISSION, *The Final Report, Windsor, September 1981*, London: CTS/SPCK, 1982; traduction française: *Rapport Final. Windsor, septembre 1981*. Avant-propos de Bernard Dupuy (Jalons pour l'unité), Paris: Cerf, 1982. Le *Rapport Final* contient les accords de l'ARCIC I de Windsor sur l'Eucharistie (1971), de Cantorbéry sur Ministère et Ordination (1973), de Venise sur l'Autorité I (1977), les Élucidations sur l'Eucharistie et le Ministère (Salisbury, 1979), l'Élucidation sur Autorité I, et Autorité II (Windsor 1981), et en plus le Rapport de Malte (1968) et les deux déclarations communes de 1966 et de 1977. Pour l'histoire de la Commission préparatoire et d'ARCIC I jusque 1980, voir J.C.H. AVELING, D.M. LOADES, H.R. McADOO, *Rome and the Anglicans. Historical and Doctrinal Aspects of Anglican-Roman Catholic Relation*, edited with a postscript by W. HAASE, Berlin/New York, 1982, pp. 211-273.

Nous utilisons les abréviations suivantes: *AK*: Archief der Kerken; *DC*: Documentation Catholique; *DWÜ* et *DWÜ II*: *Dokumente wachsender Übereinstimmung. Sämtliche Berichte und Konsenstexte interkonfessioneller Gespräche auf Weltebene*. Bd. 1. *1931-1982*. Bd. 2. *1982-1990*, Hrsg. und eingeleitet von Harding MEYER, Hans Jörg URBAN, Lukas VISCHER, Damaskinos PAPANDREOU, Paderborn: Bonifacius-Druckerei/Frankfurt a/M: Otto Lembeck, 1983-1992; *IS*: Information Service, PSUC ou PCUC, Rome; *SI*: Service d'Information, SPUC ou CPPUC, Rome.

des sujets d'ordre théologique, tels que la Sainte Écriture, la tradition et la liturgie, mais aussi des sujets qui, dans la vie, comportent des difficultés pratiques chez les uns et chez les autres».

Ainsi fut créée une Commission mixte préparatoire entre anglicans et catholiques qui, à un rythme rapide, se réunit trois fois en 1967 (à Gazzada, Huntercombe et Malte) et compléta son rapport à Malte le 2 janvier 1968. La Commission préparatoire recommanda «son remplacement par une Commission mixte permanente, responsable (en coopération avec le Secrétariat pour l'Unité et le Conseil pour les relations extérieures de l'Église d'Angleterre, en association avec l'*Executive Officer Anglican*) de l'ensemble des relations entre Catholiques et Anglicans, et de la coordination du travail commun à poursuivre dans l'avenir par nos deux communions» (*Rapport de Malte*, n° 21). La Commission recommanda aussi la constitution de deux sous-commissions mixtes pour entreprendre deux tâches urgentes et importantes: «la première pour examiner la question de l'intercommunion, et les questions de l'Église et du ministère qui lui sont connexes; la seconde pour examiner la question de l'autorité, sa nature, son exercice et ses implications» (*ibid.*, n° 22)[2].

La Commission permanente a été établie en 1969. Au cours de son existence (1969-1981), cette Commission mixte d'environ dix-huit membres[3], appelée dès la première réunion Anglican Roman Catholic International Commission (ARCIC I), s'est réunie treize fois.

---

2. Sur le travail de la Commission préparatoire, voir A.C. CLARK – C. DAVEY, *Anglican/ Roman Catholic Dialogue: The Work of the Preparatory Commission*, Londres: Oxford U.P., 1974. Le Rapport de Malte, voir *The Final Report. Windsor 1981*, London, 1982, pp. 108-116; *Rapport Final. Windsor, septembre 1981*, Paris, 1982, pp. 118-125.

3. Cf. *Irénikon* 42 (1969), p. 477, n. 1. Les membres catholiques, nommés par le Sécrétariat pour l'Unité, étaient: Mgr Alan Clark, auxiliaire de Northhampton (co-président), Mgr Christopher Butler, O.S.B., auxiliaire de Westminster, Barnabas Ahern C.P. (Chicago, USA), Herbert Ryan S.J. (Woodstock, USA), Dr Joris Scarisbrick (Londres), George Tavard, A.A. (Worcester, USA), J.-M. Tillard O.P. (Ottawa), Pierre Duprey, P.B. (Secrétariat pour l'Unité, Rome); secrétaire: Chan. William Purdy (Secrétariat pour l'Unité, Rome). Les membres anglicans, nommés par l'archevêque de Cantorbéry en consultation avec les métropolitains de la Communion anglicane, étaient: Rt. Revd Henry R. McAdoo, évêque d'Ossory, Ferns et Leighlin (co-président), Rt. Revd John H.R. Moorman, évêque de Ripon, Rt. Revd Edward G. Knapp-Fischer, évêque de Prétoria, Rt Revd Felix R. Arnott, évêque coadjuteur de Melbourne, Revd Prof. Henry Chadwick (doyen de *Christ Church*, Oxford), Revd Julian Charley (College of Divinity, Londres), Revd J.N.D. Kelly (St. Edmund's Hall, Oxford), Revd Prof. Howard E. Root (Université de Southhampton), Revd Prof. A.A. Vogel (Nashotah House, USA); secrétaire: Chan. J.R. Satterthwaite. Le *Final Report*, pp. 106-107, ajoute un membre catholique: Dr Edward Yarnold, S.J., directeur d'études en théologie, Champion Hall, Oxford; parmi les membres anglicans, il ne mentionne plus J.N.D. Kelly, mais ajoute le Revd. Can. Eugene R. Fearweather, professeur de théologie au Trinity College, université de Toronto, Canada: il a remplacé Dr Kelly à partir de la deuxième session plénière; au lieu de J.R. Satterthwaite, il mentionne deux secrétaires: le Revd. Colin Davey, chapelain assistant,

1. *Les réunions de l'ARCIC I (1970-1981)*[4]

9-15 janvier 1970, St. George's House, Windsor Castle[5]. Dans la ligne du *Rapport de Malte*, la Commission examina trois sujets: l'Eucharistie, le ministère et l'autorité en relation avec le concept global de *koinonia*. L'élaboration des trois thèmes fut confiée à trois sous-commissions qui avaient leur base en Angleterre, aux États-Unis et en Afrique du Sud. Des rapports indiquant les positions anglicane et catholique romaine sur les trois sujets (*position papers*) avaient été préparés à l'avance[6].

21-28 septembre 1970, Fondazione Giorgio Cini, Isola di San Giorgio Maggiore, Venise[7]. Les membres de la Commission résidant à Oxford avaient rédigé des documents préparatoires sur 'Église et autorité'; un document sur la position catholique romaine concernant le ministère avait été présenté par les États-Unis, et un document de travail sur l'Eucharistie avait été préparé par la Commission anglicane-catholique romaine de l'Afrique du Sud. Ils ont été publiés, sous l'autorité des sous-commissions respectives, dans *Theology* (74 [1971]), *Clergy Review* (56 [1971] 126-145) et *One in Christ* (2-3, 1971). Par ces publications, on voulait inviter d'autres personnes intéressées à prendre part à la discussion. On prit aussi en considération des questions de théologie morale et trois consulteurs (Prof. Gordon Dunstan; Mgr Ph. Delhaye de Louvain; le P. Maurice O'Leary) présentèrent quatre rapports à la Commission. Cependant, l'urgence du travail princi-

Archbishop of Canterbury's Counsellors on Foreign Relations (jusqu'en août 1974) et le Revd. Christopher Hill, chapelain assistant, Archbischop of Canterbury's Counsellors on Foreign Relations (depuis août 1974); en outre, il mentionne deux consulteurs: le Revd. Chan. John Halliburton, principal du Theological College de Chichester, et le Revd. Dr. Hardy R. Smythe, autrefois directeur du Centre anglican à Rome; et un observateur du Conseil œcuménique des Églises: Dr. Günther Gassmann, président du Lutherisches Kirchenamt d'Hannover.

4. Nous suivons de près l'Appendix 1 du *Final Report* (pp. 102-105; cfr. *Rapport final*, pp. 110-114), que nous complétons de temps en temps.

5. *Communiqué de la Commission Internationale entre Anglicans et Catholiques*, in *DC* 67 (1970) n° 1559, 270-271.

6. Cf. W. HAASE (ed.), *Rome and the Anglicans* (n. 1), p. 226, les énumère: «'Fundamentals of the Faith held in Communion' (Bishop Knapp-Fisher and Fr. Edmund Hill O.P.); 'The Church, Intercommunion and the Ministry' (Prof. A. Vogel) together with a second paper of the same title in French by Fr. J.-M.R. Tillard O.P.; two papers on 'Authority - Its Nature, Exercise and Implications' (Bishop Butler and Prof. H. Chadwick); a joint paper by Canon W. Purdy and Professor H.E. Root on 'Growing Together - an assessment of the opportunities for collaboration between the two Churches'; a report of progress in Anglican/Roman Catholic Relations since the presentation of the 'Malta Report', compiled by Canon J. Satterthwaite and Canon W. Purdy».

7. *Déclaration des deux coprésidents de la Commission Internationale entre Anglicans et Catholiques*, in *DC* 68 (1971) n° 1578, 79-80.

pal de la Commission empêcha de continuer ces études et il fut décidé que, dans le futur, la Commission devrait se concentrer sur un sujet à la fois, à commencer par l'eucharistie.

1-8 septembre 1971, St George's House, Windsor Castle. Pour cette réunion, une série de courts rapports sur le sacrifice eucharistique avait été préparée à Oxford. Des rapports sur les positions anglicane et catholique romaine au sujet de la présence réelle avaient été proposés par le Canada et une sous-commission (A. Clark; B. Ahern, J.-M.R. Tillard, P. Duprey, J. Charley et E.R. Hardy représentant A. Vogel) se réunit à Poringland, Norwich, du 12 au 16 avril 1971, pour préparer un projet de déclaration sur l'Eucharistie. Cette méthode de préparer la session plénière en faisant des sondages par le moyen de «position papers» sur des questions-clés, puis de se concentrer sur le problème en discutant point par point un document de travail, éventuellement par petits groupes, s'avéra très fructueuse et est devenue la méthode de travail habituelle. Ainsi donc, la Commission travailla à Windsor en trois sous-commissions sur le projet de Poringland et elle se concentra sur les problèmes de la présence et du sacrifice. Après avoir élaboré le projet, la Commission acheva sa *Déclaration commune sur la doctrine eucharistique*, qui fut publiée le 31 décembre 1971 avec la permission des autorités des deux Églises[8]. Au cours de cette réunion, on considéra aussi les facteurs socio-culturels et un expert en sociologie (le P. Eugene Schallert S.J., directeur du San Francisco Socio-Religious Institute) présenta un rapport à la Commission.

30 août – 7 septembre 1972, Villa Cagnola, Gazzada, Italie. En réponse à certaines réactions à la *Déclaration commune sur la doctrine eucharistique*, la Commission estima qu'il serait utile de préciser les statuts et le caractère de ses travaux: «Un document établi par la Commission internationale est présenté par un groupe d'évêques et de théologiens anglicans et catholiques romains désignés par leurs Églises au titre du service œcuménique de leurs communions d'extension mondiale. Il servira ainsi d'instrument pratique pour forger une expression commune de la foi partagée. Il offrira aux Églises une déclaration soigneusement préparée qu'elles pourront juger en se référant à leurs propres croyances dans une discussion et une étude commune. Ce statut des documents de la Commission dit quel doit être leur style et leur caractère, en vue de l'expression succincte, claire et positive d'un accord au niveau de la foi. La prétention d'être arrivés à un accord substantiel exprime la conviction

---

8. Voir *The Final Report. Windsor 1981*, London, 1982, pp. 9-16; *Rapport Final. Windsor, septembre 1981*, Paris, 1982, pp. 17-25.

que ce but a été atteint en se concentrant explicitement sur le cœur de la doctrine eucharistique»[9].

On avait rédigé à Oxford des courts rapports préparatoires sur le ministère dans le Nouveau Testament et la Commission avait reçu du Canada un rapport catholique romain sur le sacerdoce. Un certain nombre de rapports tant anglicans que catholiques romains sur les évêques et les prêtres avaient été rédigés aux États-Unis; en Afrique du Sud, un rapport avait été préparé sur la question des ordres[10]. Une sous-commission (A. Clark; H. McAdoo, A. Vogel, J.-M. Tillard, G. Tavard, A. Fairweather, J. Charley et J. Reid) se réunit à Woodstock College, New York, du 22 au 26 mai 1972, pour étudier ces documents préparatoires. À Gazzada, la Commission rédigea deux projets de textes sur le ministère dans le Nouveau Testament et sur l'apostolicité.

28 août – 6 septembre 1973, St Augustine's College, Cantorbéry. La réunion avait été préparée à Oxford par un travail commun sur la succession apostolique; sur le sacerdoce, à Montréal; et sur l'ordination, en Afrique du Sud. Une sous-commission (avec A. Clark, H. McAdoo, C. Butler, J. Moorman, J.-M. Tillard, P. Duprey, J. Charley et C. Davey) se réunit à Poringland, Norwich, du 11 au 15 juin 1973. Elle étudia tout le matériel préparatoire, y compris celui des précédentes rencontres plénières et elle offrit à la Commission plénière un projet de déclaration sur le ministère et l'ordination. À Cantorbéry, le projet de Poringland fut révisé et élaboré et on accepta ses thèmes principaux: les ministères dans la vie de l'Église (y compris le ministère dans le Nouveau Testament et dans l'Église primitive), le ministère ordonné (y compris l'emploi du langage sacerdotal) et l'ordination (y compris la succession apostolique). La déclaration *Ministère et Ordination* fut alors acceptée. Elle fut publiée le 13 décembre 1973 avec la permission des autorités respectives, accompagnée aussi d'un appendice historique rédigé par celui qui était alors le co-secrétaire anglican de la Commission, le révérend Colin Davey[11]. La méthode suivie dans ce document était pareille à celle de la

---

9. *La IVe réunion de la Commission mixte Anglicane-Catholique*, in *DC* 69 (1972) nº 1617, 886-887.

10. Dans W. HAASE (éd.), *Rome and the Anglicans* (n. 1), p. 237, n. 18, on trouve une énumération des *papers* disponibles à Gazzada, parmi lesquels celui de la main de J.M. Tillard: «La 'qualité sacerdotale' du ministère chrétien», publié par après dans *NRT* 95 (1973) 481-514, et traduit en Anglais par Chan. W. Purdy dans *One in Christ* 9 (1973) 230-269, et dans la série Grove Booklet no 13 avec un avant-propos de J. Charley, sous le titre *What Priesthood has the Ministry?* H.R. McAdoo note «This paper proved influential in the work at Gazzada and at the fifth meeting» (*ibid.*, p. 238).

11. Voir *The Final Report. Windsor 1981*, London, 1982, pp. 27-39; *Rapport Final. Windsor, septembre 1981*, Paris, 1982, pp. 35-47.

Déclaration sur l'eucharistie: on chercha à mieux comprendre le ministère «d'une façon qui soit cohérente à la fois avec l'enseignement de la
Bible et avec les traditions de notre héritage commun» (n° 1) et à arriver
à un accord substantiel nécessaire pour une réconciliation éventuelle des
ministères dans les deux Communions (n° 17).

27 août – 5 septembre 1974, Centro Mariapoli, Grottaferrata, Italie.
Après la publication des accords sur l'eucharistie et le ministère, la
Commission pouvait reprendre le thème 'Église et Autorité', qu'elle
avait déjà abordé dès sa première réunion. Entretemps elle avait appris
à apprécier les concepts théologiques de *koinonia* et d'*episcope*, ce qui
porterait ses fruits pour les discussions difficiles sur l'autorité. Elle disposait d'une documentation très ample sur le sujet: pas moins de trente
papers et memoranda, préparés par des individus, des sous-commissions
ou des ARC nationaux, étaient en circulation. Des études sur l'autorité
dans la Bible avaient été préparés en Afrique du Sud, sur la *koinonia*
et l'ecclésiologie aux États-Unis et, à Oxford, sur l'ecclésiologie du
IIe concile du Vatican. L'ARC anglais avait aussi préparé des réflexions
sur l'indéfectibilité et l'infaillibilité. Il y eut aussi d'importants rapports
exprimant les positions respectives, et rédigés par des membres de la
Commission, sur le schisme, le magistère dans l'Église primitive, le
1er concile du Vatican (H. Ryan) et le *sensus fidelium* (J.-M. Tillard). Le
travail majeur de la Commission fut centré (dans trois sous-commissions) sur 'Nouveau Testament et autorité', 'ecclésiologie et *koinonia*' et
'Infaillibilité et indéfectibilité'. Après la discussion plénière, on décida
de faire rédiger quatre *papers*: sur 'l'autorité dans le Nouveau Testament' (ARC de l'Afrique du Sud), sur la primauté (J.-M. Tillard), sur
l'infaillibilité (H. Chadwick), et sur la juridiction (G. Alberigo). Le 3
septembre, la Commission fut reçue en audience par le Pape Paul VI à
Castelgandolfo[12].

29 août – 5 septembre 1975, St. Stephen's House, Oxford. Une sous-
commission restreinte se réunit à la maison d'Alan Clark, Poringland,
Norwich, du 11 au 15 décembre 1974, pour réviser les projets rédigés
durant la réunion précédente de la Commission et pour rédiger un projet
de texte. Le texte de Poringland se retrouve dans les paragraphes 1, 2,
5 et 7 du document de Venise (1976). Ensuite une sous-commission se
réunit à la Royal Foundation of St. Katharine, Stepney, Londres, du
22 au 26 juin 1975; elle continua le travail fait à Poringland et offrit à
la Commission plénière un projet de texte sur la seigneurie du Christ,

---

12. PAUL VI, *Allocution à la Commission mixte Anglicane-Catholique*, in *DC* 71
(1974) n° 1661, 809.

l'autorité des Écritures, le *sensus fidelium* et l'autorité conférée par la sainteté et par les dons particuliers de l'Esprit. Le texte de St. Katharine est à l'origine des paragraphes 3, 4, 5, 8 et 9 de l'accord de Venise (1976). La Commission plénière avait aussi à sa disposition quatre importants rapports exprimant les positions respectives: deux rapports anglicans sur l'exercice de l'autorité dans l'Église et sur la relation entre vérité et autorité (H. Chadwick) et deux rapports catholiques romains sur la primauté de l'évêque de Rome (J.M. Tillard) et sur la juridiction (G. Alberigo). La Commission plénière examina le projet rédigé à St. Katharine; elle s'abstint toutefois de le corriger à ce stade, mais, dans la logique du projet, elle se divisa en deux sous-commissions qui traiteraient de la primauté en relation avec l'unité, et de l'infaillibilité et de la vérité en relation avec les conciles. Le 3 septembre, l'archevêque de Cantorbéry, Dr. Donald Coggan, se joignit à la Commission.

24 août – 2 septembre 1976, Casa Cardinale Piazzo, Madonna dell'Orto, Venise, Italie. Une sous-commission restreinte s'était de nouveau réunie à Poringland, Norwich, du 9 au 12 février 1976. Elle avait mis ensemble les projets sur l'unité et vérité, provenant des deux sous-commissions de la réunion d'Oxford. Une sous-commission plus large se réunit ensuite du 21 au 25 juin 1976 à Hengrave Hall, Bury St. Edmunds et après avoir revu le matériel de Poringland y ajouta un nouveau projet sur primauté, collégialité et conciliarité. La Commission plénière avait donc à sa disposition un projet plus étendu de déclaration sur l'autorité. À Venise, les sous-commissions révisèrent les nouveaux projets de Poringland et d'Hengrave, portant aussi leur attention sur la question du développement de la doctrine et des décisions en matière de foi. Tout le projet fut révisé, une importante conclusion ajoutée, et finalement la Commission accepta la *Déclaration commune sur l'autorité dans l'Église*. Cette déclaration fut publiée le 20 janvier 1977, avec la permission des autorités respectives[13].

30 août – 8 septembre 1977, Theological College, Chichester. Avant cette réunion eut lieu une troisième rencontre entre l'archevêque de Cantorbéry et le pape. Dans la Déclaration commune faite à cette occasion (le 29 avril 1977), les signataires ne parlent plus de «relations fraternelles», de «respect, d'estime et d'amour fraternel» (ainsi la Déclaration de 1966), mais de «communion avec Dieu dans le Christ... même lorsque la communion entre nous est imparfaite», et «notre désir en cela n'est qu'un avec la sublime vocation chrétienne qui est un appel à la

---

13. Voir *The Final Report. Windsor 1981*, London, 1982, pp. 47-67; *Rapport Final. Windsor, septembre 1981*, Paris, 1982, pp. 55-75.

communion (cf. 1 Jean 1,13)». Plus tard, dans la Préface au Rapport Final (1982), les rédacteurs voient dans ces mots une approbation frappante de la notion-clé qu'ils avaient choisie pour avancer dans le dialogue: notamment le concept de *koinonia*, qui est selon eux un concept dynamique qui exige mouvement en avant, perfectionnement. À Chichester, il fut décidé de consacrer la rencontre à la réponse à donner aux critiques faites aux déclarations communes. Une liste de critiques tant anglicanes que catholiques romaines fut établie. Il fut décidé de rédiger des élucidations sur les déclarations plutôt que de s'engager simplement dans un débat, et trois sous-commissions entamèrent cette tâche.

12-20 janvier 1979, Salisbury and Wells Theological College, Salisbury. La dixième réunion de la Commission n'eut lieu qu'au début de 1979 au lieu de sept. 1978 à cause de la mort du Pape Paul VI, survenue pendant que la Conférence de Lambeth tenait sa onzième session (1978). Dans sa résolution 33, la Conférence recommandait les trois accords de l'ARCIC à l'attention de la Communion anglicane en invitant la Commission à expliciter les conclusions des accords à la lumière des réponses qu'elle avait reçues. La Conférence constatait qu'elle pouvait y reconnaître la foi de l'Église anglicane et que ses accords formaient une base pour un changement dans les relations avec l'Église catholique de Rome.

Une sous-commission restreinte se rencontra le 9 et le 10 juin 1978, à la Damascus House, Mill Hill, Londres, pour revoir le projet de Chichester sur l'Eucharistie et une sous-commission plus large avait pu se rencontrer plus tard, au cours de la même année, au All Saints' Pastoral Center, London Colney, St. Albans, du 4 au 7 septembre (durant une partie du temps qui aurait dû être celui de la réunion de la Commission plénière). Cette sous-commission compléta un projet de texte sur le ministère et l'ordination. Ainsi, à Salisbury, la Commission révisa les deux textes et trouva un accord sur les réponses à donner aux critiques faites aux deux premières déclarations. Des *Élucidations* furent publiées le 7 juin 1979[14].

28 août – 6 septembre 1979, Casa Cardinale Piazzo, Madonna dell'Orto, Venise, Italie. La Commission continua la discussion sur l'autorité. Elle avait à sa disposition un travail préliminaire provenant d'une sous-commission qui s'était réunie l'année précédente à la Verulam House de St. Albans, du 5 au 9 juin 1978, et traitant de quatre questions importantes, non résolues lors de la conclusion du premier document sur l'*Autorité*

---

14. Voir *The Final Report. Windsor 1981*, London, 1982, pp. 17-25.40-45; *Rapport Final. Windsor, septembre 1981*, Paris, 1982, pp. 26-34.48-53.

dans l'Église, à savoir: l'interprétation des textes pétriniens, la signification de l'expression «droit divin», l'affirmation de l'infaillibilité pontificale et la juridiction attribuée à l'évêque de Rome comme primat universel. La Commission devait aussi examiner des rapports exprimant les positions respectives, rédigés par des membres de la Commission et préparés pour cette sous-commission: un rapport commun anglican-catholique romain sur les textes pétriniens provenant des États-Unis, un rapport anglican sur la présence de l'Esprit dans l'Église ainsi qu'une réaction catholique romaine, des notes établies en commun sur la question du *jus divinum*, et un rapport substantiel catholique romain sur la juridiction de l'évêque de Rome. Deux rédacteurs avaient préparé du matériel en vue de continuer la précédente déclaration. À Venise, la Commission fut divisée en quatre sous-commissions et il en résulta quatre projets sur les sujets mentionnés ci-dessus.

26 août – 4 septembre 1980, Casa Cardinale Piazzo, Madonna dell'Orto, Venise, Italie. Les projets issus de la réunion précédente furent critiqués et perfectionnés. Le projet sur les textes pétriniens, le *jus divinum* et la juridiction, fut presque achevé, mais il n'en fut pas de même pour le projet sur l'infaillibilité. Le 4 septembre, la Commission était reçue en audience à Castelgandolfo par le pape Jean-Paul II.

25 août – 3 septembre 1981, St George's House, Windsor Castle. Un projet d'introduction avait été préparé déjà depuis plus d'un an par une Commission qui s'était réunie au Southwark Diocesan Training Center de Wychcroft, Redhill, du 7 au 11 janvier 1980. Ce projet expliquait l'ecclésiologie de la Commission. Au cours de la même année 1980, un travail avait été entamé pour donner une réponse aux critiques de la première déclaration sur l'autorité; il fut réalisé par une sous-commission qui se réunit au Cenacle Retreat and Conference Center de Burnham, Slough, du 22 au 26 juin 1980. Une large sous-commission qui se réunit à Liverpool, au St. Katharine's College, du 15 au 19 décembre 1980, compléta le projet sur l'infaillibilité que la précédente réunion plénière de Venise n'avait pas pu achever. La sous-commission de St. Katharine commença aussi la révision de la réponse aux critiques du document sur l'autorité, esquissée à Burnham. Une sous-commission finale se réunit à la St. Agnes' Retreat House, de Bristol, du 9 au 13 juin 1981, pour revoir le projet d'introduction sur l'Église qui avait été préparé à Wychcroft; elle souligna l'emploi que la Commission avait fait du concept de *koinonia* et compléta la révision du projet de réponse aux critiques sur la *Declaration sur l'autorité dans l'Église*. La réunion finale de Windsor disposait donc d'un ensemble complet de projets à examiner, à critiquer et à revoir. Au cours de la première partie de la rencontre, la

Commission travailla en cinq sous-commissions: sur les textes pétriniens, le *jus divinum*, la juridiction, l'infaillibilité et les élucidations sur l'autorité. Pendant la deuxième partie de la réunion, la Commission travailla en session plénière à l'exception de la sous-commission sur l'infaillibilité. Elle réunit tous les projets, révisa l'introduction et accepta la préface. Vers la fin de cette dernière réunion, on se mit d'accord à l'unanimité sur les nouveaux textes. Le 1er septembre, la Commission fut reçue au palais de Lambeth par l'archevêque de Cantorbéry, Dr. Robert Runcie. Les autorités respectives autorisèrent la publication du *Rapport Final*, en mars 1982[15]. La parution avait été prévue officiellement pour janvier 1982[16], mais fut retardée par les difficultés sérieuses que soulevait la Congrégation romaine pour la Doctrine de la Foi[17].

Au cours de son existence, ARCIC I a ainsi publié les documents suivants:

1. Eucharistic Doctrine (Windsor 31.12.1971)
    Eucharistic Doctrine: Elucidation (Salisbury 07.06.1979)
2. Ministry and Ordination (Canterbury 13.12.1973)
    Ministry and Ordination: Elucidation (Salisbury 07.06.1979)
3a. Authority in the Church I (Venice 20.01.1977)
    Authority in the Church: Elucidation (Windsor 1981)
3b. Authority in the Church II (Windsor 1981)
4. The Final Report (Windsor, 1981; publié mars 1982)

La Commission présenta le *Rapport Final* aux autorités des Églises dont elle avait reçu son mandat. Elle jugea qu'elle avait atteint «une entente substantielle sur la doctrine de l'Eucharistie» (Accord de Windsor, 1971, n° 12), «un accord sur la nature du ministère» ordonné, c.-à-d. «sur des points essentiels où elle considère qu'aucune divergence doctrinale ne peut être admise» (Accord de Cantorbéry, 1973, conclusion), un «consensus sur l'autorité dans l'Église et, en particulier, sur les principes fondamentaux de la primauté» (Déclaration de Vénise, 1977, n° 24), et une certaine convergence sur les quatre problèmes majeurs en rapport avec l'exercice de l'autorité de l'évêque de Rome comme primat universel (*L'Autorité dans l'Église - II*, 1981). C'est la première fois qu'un rapport global d'un dialogue officiel a été soumis au jugement des deux Églises concernées. Après une consultation des Provinces anglicanes, la Communion anglicane a donné une réponse commune au

15. Voir note 1.
16. Cf. *The Final Report*, p. 105.
17. Cf. *Irénikon* 55 (1982), p. 3; *DC* 79 (1982) n° 1822, 126-127.

rapport dans la Conférence de Lambeth en 1988[18]. Elle était en général très positive, affirmant que les accords sur l'eucharistie et le ministère étaient «consonant in substance with the faith of Anglicans» et que la déclaration sur l'autorité formait une base ferme pour la direction et l'agenda de la continuation du dialogue. En ce qui concerne l'Église catholique, le *Rapport Final* fut envoyé à toutes les Conférences Épiscopales pour demander leur avis. Toutefois, la Congrégation pour la doctrine de la foi s'est hâtée de publier ses *Observations* sur le *Rapport Final* comme contribution au dialogue, et dans le but d'aider les Catholiques à lire le document avec discernement (elles sont datées du 29 mars 1982 et publiées le 6 mai dans *L'Osservatore Romano* en langue anglaise)[19]. Le 30 octobre 1982, le cardinal Ratzinger, préfet de la dite Congrégation, donna au Campo Santo Teutonico, à Rome, une conférence inti- tulée «Le dialogue catholique-anglican: problèmes et espérances»; le texte de cette prise de position personnelle a été publié en 1983 en plusieurs langues[20]. La réponse officielle de l'Église catholique n'a été publiée qu'en 1991[21]. Elle salua chaleureusement le *Rapport Final* et se réjouit des points de convergence, et même d'accord, qu'on avait atteints. Cependant elle estima qu'il n'était pas encore possible d'affirmer que l'on soit parvenu à un accord substantiel sur l'eucharistie et le ministère ordonné, et que les accords contenus dans le Rapport sont conformes à la foi de l'Église catholique. Pour cette raison, elle demanda encore des clarifications sur plusieurs points. Cette réponse plutôt critique a suscité beaucoup de réactions[22].

2. *Les réunions de l'ARCIC II (depuis 1983)*

Malgré les diverses réactions suscitées par le *Rapport Final*, le voyage du pape Jean-Paul II en Angleterre, au mois de juin 1982, fut un grand succès œcuménique. Dans la *Déclaration commune* du pape et de l'archevêque de Cantorbéry, rendue publique à cette occasion, ils disent

---

18. Voir HILL - YARNOLD, *Search for Unity* (n. 1), pp. 153-155. Le *Church of England* avait déjà donné son jugement en 1985 (voir *ibid.*, pp. 111-152).

19. *Ibid.*, pp. 79-91.

20. Voir HILL - YARNOLD, *Search* (n. 1), pp. 251-272, avec une note additionnelle, pp. 272-282.

21. *Ibid.*, p. 156-166, cf. *SI* n° 82 (1993,1) 49-54.

22. HILL - YARNOLD, *Search* (n. 1), reproduisent les réactions de la Conférence des Évêques de l'Angleterre, de l'archevêque de Cantorbéry, de la Commission épiscopale pour l'unité de la Conférence épiscopale de France, de l'ARC des USA, les commentaires de membres d'ARCIC: Henry Chadwick, Christopher Hill et Edward Yarnold, et l'opinion des experts: Francis Sullivan, Jos Vercruysse et John McHugh (*ibid.*, passim).

entre autres: «Nous sommes d'avis que le temps est venu maintenant d'établir une nouvelle Commission internationale. Sa tâche sera de continuer le travail déjà commencé; d'examiner, particulièrement à la lumière de nos jugements respectifs sur le *Rapport Final*, les différences doctrinales qui nous séparent encore, en visant à leur éventuelle solution; d'étudier tout ce qui entrave la reconnaissance mutuelle des ministères de nos Communions; et de recommander les démarches pratiques qui seront nécessaires quand, sur la base de notre unité de la foi, nous serons en mesure de réaliser la restauration de la pleine communion» (n° 3)[23]. La nouvelle Commission internationale de dialogue entre Catholiques et Anglicans fut constituée en 1983 (ARCIC II)[24]. Six membres sur vingt-six appartenaient déjà à ARCIC I, ce qui avait l'avantage d'assurer une continuité entre les deux Commissions. Par ailleurs, la composition était beaucoup plus diversifiée et représentative de l'ensemble de l'Anglicanisme et de l'Église catholique. D'autre part la composition de l'ARCIC II n'était pas aussi stable que celle de l'ARCIC I. Il y eût souvent des changements dans les membres. Néanmoins, depuis le début de son existence, cette Commission s'est réunie quatorze fois et elle a toujours été capable de continuer ses travaux, malgré les difficultés qui surgissaient en cours de route. Voici un aperçu sommaire de ses réunions[25].

30 août – 6 septembre 1983, Venise, Italie. La Commission prenait connaissance de deux rapports sur la justification préparés par ses deux membres Australiens, D. Cameron et J. Thornhill. Des rapports furent

---

23. Cf. *Irénikon* 55 (1982), p. 263; *DC* 80 (1983) n° 1843, p. 36.

24. Cf. *Irénikon* 56 (1983), p. 241: du côté anglican, elle comprenait: Rt Rev. Mark Santer, alors évêque de Kensington (co-président); Rt Rev. Arthur Vogel, évêque de West Missouri; Prof. Henry Chadwick; Rev. Julian Charley; Ven. J.A. Baycroft, d'Ottawa; Rt Rev. Donald Cameron, évêque auxiliaire de Sydney; Rev. Dr. Kortright Davis, des Barabados; Rt Rev. David Gitari, évêque de Mount Kenya East; Prof. O'Donovan, d'Oxford; John Pobee, du Ghana; Mrs Mary Tanner, d'Angleterre; Rev. Dr. Robert Wright, de New York; Canon Christopher Hill, assistant de l'archevêque de Cantorbéry pour les questions œcuméniques (secrétaire). Du côté catholique, elle comprenait: Mgr Cormac Murphy O'Connor, évêque d'Arundel et Brighton (co-président); Pierre Duprey, P.B. (Rome); Jean-Marie Tillard, O.P. (Ottawa); Edward Yarnold, S.J. (Oxford); Addapur (Cochin, Inde); Akpunomou (Nigeria); Mgr Brian Ashby, évêque de Christchurch (Nouvelle-Zélande); Sr M. Cecily Boulding, de Durham; Mgr Raymond Lessard, évêque de Savannah (États-Unis); le P. Brendan Soane (Londres); le P. John Thornhill (Sydney); Mgr Peter Butelezi, O.M.I., archevêque de Bloemfontein en Afrique du Sud; et Mgr Richard Stewart, du Secrétariat pour l'Unité à Rome (secrétaire). L'observateur nommé par le Conseil Œcuménique des Églises aux travaux de cette commission était de nouveau le Dr. Günther Gassmann.

25. Pour cet aperçu, nous utilisons surtout les chroniques régulières de la revue *Irénikon*. Ces chroniques se basent principalement sur ce que la rédaction appelle «correspondance particulière». Il nous semble que le style et les idées de ce «correspondant particulier» sont ceux de J.-M. Tillard.

aussi présentés sur la réconciliation des ministères, préparés par H. Chad-wick et E. Yarnold, l'un et l'autre anciens membres de l'ARCIC I. La discussion sur l'Église, la grâce et le salut a amené la Commission à donner la priorité immédiate à ces sujets étroitement apparentés. Des rapports venus d'Angleterre traitant de la réconciliation des Églises et de la reconnaissance des ministères furent aussi discutés. En cette matière la réponse des deux Églises au *Rapport Final* de l'ARCIC I sera capitale, mais dans l'entretemps la Commission envisageait de demander l'aide des Commissions nationales anglicanes-catholiques romaines de diffé-rents pays (les ARC's) pour discuter des implications théologiques de la pleine communion et des moyens d'y parvenir[26].

22-30 septembre 1984, St. John's Theological College, Université Durham. La Commission étudia un dossier composé de quatre pièces: (a) le rapport du Comité de travail réuni du 19 au 23 juin 1984 à la Veru-lam House, St. Albans, qui constatait que la question de la justification n'a pas été un point de division entre les deux Églises en dialogue et qu'il serait donc une erreur d'appliquer au dialogue anglican-catholique la problématique du dialogue luthérien-catholique; on ne peut pas isoler le thème de la «justification par la foi» du problème du rôle de l'Église; (b) une étude de J. Pobee sur la question de la justification dans les pers-pectives actuelles du mouvement œcuménique; (c) une étude de H. Chadwick sur la façon dont le concile de Trente avait réagi aux vues de Luther, et les affinités de cette réaction avec la tradition anglicane; (d) enfin une étude de J.-M.R. Tillard sur la «sacramentalité de l'Église»[27]. La Commission s'est mis d'accord sur un projet de *consensus* et accepta les grandes lignes d'un document sur la justification. Ce sera le premier accord œcuménique sur la sacramentalité de l'Église. La Commission a également étudié la question des étapes vers la communion parfaite. Elle a confié les premières ébauches de ce travail aux diverses ARC's natio-naux. La Commission a également été interpellée par les théologiens de l'Université de Durham, l'évêque de Durham (le Rt Rev. D. Jenkins), et les membres de l'ARC d'Angleterre[28].

26 août – 4 septembre 1985, Graymoor, New York. La Commission a étudié un projet de document concernant «Église et justification», qui avait été préparé à Pleshey (Angleterre) et qui manifestait deux points de vue. Les uns voulaient que l'on insistât surtout sur le rôle de l'Église

26. Cf. *Irénikon* 56 (1983) 378-379.

27. Cette étude a été publiée dans la *NRT* 106 (1984) 658-685, sous le titre *Église et salut. Sur la sacramentalité de l'Église*; voir la traduction anglaise dans *One in Christ* 20 (1984) 226-242.

28. Cf. *Irénikon* 57 (1984) 225.357-358.

dans le salut, en situant dans cette perspective la question de la justification par la foi. Les autres voulaient un traitement assez ample de cette question de la justification et du problème posé par certaines pratiques catholiques comme les indulgences, les messes pour les défunts, le purgatoire, etc., suivi d'un exposé sur le rôle de l'Église. À Graymoor, après une discussion générale du texte de Pleshey, une sous-commission de huit membres fut chargée de préparer un texte définitif. Mais sa discussion en session plénière fut longue et on n'arriva pas à une révision définitive du texte. Pourtant, le Commission s'était mise d'accord sur la nature de la justification et son lien avec la sanctification, et la «sacramentalité» de l'Église était un point de doctrine acquis. D'autre part, la Commission a entamé la première discussion sur l'ordination des femmes et ses implications pour l'unité chrétienne[29].

26 août – 4 septembre 1986, Llandaff (Cardiff). Avant la réunion de la Commission, deux échanges de lettres avaient été rendus publics: celui au sujet de la réconciliation des ministères entre les deux Communions entre le cardinal Willebrands, président du Secrétariat pour l'unité des chrétiens (13.07.1985), et les deux co-présidents d'ARCIC II (14.01.1986) d'une part, et celui au sujet de l'ordination des femmes à la prêtrise entre le pape Jean-Paul II (20.12.1984) et l'archevêque de Cantorbéry, Dr. R. Runcie (11.12.1985) et entre le Dr. Runcie (22.11.1985) et le Cardinal Willebrands (17.6.1986) d'autre part[30]. En janvier 1986, à Storington (Angleterre), une sous-commission de six membres avait réfléchi sur un plan pour la suite du travail. Rédigé en mars, ce plan avait été envoyé en juin à tous les membres. À Llandaff, le document sur *Salvation and the Church* («Le salut et l'Église») a été de nouveau discuté, amendé, puis approuvé à l'unanimité. Il fut publié le 22 janvier 1987 avec la permission des autorités respectives[31]. Le document traite de quatre sortes de difficultés qui surgirent au temps de la Réforme et qui portent sur: la vraie nature de la 'foi' par laquelle nous sommes justifiés; la signification exacte du mot 'justification' auquel sont liés les concepts de rectitude et de justice; la valeur des 'bonnes œuvres' pour le salut; et finalement 'le rôle de l'Église' dans le processus du salut. La Commission a aussi analysé le plan de travail préparé à Storington, qui se centrait sur «le degré de communion toujours présente, et la

---

29. Cf. *Irénikon* 58 (1985) 506-508.
30. Cf. *Irénikon* 59 (1986) 70-72.233-244.352-365.
31. *Salvation and the Church*. An Agreed Statement by the Second Anglican-Roman Catholic International Commission, ARCIC II, London, CTS/Church House Publishing, 1987. Cf. *AK* 42 (1987) 550-565; *DC* 84 (1987) 6/1936, pp. 321-327; *DWÜ* 2, pp. 333-348; *SI* n° 63 (1987,1) 33-41.

croissance vers une communion pleine et visible». Elle a ensuite entendu et discuté un rapport sur les étapes concrètes devant conduire à l'unité («Steps toward Unity»). Sur ces deux points, le «Steering Group» devait élaborer un projet définitif à soumettre aux membres. La publication de l'échange de lettres entre Rome en Cantorbéry sur l'ordination des femmes a évidemment contraint la Commission à réfléchir en profondeur sur ce point difficile. On s'est contenté de jeter les bases pour un travail futur, et un vaste dossier a été remis aux membres. Le plan de travail proposé envisageait cette question dans le contexte plus vaste des obstacles à ne pas mettre sur la route de l'unité dès lors qu'on s'est engagé sérieusement sur celle-ci. Il proposait de la discuter non pas pour elle-même mais en fonction de son impact sur la communion. Plusieurs membres ont marqué leur accord avec cette vue, mais d'autres voulaient une étude «plus spécifique» de l'ordination des femmes comme telle. À Llandaff, après trois ans de piétinements la Commission semblait avoir trouvé sa physionomie propre et sa cohésion[32].

1 – 10 septembre 1987, Palazzola (Rocca di Papa, lac d'Albano), Italie. La Commission a commencé à travailler à un nouveau projet intitulé «Croître en communion». Cette étude sur l'Église comme communion devait fournir le contexte pour étudier des sujets spécifiques tels que la réconciliation des ministères, l'ordination des femmes, les questions morales et les étapes vers une communion plus parfaite. Le 2 septembre, le pape Jean-Paul II a rendu visite à la Commission. Il a eu de fortes paroles d'encouragement pour la Commission[33].

24 août – 2 septembre 1988, Édimbourg. La réunion de la Commission se tenait quelques semaines après la Conférence de Lambeth qui d'une part avait accepté massivement le Rapport Final d'ARCIC II, mais qui d'autre part avait approuvé une discipline qui admettait que certaines Provinces anglicanes étaient sur le point d'ordonner des femmes à l'épiscopat. Cette décision a provoqué des discussions longues et parfois tendues, mais qui restèrent pourtant sereines. Quoique la Commission reconnût que la résolution concernant l'admission des femmes à l'épiscopat créait un problème majeur pour la réconciliation des ministères entre les deux Communions, elle fut néanmoins unanime dans sa conviction que le dialogue devait continuer. Le point majeur de cette réunion fut la discussion et l'amendement du projet de document sur la *koinonia*. Le but de ce projet était de fournir un texte qui identifierait clairement

---

32. Cf. *Irénikon* 59 (1986) 384-385; *SI* n° 62 (1986), p. 219.
33. Cf. *Irénikon* 60 (1987) 380-381; *SI* n° 64 (1987), p. 72, où l'on trouve le texte de l'allocution de Jean-Paul II.

l'état actuel des relations entre les deux communions, en indiquant ce qu'elles ont en commun, en identifiant les différences et en déterminant le chemin à suivre en vue d'une plus grande unité. On voulait donc fournir un fondement théologique pour déterminer le degré de communion qui existe entre les catholiques et les anglicans ainsi que les obstacles qui empêchent une communion plus complète. Une sous-commission réunie à Birmingham après Pâques avait rédigé la section sur la nature de la *koinonia*. Elle l'avait fait à la lumière des grandes intuitions de l'Écriture et des écrits des premiers siècles. Mais plusieurs membres de la Commission plénière demandèrent que l'étude soit reprise. Un groupe fut chargé de s'acquitter de cette charge. Le temps manqua pour achever cette tâche. Un autre groupe discutait les questions difficiles de l'ordination des femmes à l'épiscopat et au presbytérat, du statut de la Bulle de Léon XIII «*Apostolicae Curae*» (à la lumière de la lettre du cardinal Willebrands signalée plus haut), de l'autorité et de la Tradition. Un troisième groupe défrichait un chantier nouveau: la comparaison des positions des deux Églises face aux questions morales[34].

28 août – 6 septembre 1989, Casa Cardinale Piazzo, Madonna dell'Orto, Venise, Italie. Depuis la réunion précédente, deux équipes de rédacteurs travaillant en étroite collaboration (Baycroft-Thornhill; Charley-Tillard) avaient préparé un projet de document sur «l'Église comme communion». Ce projet était envoyé d'avance aux membres et à quelques spécialistes étrangers à la Commission. Les réactions positives faisaient penser qu'on pourrait arriver à un texte définitif. Mais à Venise, le scénario d'Edimbourg se reproduisit. Certains membres attaquèrent vivement le texte, surtout son style qui semblait être trop dans la ligne de celui du *Rapport Final*. Le texte fut remanié et on a pu trouver un accord sur les sections traitant de la nature de la communion, la sacramentalité de l'Église, l'apostolicité, et les éléments qui unissent les deux communautés. Mais la section consacrée à la catholicité fut l'objet d'un difficile débat et on n'a pas encore pu arriver à un texte final. La Commission a discuté également un premier projet de document sur les questions morales, préparé par trois rédacteurs (O'Donovan, Soane, McDonald). On s'est montré satisfait de cette ébauche, tout en souhaitant qu'elle souligne plus nettement les raisons expliquant les différences d'accent. La Commission fut informée de la démission de deux de ses membres anglicans: l'évêque David Gitari et le professeur Henry Chadwick, membre de première heure qui a joué un rôle déterminant dans le travail de l'ARCIC[35].

---

34. Cf. *Irénikon* 61 (1988) 380-382; *SI* n° 68 (1988), p. 184.
35. Cf. *Irénikon* 62 (1989) 361-362.

28 août – 6 septembre 1990, Gort Muire (Dublin), Irlande. La Commission a enfin réussi à achever la rédaction de son document sur «*l'Église comme communion*», en préparation depuis plusieurs années et dont des difficultés de dernière minute avaient jusque là toujours empêché la mise au point finale. Les difficultés, qui surgissaient de nouveau dans cette réunion, avaient plusieurs causes. Tout d'abord, il y avait les répercussions de certaines conclusions de la Conférence de Lambeth 1988 et le retard de la réponse de Rome au *Rapport Final* de l'ARCIC I. Ensuite, il y avait la critique de certains membres concernant le style adopté par les principaux rédacteurs qui est celui des textes de l'ARCIC I. À Dublin, on est revenu à ce style, tout en le modifiant en certains endroits pour arriver à une langue plus adaptée aux non-spécialistes, mais peut-être théologiquement moins précise. Il y avait aussi des divergences d'opinion concernant la nécessité et l'ampleur d'un développement biblique du thème de la *koinonia*. Finalement, le texte a été approuvé à l'unanimité, et il a été publié, avec l'accord des autorités respectives, à l'occasion de la Semaine de prière pour l'unité des chrétiens de janvier 1991[36]. Le dit document est différent des précédents documents de l'ARCIC en ce sens qu'il ne se concentre pas sur une question doctrinale spécifique qui aurait pu être objet de discorde entre les deux Communions. Le document aborde la question de l'Église en expliquant de quelle manière les anglicans et les catholiques romains partagent déjà une communion réelle, bien qu'imparfaite. Le document étudie en profondeur le thème de la communion dans l'Écriture sainte et envisage le problème de la sacramentalité, de l'apostolicité, de la catholicité et de la sainteté de l'Église. Il considère les questions de l'unité et de la diversité et se termine par une évaluation du degré actuel de communion entre catholiques et anglicans.

À Dublin, avec l'aide d'experts invités à cet effet (le Rév. Professeur Enda McDonagh, le Rév. Professeur Bruce Williams O.P. et le Rév. Peter Baelz), on a également continué l'étude d'une ébauche de documents traitant des questions morales sur lesquelles les deux Églises portent un regard différent[37].

27 août – 5 septembre 1991, Paris, France. Entre deux réunions plénières, la composition de la Commission a été fortement révisée et en même temps réduite (le changement a été rendu public le 22 août 1991);

---

36. *The Church as Communion.* An Agreed Statement by the Second Anglican-Roman Catholic International Commission, ARCIC II, London, CTS/Church House Publishing, 1991; Cf. *DC* 88 (1991) 8/2026, pp. 381-391; *DWÜ* 2, pp. 351-373; *IS* nº 77 (1991,2) 87-97; *SI* nº 77 (1991,2) 93-104.

37. Cf. *Irénikon* 63 (1990) 371-372; *SI* nº 75 (1990), p. 170-171.

seuls restaient dans la Commission: les deux co-présidents, le Rt Revd
Mark Santer et Mgr Cormac Murphy O'Connor, avec deux «anciens»
représentants catholiques, à savoir: Mgr. Pierre Duprey, et Jean-M.R.
Tillard, OP, et un Anglican: le Rt Revd John Baycroft. Les autres
membres, dont deux femmes, étaient nouveaux. Tous/toutes étaient
engagés dans la tâche œcuménique et avaient l'expérience du dialogue et
de ses exigences[38]. Par cette révision, la Commission a perdu certains de
ses membres les plus influents et dont la pensée a marqué les documents
jusque-là publiés (e.g. J. Charley, C. Hill et R. Wright).

La Commission a d'abord discuté un projet de document sur «Morals
and communion» préparé par une petite équipe de moralistes. Le projet
était mal reçu à cause de son manque de profondeur théologique, éta-
blissant la morale sur des bases peu marquées par une vision d'ensemble
du mystère chrétien. Un nouveau plan, plus explicitement fondé sur les
perspectives de la grande tradition commune aux deux Églises avant la
séparation, a donc été présenté et accepté. On a aussi réfléchi sur la tâche
qui s'imposera après la publication de la réponse romaine au *Rapport
Final* de l'ARCIC I qui était annoncée. Une tâche lourde et délicate,
parce des problèmes épineux tels que celui de l'exercice de l'autorité,
l'ordination des femmes à l'épiscopat et au presbytérat, et les démarches
canoniques requises par le rétablissement de la communion, demandaient
une étude en profondeur, dans des circonstances plus difficiles qu'aupa-
ravant, dues à un certain durcissement des positions ecclésiales concernant l'ordination des femmes[39].

28 août – 6 septembre 1992, St George's House, Windsor Castle.
Cette réunion avait été précédée, en mai 1992, par la visite de l'Archevêque

---

38. Les nouveaux membres anglicans étaient Dr Rosanne Elder, rédacteur de «Cister-
cian Studies»; Revd Prof. Jaci Maraschin, professeur de théologie à l'Ecumenical Post-
graduate Programme of Sciences and Religion, Sao Paulo (Brésil); Revd Dr John Muddiman, Mansfield College, Oxford; Rt Revd Michael Nazir-Ali, Secrétaire général de la
Church Missionary Society; Revd Dr Nicholas Sagovsky, doyen de Clare College, Cambridge; Revd. Dr. Charles Sherlock, chargé de cours au Ridley College, Melbourne; et
voici les nouveaux membres catholiques: Sr. Sara Butler MSBT, professeur à l'Université Ste-Marie du Lac, Mundelein Seminary; Revd Peter Cross, professeur au Séminaire
du Catholic theological College de Sydney; Brian Johnson, CssR, professeur de théologie
morale à l'Accademia Alfonsiana, Rome; Liam Walsh, O.P., professeur à l'Université de
Fribourg; les co-secrétaires étaient Mgr Kevin McDonald (Conseil Pontifical pour l'Unité
des chrétiens) et Revd Canon Stephen Platten (secrétaire pour les affaires œcuméniques
auprès de l'archevêque de Cantorbéry); le Rev. Timothy Galligan a succédé au premier
en 1992 (?), en le Revd. Dr. Donald Anderson a succédé au second en 1995. En 1993,
Prof. Adelbert Denaux (Leuven, Belgique), et en 1994 Mgr William Steele (co-secrétaire
de l'ARC anglais, Bradford, U.K.) ont renforcé le groupe des membres catholiques de
l'ARCIC II.

39. Cf. *Irénikon* 64 (1991) 380-383; *SI* (1991) n° 78, 214.

de Cantorbéry au Pape Jean-Paul II, au cours de laquelle le Saint-Père et l'Archevêque avaient souligné d'un commun accord la nécessité que catholiques et anglicans trouvent la manière de témoigner ensemble de la foi qu'ils partagent. De même elle avait aussi été précédée, en décembre 1991, par la publication de la réponse catholique au Rapport final d'ARCIC-I. La sortie de ce document, ainsi que la réponse de la Conférence de Lambeth de 1988, représentait une étape importante, puisque le mandat conféré à la Commission par le Pape et par l'Archevêque de Cantorbéry en 1982, consistait à «examiner, surtout à la lumière de nos jugements respectifs sur le *Rapport Final*, les différences doctrinales majeures qui nous séparent encore».

Les discussions de l'année précédente rendaient douteuses aux yeux de certains membres la possibilité de parvenir à un accord sérieux sur les questions morales. Or, à Windsor, en renouant avec la méthodologie d'ARCIC I – chercher d'abord ce qui unit, puis, à cette lumière, scruter les différences et les oppositions – la Commission a pu produire un document nuancé et charpenté qui reflétait l'émergence d'un consensus fondamental dans le domaine complexe de la morale. Quoique n'ayant pas encore abouti à un accord sur tous les points, le progrès réalisé déjà a été pour les membres un stimulant analogue à ce qu'avait fait naître il y a vingt ans (aussi à Windsor) la découverte du «substantial agreement» sur l'Eucharistie. La Commission a ensuite commencé sa nouvelle recherche sur la Tradition. Elle a discuté deux exposés sur «Tradition et réception» (présentés respectivement par J.-M. Tillard[40], et Ch. Sherlock) et a demandé à ses membres de faire de ce thème l'objet de leurs réflexions d'ici la prochaine réunion. Elle a aussi chargé ses deux membres australiens (Peter Cross, Charles Sherlock) de lancer l'étude sur «la place de la femme dans l'Église»[41].

28 août – 6 septembre 1993, Casa Cardinale Piazzo, Madonna dell'Orto, Venise, Italie. La Commission devait d'abord approuver la «Réponse» aux questions soulevées par le *Rapport Final* de l'ARCIC I, que la «Réponse» du Vatican à ce Rapport demandait. Cette «Response to the Response» a été préparée en plusieurs étapes. Une première petite sous-commission composée de membres de l'ARCIC I, réunie en Angleterre, a d'abord rédigé un projet, sur la base de tous les documents d'ARCIC I et des réactions de certaines conférences épiscopales et des ARC's nationaux. Puis, à Rome, une sous-commission plus large (encore

---

40. Le rapport de J.-M. Tillard a été publié dans *One in Christ* 28 (1992) 307-322, sous le titre *Reception-Communion*.
41. Cf. *Irénikon* 65 (1992) 505-506; *SI* n° 83 (1993), p. 92.

composée de membres de l'ARCIC I[42]) a revu, corrigé, amplifié ce premier projet, en retournant aux principales sources de la tradition anglicane. Ce texte de Rome a été amplement discuté, puis amendé par la Commission. Il en ressortait clairement que la nouvelle génération d'œcuménistes anglicans et catholiques demeurent profondément d'accord avec le *Rapport Final* de l'ARCIC I. Au début de septembre 1993, les deux co-présidents de l'ARCIC II ont envoyé cette «Réponse à la réponse» au Conseil pour la Promotion de l'Unité des chrétiens et à la Congrégation pour la Doctrine de la Foi. Ce nouveau document qui porte le nom de *«Clarifications sur certains aspects des Déclarations d'accord sur l'eucharistie et le ministère»* a été publié au cours de l'année 1994[43]. Dans une lettre d'accompagnement, le cardinal Cassidy déclare que les dicastères romains concernés ont reconnu que les Clarifications jetaient une lumière nouvelle sur les questions concernant l'eucharistie et les ministères. Il estime dès lors que l'accord atteint concernant l'eucharistie et le ministère est grandement renforcé et que pour le moment aucune étude ultérieure n'est requise sur ce sujet, car un remarquable consensus a été atteint.

L'autre tâche au programme était la mise au point définitive et l'approbation du document intitulé *«Life in Christ. Morals, communion and the Church»*, en préparation depuis trois ans. Jusqu'à la dernière minute la Commission a corrigé et retravaillé le schéma proposé pour pouvoir l'accepter unanimement. Le document a été publié au cours de l'année 1994, avec l'approbation des autorités concernées[44]. Sur la scène œcuménique, la parution de ce document représente un fait nouveau, puisque c'est la première fois qu'un texte de consensus qui traite exclusivement des problèmes moraux est publié[45].

30 août – 10 septembre 1994, St. George's College, Jérusalem, Israel. La session à Jérusalem, lieu de naissance du christianisme et source commune de toutes les confessions chrétiennes, fut l'une des plus riches et des plus fructueuses de l'ARCIC II. Le premier dossier consistait en un tour d'horizon des relations entre les deux Églises, commenté

---

42. Les *Clarifications* (n. 43), p. V, nomme Mgr P. Duprey, J.-M. Tillard, Chr. Hill, et J.W. Charley.

43. *Clarifications of Certain Aspects of the Agreed Statements on Eucharist and Ministry of the First Anglican-Roman Catholic International Commission Together with a Letter from Cardinal Edward Iridis Cassidy, President Pontifical Council for Promoting Christian Unity*, Rome/London, 1994; Cf. *DC* 91 (1994) 16/2100, pp. 768-773; *IS* n° 87 (1994,4) 237-242; *SI* n° 87 (1994,4) 243-248.

44. *Life in Christ. Morals, Communion and the Church.* An Agreed Statement by ARCIC II, Rome/London, 1994. Cf. *IS* n° 85 (1994,1) 54-70; *SI* n° 85 (1994,1) 55-72.

45. Cf. *Irénikon* 66 (1993) 367-370; *SI* n° 84 (1993), p. 160.

théologiquement. Il apparut que les relations sont bonnes et que les deux Églises, dans l'impossibilité de réaliser «l'unité organique» rêvée par l'ARCIC I, s'engagent à aller «jusqu'au bout de ce qu'elles peuvent être et faire ensemble». Et, puisque la question de l'ordination des femmes se pose dans les relations de l'Église catholique avec les autres Églises de la Réforme, l'ARCIC pense que sa recherche pourra être un service rendu à l'ensemble de l'œcuménisme. D'ailleurs, plusieurs membres anglicans portent sur la situation que cette décision a créé dans leur Église un regard très réaliste et plus critique que ce que certains discours officiels laissent entendre. En outre, on aurait voulu la possibilité d'une discussion profonde, que la lettre *Ordinatio sacerdotalis* de Jean-Paul II rend dorénavant impossible. L'autre dossier était la discussion et le prolongement d'un projet de document sur l'exercice de l'autorité dans les deux Communions. Une sous-commission de quatre membres (Baycroft, Cross, Sagovski, Tillard) avait préparé à Pâques (à Birmingham) un premier projet qui avait été envoyé aux membres pour susciter leur commentaires et remarques. La discussion sur ce projet fut remarquable de profondeur et de lucidité. Elle a mené a un remaniement assez considérable du document de travail. La Commission a dit adieu à Günther Gassmann qui, depuis le début de l'existence de l'ARCIC, a été l'observateur très actif et très engagé, délégué par Foi et Constitution[46].

28 août – 6 septembre 1995, Casa Cardinale Piazzo, Madonna dell'Orto, Venise, Italie. Au mois de janvier, la même sous-commission que l'année précédente avait retravaillé le projet sur «Authority III» (faisant suite aux deux documents de l'ARCIC I sur l'autorité). La première tâche de la Commission plénière était donc de le discuter et le commenter. Il y avait une discussion serrée sur chaque paragraphe du texte, ce qui aboutissait à toute une série de propositions de changements et de réorganisation du document. Alors que cette sous-commission poursuivait sa tâche, les autres membres travaillaient en différents groupes à une première discussion exploratrice de la question «Femmes et Église», ce qui se fit sur la base d'un texte préparé par Sœur Sarah Butler: 'The Ordination of Women: A New Obstacle to the Recognition of Anglican Orders'. Un premier plan de travail ('draft-outline') a été établi, qui porte le titre provisoire: *The Ordination of Women and Ecclesial Communion*[47].

26 août – 4 septembre 1996, Malines, Belgique. La quatorzième réunion plénière a eu lieu à Malines en Belgique, lieu où se trouve la

---

46. Cf. *Irénikon* 67 (1994) 356-357. À Dr. G. Gassmann a succédé depuis le professeur Dr. Michael Root, lié au Centre d'Études Œcuméniques à Strasbourg, France.
47. Cf. *Irénikon* 68 (1995) 380-381; *SI* n° 89 (1995), p. 95.

tombe de feu le Cardinal D. Mercier, l'hôte distingué qui avait ouvert son palais épiscopal aux participants des «Conversations de Malines». La Commission a été invitée par son troisième successeur, le cardinal-archevêque Godfried Danneels. Le cardinal voulait souligner le lien profond entre les Conversations de Malines et le travail actuel de l'ARCIC. En effet, le 31 août 1996 on y a commémoré le 75me anniversaire du début des Conversations de Malines (1921-1926) en présence des cardinaux G. Danneels, E. Cassidy, J. Willebrands, de l'archevêque de Cantorbéry et de plusieurs centaines de personnes. Le cardinal E. Cassidy avait apporté un message du Pape Jean Paul II commémorant la mémoire des pionniers du dialogue et encourageant les membres d'ARCIC II à persévérer dans leur travail. La Commission a continué sa discussion sur le problème de l'Écriture Sainte, la Tradition et l'exercice de l'autorité, plus particulièrement l'idée et la pratique de primauté en synodalité et collégialité. Le travail a été fait sur la base du *Birmingham Draft* préparé par une sous-commission (J. Baycroft, P. Cross, N. Sagovsky, J.-M. Tillard) en janvier 1996 et intitulé *The Gift of Authority (Authority in the Church III)*. La Commission croit qu'un progrès remarquable a été réalisé. Elle espère que le troisième document sur l'autorité pourra être finalisé pendant la session de 1997, qui aura lieu au *Virginian Theological Seminary* à Alexandria (près de Washington, États Unis)[48]. La Commission a aussi entamé la discussion, plus difficile sans doute, du *Oxford Draft* préparé par une autre sous-commission (S. Butler; J. Muddiman) en avril 1996 et intitulé *The Ordination of Women and Ecclesial Communion*.

Jusqu'à maintenant, ARCIC II a ainsi publié les accords suivants:

5. Salvation and the Church (22.01.1987)
6. Church as Communion (janv. 1991)
7. Life in Christ. Morals, Communion and the Church (1994)
8. Clarifications of certain aspects of the Agreed Statements in Eucharist and Ministry of ARCIC I together with a letter from Card. E.I. Cassidy (1994).

Tiensestraat 112   Adelbert DENAUX
B-3000 Leuven

---

48. Cf. *Irénikon* 69 (1996) 347-351. Mgr. William Steele (membre en 1994 et 1995) a été remplacé en 1996 par Mgr Patrick A. Kelly, le nouvel archevêque catholique de Liverpool.

9

ARCIC-I AND II
AN ANGLICAN PERSPECTIVE

1. This paper will concentrate mainly on the work of ARCIC-I and on the earlier work of ARCIC-II in which I was directly involved, that is to say on the *Final Report* of ARCIC-I (1981) its 'reception' and significance for Anglican identity and that of the first two Agreed Statements of ARCIC-II, namely *Salvation and the Church (1986)* and *Church as Communion* (1990). This is not to belittle or marginalise what has happened since. The important Agreed Statement *Life in Christ* (1993) breaks new ground ecumenically as well as between Anglicans and Roman Catholics by treating morals within the ecclesial life of communion. It is an important new venture. But it seemed best to me to concentrate, for this paper and on this occasion, on the earlier documents which deal with more familiar ecumenical subjects: the classical areas of faith and order discussion between Christian Churches of the West since the Reformation, eucharist, ministry, authority, justification and behind all of them the understanding of the nature of the Church itself, *communio*.

MEMBERSHIP

2. I will begin with the membership of ARCIC-I and II. ARCIC-I possessed what must have been one of the most stable memberships of an ecumenical commission on record. The story of the establishment of the membership of ARCIC-I is now well recorded after research in the archives at Lambeth (the Counsellors on Foreign Relations – now the Department for Ecumenical Affairs) and the Vatican (the Secretariat for Promoting Christian Unity – now the Pontifical Council for Unity) by the late Mgr. Bill Purdy, for many years my co-secretary on ARCIC I. I know the Lambeth papers well and Bill's account on this issue is both fascinating, eminently readable and accurate[1].

---

1. Cf. William PURDY, *The Search for Unity*, London, Geoffrey Chapman, 1996. Nevertheless, I concur with the remark in Fr. J.-M.R. Tillard's paper that on some other matters the necessary editorial curtailment of Purdy's mss. may leave more to be told.

3. There were pressures and doubts on both sides. Archbishop Michael Ramsey and the Lambeth Staff of the time were suspicious that the SPCU would bow to pressure from a perceived 'conservative' English hierarchy. As it was to work out the SPCU would have more to fear from other Roman dicasteries than from English Roman Catholics. But in 1969 we were still only just out of an era when Belgium was the best place for Anglicans and Roman Catholics to talk to each other because communal antagonisms, rival tribal loyalties, and historical misconceptions had made real conversation in England hardly possible at an official level. Michael Ramsey wanted ARCIC to be an *international* commission so that the Roman Catholic members would have a broader ecumenical understanding than Cardinal Heenan was thought to have. Ramsey was however not too keen that ARCIC should be *too* international on the Anglican side! The co-chairman was to be the Anglican Bishop of Ossory, Ferns and Leighlin (later Archbishop of Dublin) Harry McAdoo. But the majority of Anglican members were English, or of English origin (such as Felix Arnott Archbishop of Brisbane). The Americans were miffed at their one member, not even then a bishop but soon to be one (Arthur Vogel of West Missouri). As it worked out ARCIC-I involved, on the Anglican side, bishops or theologians from England, Ireland, Australia, the USA and South Africa. On the Roman Catholic side England and the USA were spiced by three French members, one of whom taught in Canada (J.-M.R. Tillard), one of whom taught in the USA (Georges Tavard) and the final Gallican being (then) Fr. Pierre Duprey of the SPCU in Rome.

What the membership of ARCIC-I achieved was not so much international representativeness (though there was major international representation) but theological and historical expertise for dealing with the *particular* questions which had to be addressed. There is an obvious sense in which representation is important for an organ of government or instrument of ecclesial communion. On the Anglican side ARCIC-I was often criticised for being 'non-representative' of black-African or Asian Anglicanism, or under-representative of evangelicals, though one in particular, Julian Charley a curate of the evangelical father figure John Stott, had been proposed to the Archbishop of Canterbury by Michael Green, still a leading evangelical figure in the Church of England. And ARCIC-I had no women members. The issue was focused when ARCIC I came to an end and the time came to constitute ARCIC-II. The Anglican Consultative Council asked for a "widely representative new Joint Commission"[2]. A debate about 'representativeness' or expertise had been opened.

2. ACC, Canada, 1979.

4. ARCIC-II was certainly more representative. The Caribbean, East, West and Southern Africa were added to Canada, Australia, the USA. On the Roman Catholic side the Indian Sub-Continent was also represented. Two women theologians joined the team. There were more evangelicals. In fact ARCIC-II (in its first phase, for it was reconstituted in 1991) worked well. But only just. To achieve wider representation numbers were increased to 27 compared with 21 of ARCIC-I. This made debate more difficult. And some members found the classical agenda frustrating. They had not been chosen for their expertise in the 16th/17th century discussions of grace and justification; their expertise, and it was considerable, lay in more contemporary fields. In 1991 the membership was rearranged – in part due to the sheer cost of getting such a commission together. The second ARCIC-II team was smaller but more representative. Though the effect of this when the specific subject of morals arose was to use four consultants in addition to the membership and staff. The need for consulation on agenda issues illustrates the problem of a tension between 'expertise' and 'representation' in ecumenical discussion. Perhaps a distinction needs to be more sharply drawn between an ecumenical *drafting commission* and a *representative* steering committee, which will consider questions of reception, confessional identity and general overall ecumenical policy[3]. This is *not* to say a theological commission will necessarily lack a wide representation: for example, if the subject were contemporary theological pluralism global representation would be absolutely necessary. The *Malta Report* of the Joint Anglican Roman Catholic Preparatory Commission originally envisaged its successor as such an overall 'representative' Anglican-Roman Catholic body. ARClC-I in fact became an expert drafting body dealing with the central *theological* issues and an overall steering commission was never established. Where then are pastoral, ecumenical issues dealt with today? Only by means of a small *ad hoc* series of 'informal' talks. A study of the membership of ARCIC-I and II raises important questions about the strategy and tactics of ecumenical commissions.

METHOD

5. It would be tedious in the extreme to document the progress of all the Agreed Statements[4]. But the ARCIC Agreed Statements can be used

---

3. Some such arrangement is in fact now being considered after the meeting between Pope John Paul II and Archbishop George Carey in Rome, December 1996.

4. In the *Final Report*, as originally published, there is appendix material on how each Agreed Statement was drafted.

to illustrate important aspects of an ARCIC method. I do not claim the ARCIC method is exclusive to ARCIC, indeed I would expect to find similar methods in all good ecumenical dialogues. Most notably, ARCIC rarely set confessional positions side by side: the Roman Catholic position is...; the Anglican position is.... This is never the case in the work on eucharist and ministry. And only in a limited and narrow sense in the work on authority. Even where particular, specific Roman Catholic claims are cited, for example about the universal ministry of the Bishop of Rome as understood by Vatican I, these usually are expressed *jointly* by Anglicans and Roman Catholics together. This refusal to set out 'divided' agreed statements has often puzzled both Anglican and Roman Catholic critics of the ARCIC Agreed Statements. They consider it the job of an ecumenical commission to state the *differences* between the communions. But *this* approach usually presupposes that we know definitely what these differences are *before* a dialogue. And thus this approach presupposes we *accept* the polemicised half-truths and misunderstandings from our divided communal past in which each tells the 'story' of the other *in absentia* and in which genuine differences of emphasis are exaggerated to the extent that they become communion dividing. Such a demand to state the *differences* between Churches is inimical to the fundamental ecumenical thesis that what Christians have in common is more important than what divides them.

6. So it was that ARCIC always approached a potentially divisive subject from the perspective of what could be said *in common*. In most cases it discovered that what remained over once this exercise had been achieved was a difference of emphasis, spirituality, theology – but hardly of doctrine or of faith. ARCIC, as a Commission, very rarely indeed met denominationally separately. I can remember only once in 15 years as its Anglican Co-Secretary when Anglican and Roman Catholic sides met separately. So what was said about a doctrine of one Church was heard by all. And the discussions were rarely denominational. More often than not there would be more than one Anglican emphasis: and just as often there would be more than one Roman Catholic voice. Anglicans of catholic or evangelical tradition would make their distinctive emphases. So also would Jesuit and Dominican theologians. But there is more to be said about this. Why did ARCIC rarely meet or speak separately? Because it became over the years a stable and trusting group of Christian friends, dedicated to the restoration of communion. ARCIC was once allegedly criticised by a distinguished curialist for being an ecumenical 'club'. In a sense it was. A 'club' – at

least in English culture – is *not* a secret society dedicated to the overthrow of a regime. Rather it is a group of people, not necessarily like-minded, and certainly not necessarily of one discipline or profession, but having sufficient common purpose and goals to cohere as an 'extended family'. In this sense ARCIC-I could have been described as an ecumenical club. Friendship was essential and led to mutual understanding and trust. When at an early meeting at Windsor Castle a high Anglican gave an elaborate paper on a modern philosophical interpretation of human and sacramental presence, the evangelical Julian Charley felt ill at ease with both the language and concepts of the paper. A certain Dominican theologian – who might be described as being an evangelical Roman Catholic – heard Julian's anxieties and relieved him considerably by stating that he frankly shared them. Thus began a long-lasting friendship between Jean Tillard and Julian Charley which was to be such a fruitful theological partnership for many years. There were many other friendships. And ARCIC's manner of working encouraged this. As well as full commission meetings there were (and are) regular sub-commission meetings. These sometimes involved a large number of members of the Commission. In this way many people were involved in preparatory texts; thus assisting their ownership by the whole Commission. But there were also regular 'drafting' groups, often six people and no more. Such meetings often took place at the Co-Chairman's houses. During the time of ARCIC-I, Bishop Alan Clark (Roman Catholic Co-Chairman) made his home at Poringland, Norwich, available to members of the Commission. The practice continues under Bishop Mark Santer of Birmingham (Anglican Co-Chairman) and Bishop Cormac Murphy O'Connor (Roman Catholic Co-Chairman). If in someone's home as a guest you hear an unacceptable theological statement you don't anathematize the speaker but ask them *what they mean*. In the explanation of the meaning of a particular theological language used by one Christian tradition ecumenical understanding flourishes and unfamiliar or uncongenial language is related to more familiar and acceptable understandings of Christianity.

7. There is another related aspect of ARCIC's way of working which needs to be emphasised. Each day an office is said together and/or the eucharist celebrated; the official rules of sacramental communion always being duly observed. The *experience* of attending but not yet fully participating in each other's eucharist on a daily basis over many years explains why ARCIC-I was so convinced that it did have a real agreement upon the eucharist and the ordained ministry. The degree of communion already

shared in such joint worship is high. And it is within such spiritual communion already shared that ARCIC learnt to trust that different emphases
as between Anglicans and Roman Catholics were no more indicative of
wrong faith than differing emphases within a single communion.

8. My second series of observations about method was foundationally
documented in the original Common Declaration of Pope Paul VI
and Michael Ramsey (1966) and has also been endorsed by the present
Pope. In an important speech about the method of ARCIC delivered to
ARCIC-I (1980) at Castelgandolfo in the year before the completion of
its *Final Report*, John Paul II said:

> I greet you with honour, veterans, seasoned workers in a great cause – that
> unity for which Christ prayed so solemnly on the eve of his sacrificial
> death. We know that this cause is the responsibility of all who are commit-
> ted to Christ (cf. Decree on Ecumenism, n. 5). It can be served in many
> ways; the way assigned to you by the Common Declaration of Paul VI and
> Archbishop Michael Ramsey was that of 'serious theological dialogue
> based on the Scriptures and on the ancient common Tradition'. You see
> that the very words of this programme are revealing. Unity is a gift of our
> Lord and saviour, the founder of the Church. Although it was marred by
> the sin of men, it was never entirely lost. We have a common treasure,
> which we must recover and in the fullness of which we must share, not
> losing certain characteristic qualities and gifts which have been ours even
> in our divided state. Your method has been to go behind the habit of
> thought and expression born and nourished in enmity and controversy, to
> scrutinise together the great common treasure, to clothe it in a language at
> once traditional and expressive of the insights of an age which no longer
> glories in strife but seeks to come together in listening to the quiet voice
> of the Spirit[5].

It is no great secret that the text of this address was drafted by the
late Mgr. Bill Purdy (Co-Secretary of ARCIC-I). The exquisite English
would almost give away its author. But its significance is that the Pope
accepted and delivered this speech to the members of the Commission.

9. Central to this endorsement of the ARCIC method is the repetition
of the original mandate of Michael Ramsey and Paul VI. Dialogue is
based on the Scriptures and the ancient common Tradition. This sup-
poses not only that the Scriptures are central to this ecumenical dialogue
but also that there is already a *common* Tradition. Already there is some
recognition of identity here between present day Anglicanism and the

---

5. Cited in Edward YARNOLD, S.J., *They are in Earnest. Christian unity in statements
of Paul VI, John Paul I, John Paul II*, St Paul Publications, 1982.

ancient *Ecclesia Anglicana*. There is thus a presupposition in the original mandate that communion and continuity with the ancient Church were not entirely lost at the English Reformation. Communion (in this case with the past) has not been completely destroyed. ARCIC-I and II has acted upon this presupposition. It has been an essential part of its method. Occasionally ARCIC's critics have been in essence objecting to its original mandate in objecting to its method. The second emphasis the present Pope makes is on ARCIC going 'behind' terms and expressions which came into being or were specially emphasised in controversy. It now seems to be accepted that the composite drafters of the CDF's Response to ARCIC had hardly understood this methodology and were seeking the familiar identity and security of Counter Reformation terminology. It is more than a pity that there was not a better collaboration with their curial colleagues in the Pontifical Council for Unity. The wisdom of avoiding, if at all possible, the neuralgic terms of 16th century controversy has again been well illustrated by the publication of ARCIC-II's *Clarifications* (1993). The CDF asked ARCIC about the 'propitiatory nature of the eucharist sacrifice'. ARCIC-II with the help of drafters from ARCIC-I attempted to respond to this request, although going against the normal ARCIC methodology of going behind the language of the 16th century. Despite the fact that the Tridentine use of the term 'propitiation' was carefully nuanced and can legitimately be read as meaning 'intercede' rather than 'placate', and the fact that the term is never used in catholic theology of the eucharist as independent of the cross, many Anglicans, not only evangelicals, have been disturbed by the re-introduction of a term which 16th century Anglicanism applied only to the Cross and never to the eucharist. The occasional Anglican use of 'propitiation' of the eucharist in the 17th century has not yet convinced these Anglicans that there can be a legitimate use of the word 'propitiate' of the eucharistic memorial of the unique sacrifice of Christ which does not in some way threaten or qualify the propitiatory value of the Cross itself: the last thing catholic use of the term would wish to do! So a cautionary tale about ARCIC methodology, or about ARCIC not following its own methodology.

10. My final observation on the ARCIC methodology relates to the nature of the agreement ARCIC has claimed to achieve. The term 'substantial agreement' has been questioned. What does 'substantial agreement' really mean? Is it ambiguous? I do not propose to try and elaborate an epistemological answer to the (admittedly serious) questions raised here and also in relation to 'going behind' certain theological

language of a particular past tradition. Nevertheless the following points would need to be addressed in such a discussion. Can a single meaning exist – almost as a platonic 'form' – externally (so to speak) to a particular theological or philosophical expression? Are not meaning and articulation so closely related that a change of expression must also mean a change in substantive meaning? *Conversely*, can any truth be fully expressed in words or formulae without remainder? Is there not a greater and more mysterious truth of which *particular* expressions and formulations are but facets and partial glimpses? The ecumenical task for the future will continue to relate to these issues, which will become more prominent as the question of the cultural pluriformity of Christianity inescapably comes to the fore.

Gospel and culture questions have always faced the Church. The meaning of eschatology and the Christ event came sharply into focus as the Church came out of a New Testament Semitic culture into the Graeco-Roman, Hellenistic, world of the Patristic era. This change required *new* language and raised questions of the continuity of meaning between N.T. language and later creedal orthodoxy. So also today the more we take seriously – as we must – the fact that the Christian Church exists in Europe, Asia, Africa, the New World, the Pacific, the more issues of meaning, culture and language must be faced. It is against this grand but daunting scenario that we have to place the specific ARCIC and ecumenical questions of meaning and language. The logic of questioning the possibility of going behind particular terminology, or of questioning the achievement of 'substantial agreement' without identity of language leads inescapably to the view that there is only one classical dogmatic language possible for Christians: that which emerged in the period of the classical European Christendom period. This is, of course, arguable. It fits in with some post-modernist philosophical thought in which all systems have an inner logic, meaning and coherence but there is no possibility of interrelating different systems of thought, cultural traditions or philosophies. But then we are left with totally water-tight compartments of separate meaning. With such a view there must either be *one* master Christian culture, or a series of quite *independent* Christian cultures. Neither of these stark alternatives seems right. Nor does this scenario accord with the conviction of the Church through the ages that the Christ of the New Testament is the same Christ as the creeds, and the same Christ as the Church today.

We shall not solve these problems here. But they are raised by the nature of ecumenical agreements in general and the ARCIC texts in particular, and even more significantly by Christian cultural pluriformity.

11. What is clear however is that two recent Popes have endorsed the principle of method which looks to substantial (but not identical) agreement as a legitimate goal of dialogue. John XXIII's original (Italian) draft for his famous opening speech to the Second Vatican Council is well known, even if the official Latin version is weaker than Pope John's original draft: "the substance of the ancient doctrine of the faith is one thing, and the way in which it is presented is another". Even less ambiguous, and in a clear ecumenical context is the remarkable text of Pope John Paul II and the Syrian Orthodox Patriarch Zakka I (1984). Speaking of the division between the Chalcedonian and Oriental Orthodox Churches they said together:

> The confusion and schisms that occurred between (their) Churches in the later centuries... in no way affect or touch the substance of their faith, since these arose only because of differences in terminology and culture and in the various formulae adopted by different theological schools to express the same matter.

If the formulae of an Ecumenical Council such as Chalcedon can be qualified in this way, and in absolutely central areas of faith such as Christology which touch on the *identity* of separated ecclesial communities, then Reformation and later issues between Anglicans and Roman Catholics must also be ultimately resolvable in the way ARCIC deemed possible[6].

RECEPTION

12. In one paper it is impossible to do justice to the complexity of the reception process of ARCIC (I shall concentrate here on ARCIC-I), even within the Anglican Communion. The Roman Catholic reception of ARCIC is in one sense simpler – we can look at the Vatican *Observations* of 1982 and especially the *Response* of 1991. But what of the many responses by Episcopal Conferences which were sent to Rome at the official invitation of Cardinal Willebrands as President of the Council for Promoting Christian Unity? Some were published, before Conferences were requested not to publish them before being sent to Rome. A summary was made of these responses in preparation for the official Vatican response. But it only had significance for the Pontifical Council

---

6. For two perceptive comments on the above methodological issues cf. Edward YARNOLD, *Roman Catholic responses to ARCIC-I and II*, and *Anglican-Roman Catholic Consultation in the USA: Agreed Statement on the Lambeth and Vatican Responses to ARCIC-I*, both in *Anglicans and Roman Catholics: The Search for Unity*, eds. C. HILL and E. YARNOLD, SPCK, 1994.

of Unity and was not taken into account by the CDF or its consultors. Here is an illustration *not only* of a difference of theological method within the Roman Curia but also of the tension between an understanding of the Church as *local* or *universal*; or rather of how the local and universal *relate* in a balanced ecclesiology of *communio*. Anglicans – with their Reformation inheritance of 'national' churches may well have stressed the local/provincial church too much in the past. But is the centralisation of the 19th and 20th century Papacy also not imbalanced? Has the universal been stressed too much at the expense of the local? This is a question an Anglican must politely ask; just as a Roman Catholic must also ask questions of Anglicans about 'provincial independence'.

13. The official Anglican responses to ARCIC-I can be seen at two levels. By 1987 (five years after the publication of the *Final Report*) 19 out of the 29 (national) Provinces of the Anglican Communion had sent synodical (or other official) responses to the Anglican Communion Secretariat. These were described and summarised in 1987 in an official preparatory document for the Lambeth Conference of Bishops which met in 1988. It is well known that the Lambeth Conference declared that ARCIC-I's work on the eucharist and on the ordained ministry, as contained in the *Final Report*, was "consonant in substance with the faith of Anglicans". And that it welcomed the work on authority:

> as a firm basis for the direction and agenda of the continuing dialogue on authority and wishes to encourage ARCIC-II to continue to explore the basis in Scripture and Tradition of the concept of an universal primacy, in conjunction with collegiality, as an instrument of unity, the character of such a primacy in practice, and to draw upon the experience of other Christian Churches in exercising primacy, collegiality and conciliarity[7].

This is both a very positive and a very nuanced resolution. It echoes the original mandate in its reference to Scripture and Tradition; it links universal primacy inseparably with collegiality and conciliarity. It refers to other churches, no doubt especially the Orthodox. It defines the purpose of primacy as an instrument of unity. But there is reference to the actual practice of the primacy – anticipating the important recent lecture by Archbishop James Quinn to which I shall refer later.

14. The draft Resolution was sharply contested by a small minority. The opposition to this 'evangelical' minority was led by the equally 'evangelical' Bishop of Bath and Wells – now the Archbishop of Canterbury

---

7. Lambeth Conference 1988: Resolution 8.

– who successfully saw off the minority of sincere but anti-ARCIC Anglicans. So the Resolution was *not* passed 'on the nod'. But what 'weight' should we give to this Resolution? It has often been said that resolutions of Lambeth Conferences have no more tha consultative force. This is technically true. If you want juridical responses to ARCIC you must look at the responses of the national Synods. (The mirror opposite of the Roman Catholic juridical position). But it is not true to think of the Lambeth Conference Resolution on ARCIC as quite without juridical weight or significance. While it is true that most Lambeth Conference resolutions could only have juridical force if accepted later by individual Provincial Churches, considerable official thought had already been given as to how the ARCIC *Final Report* should be 'received' within the Anglican Communion. In preparation for the Lambeth Conference the Anglican Consultative Council had asked all the Provinces for their official views on the *Final Report* and asked specifically whether the work on eucharist and ministry "was consonant in substance with the faith of Anglicans" and whether (the work on authority) "provided a sufficient basis for the next step forward"[8]. So the Provincial responses provided the basis for the bishops to discern the official consensus of the Anglican Communion. Resolution 8 has thus considerably more than 'consultative' significance. And it is an interesting example of a complex process of listening to the official decisions of Provincial Churches before the formulation of a wider judgement on behalf of the whole Communion. Thus the reception of ARCIC by the Provincial Churches and the Lambeth Conference is itself a *development* of the decision making process of the Anglican Communion; a development away from a purely Provincial autonomy towards an interactive decision between local and universal expressions of the Church.

15. What of less explicit reception? Archbishop Michael Ramsey, commenting in 1971 on the publication of the very first Agreed Statement, *Eucharistic Doctrine*, said that he hoped that it would eventually become catechetical material for the two Churches. That would indeed be reception in the fullest sense. To a limited extent this has happened, especially in relation to *Eucharistic Doctrine* and *Ministry and Ordination*. These documents are almost invariably referred to today in Anglican circles whenever the eucharist and ordained ministry are discussed. I take a recent quite random example. A short article appeared recently in the *Expository Times* on the purpose of the Church. It was not startlingly

8. ACC, Newcastle, 1981.

new but a useful summary of the position of the Parish Church in the Church of England in a secularised society. Reference was made in passing to priesthood and ARCIC was referred to. In more official documents, for example the important Church of England document *The Priesthood of the Ordained Ministry*[9] the influence of ARCIC is abundant and acknowledged. A forthcoming paper by the House of Bishops of the Church of England (not yet published) on the Presidency of the Eucharist will also show not only compatibility with ARCIC but also that ARCIC thinking on the priesthood of the ministry is becoming fully part of Anglican identity.

16. This may sound optimistic as there is another side to the picture. There is something of a revival of 'Reformation' polemics in some quarters of Anglican evangelicalism. And people in such a tradition still remain very suspicious of the ARCIC statements. I have already referred to the hesitations about *Clarifications*. But there is a more subtle negative. The very widespread perception that the Roman Catholic Church is now in ecumenical 'retreat' has to some extent marginalised the relevance of the ARCIC documents. Because many believe that for the foreseeable future the Roman Catholic Church is not likely to advance ecumenically at an official level people are less interested in the ARCIC Agreements. There is a danger that they will be regarded as significant 'might-have-beens'; even as we must now see the Malines Conversations, visionary but out of touch with the real world of practical ecclesiastical politics.

ARCIC's Significance; Anglican Identity

17. Paradoxically, although substantial agreement was not claimed for its work on authority, ARCIC has, I believe, significantly begun to develop Anglican identity. Before ARCIC the notion that Anglicans could talk calmly about agreement in faith with the Roman Catholic Church and about the possible reintegration of universal Primacy was rare and only found among Anglo-Catholics. The original Anglican conversationalists at Malines, though not all alike, were very much in a minority in even being able to think about universal Primacy as an Anglican possibility. Today ARCIC has not convinced everybody for there are still some Anglicans who react like Luther to the Papacy. But it is now *mainstream* to talk about a potential universal Primacy balanced by con-

9. Faith and Order Advisory Group of the General Synod of the Church of England 1986.

ciliarity and collegiality, as an Anglican possibility. ARCIC has actually affected Anglican identity in a most significant way. Archbishop Robert Runcie addressed the General Synod of the Church of England in 1989 on his return from his meeting with Pope John Paul II. He referred to the words he directly addressed to the Pope on the Primatial ministry these I will quote first as the background to the Archbishop's address to Synod:

> At the same time from our dialogue with the Roman Catholic Church ... We are also discovering the need for wider bonds of affection. Gregory's example of a primacy for the sake of unity and mission – which we also see embodied in the ministry of his successor, John Paul II – is beginning to find a place in Anglican thinking ... But for the Universal Church I renew the plea I made at the Lambeth Conference: could not all Christians come to reconsider the kind of Primacy the bishop of Rome exercised within the early Church, a 'presidency in love' for the sake of the unity of the Churches in the diversity of their mission.

On this he said in Synod:

> We also touched on my words, about an 'ecumenical primacy' for the Universal church. This is a new thing for a Pope to consider. It was also raised during his recent visit to Scandinavia by the Lutheran bishops. He was fascinated that other Christians should be looking to the Bishop of Rome for this ecumenical leadership. It must be for ARCIC to continue to explore how future ministry can best be served by what I call the recovery of an earlier Primacy. I was looking for a Primacy to serve mission and unity rather than an office dependent on ultra-montaine centralisation[10].

That was in 1989[11]. The Pope's reported 'fascination' with the idea of an 'ecumenical primacy' was no invention of Robert Runcie. Last year we saw the publication of the Pope's letter *Ut Unum Sint* and in it the question of an ecumenical primacy comes to the fore[12] and other Churches are invited to make their contribution to and criticism of the office of universal Primate. It has now become the subject of wider ecumenical study through the Faith and Order Commission of the World Council of Churches[13].

18. I do not think it is too much to claim that the ARCIC discussion of authority has been a major catalyst for this openness to an ecumenical

10. For both texts see *One in Hope*, CTS, London, 1989.

11. To these texts we must now add all those published on the recent visit of the present Archbishop of Canterbury to the Pope, already referred to.

12. Paras, 88ff.

13. Cf. *Confessing the One faith to God's Glory*, in T.F. BEST and G. GASSMANN (eds.), *On the Way to Fuller Koinonia. Official Report of the Fifth World Conference on Faith and Order* (Faith and Order Paper, 166), Geneva, 1994, pp. 277-282.

vision of the universal Primacy. If this is true, it is a most significant example of reception. But with an open ecumenical discussion of the Primacy comes another question. It has recently been put gently but very effectively by Archbishop John Quinn, until last year Archbishop of San Francisco, in a lecture at the centennial of Campion Hall, Oxford, on the feast of Peter and Paul. Archbishop Quinn stressed that the relation between the bishops and the Pope was not only a matter of *personal* collegiality but what he also called *structural* collegiality. The Roman Curia was seen "as exercising oversight and authority over the College of Bishops". Quinn takes up the ecumenical discussion of the Primacy invited by the Pope. He remarks perceptively:

> Yet many Orthodox and other Christians are hesitant about full communion with the Holy See not so much because they see some doctrinal issues as unsolvable, not because of unfortunate and reprehensible historical events, but precisely because of the way issues are dealt with by the Curia[14].

Alongside issues to do with authority, Scripture and Tradition, I believe Archbishop Quinn's call for an examination of 'centralisation' versus subsidiarity is also an essential part of the ecumenical agenda. How does an ecclesiology of *communio* actually work when there is an equilibrium between local and universal? And how can it work at all if there is not? This is the nuanced agenda of the Lambeth Conference when it speaks of "collegiality" and "the character of ... primacy in practice".

This is not the first time such things have been said here in Malines. In 1925 at the penultimate Malines Conversation Cardinal Mercier delivered the famous paper, drafted by Dom Lambert Beauduin, *L'Église anglicane unie non absorbée*. Some of its detail and ethos today seem quite out of place: the stress on the Pallium; and especially the lack of seriousness about the English Roman Catholic tradition. Nevertheless the substantive question remains as relevant as ever. It is clearly expressed in the concluding words of his paper: it is the same question as that raised by the Lambeth Conference and by Archbishop Quinn.

> What will Rome think of this plan? It is clear that it suggests a principle of decentralisation which is not in accordance with the actual tendencies of the Roman Curia, a principle that could have other applications. Would it not be a good and a great good? Yet would Rome be of this opinion. Nothing can allow us to foresee what would be the answer.

---

14. The full text of Archbishop Quinn's lecture has not yet been published, extracts in an interview can be found in *The Tablet* 6th July 1996. But see J.R. QUINN, *The Claims of the Primacy and the Costly Call to Unity*, in *Briefing* 26 (1996, nr. 8) 18-29.

THE ORDINATION OF WOMEN TO THE PRIESTHOOD

19. Two opposite views may be taken about the relation between the ordination of women to the presbyterate (and now episcopate) and the work of ARCIC. On the one hand it is still possible to argue that this is a separate and distinct question unaffecting the work of ARCIC. Today this sounds bland. As can the words of ARCIC in 1979 which believed:

> that the principles upon which its doctrinal agreement rests are not affected by such ordinations; for it was concerned with the origin and nature of the ordained ministry and not with the question of who can or cannot be ordained. Objections, however substantial, to the ordination of women are of a different kind from objections raised in the past about the validity of Anglican Orders.

All this remains technically, theologically true. And yet it is not possible to separate issues quite so easily in real life. The fundamental official objection of the Roman Catholic Church to the ordination of women to the presbyterate (and episcopate) is that the Church has *no power* to authorise such a development. Questions are therefore raised in the area of authority, Scripture and Tradition and theological method. There are also important related issues to do with eucharistic presidency. In what sense does the priest speak and act in the eucharist '*in persona Christi*'? Does this representational role have to be enacted by a male priest or can Christ's risen and ascended High Priesthood be represented by an ordained woman as well as a man? The *effect* of the ordination of women on ARCIC is to take the question of the reconciliation of ministries out of the realm of immediate possibilities. Issues to do with the concerns of *Apostolicae Curae* are now at least in principle resolvable. Cardinal Cassidy's letter[15] to the Archbishop of Canterbury indicates that "no further study would seem to be required at this stage" on the areas of eucharist and ministry. Nevertheless, the question of the ordination of women is so sensitive and raises so many *other* questions that the issues raised a century ago by *Apostolicae Curae* become more academic[16].

CONCLUSION

20. Perhaps this is no bad thing. It would *probably* have been a mistake to rush forward towards the reconciliation of ministries in advance of closer pastoral relations on the ground and further agreement on

---

15. March, 1994.

16. Though not without fascination. An English version of all the vota and official summary, with other documentation is to be published in 1997, *The Documents in the Debate*, eds. Christopher Hill and Edward Yarnold SJ, Canterbury Press, Norwich.

authority and the nature of the Church. Though a dramatic reconciliation of ministries would have been psychologically satisfying to ecumenists, would it have been ecclesiologically proper, in advance of the reconciliation of Churches? The Bonn Agreement between Anglicans and Old Catholics in 1931 remains a cautionary tale. Then there was a mutual recognition of ministries, but no real reconciliation of the life of the Churches. The result was a 'paper communion', technically correct but far from real ecclesial unity, communion and reconciliation which must be the aim of the Ecumenical Movement. ARClC-I and ARCIC II – so far – represents essential Foundational Chapters. But there is more work to be done, pastorally on the ground and theologically in terms of authority, Scripture and *living* Tradition – and also on the practical implications of the Primacy. A century after *Apostolicae Curae* and seventy years after the end of the Malines Conversations there is still much work to be done. But we must not allow the work done so far to disappear into the sands. *Provisionally* speaking we *have* achieved sufficient agreement (I do not now use the disputed word 'substantial'), sufficient agreement on eucharist, ministry, grace and justification and on the Church as communion. A very important foundation has been laid. But there remain issues to do with doctrinal development and authority. How does the Church today articulate a Tradition which is in true apostolic continuity but also points to the living Christ who is the Omega as well as the Alpha of history? And what are the practical implications of a Primacy when detached from monolithic centralisation and unhelpful practice and intervention? Here are major matters for examination with wider ecumenical relevance. Other ecumenical partners will need to be consulted about them. But the major enemy is a kind of ecumenical *accidie*; a failing of the spirit. One hundred years ago Halifax and Portal did not despair when *Apostolicae Curae* was promulgated. Twenty-five years later they went on with Cardinal Mercier to initiate the Malines Conversations. Today, the context of Anglican-Roman Catholic relations is infinitely more positive. If there is an apparent set-back or hesitation, today must be seen as a privileged special time for strategic reflection and renewed ecumenical commitment to a fuller, broader and lasting series of agreements which will enable full ecclesial reconciliation: in which both Anglicans and Roman Catholics, together with other Christians, will have a better vision of what it is to be the Church of Christ, both locally and universally.

Ash Garth, 6 Broughton Crescent   Christopher HILL
Barlaston   Bishop of Stafford
Stoke-on-Trent ST12 9DD
England

10

FAIRE ÉMERGER LA COMMUNION
L'OPTION DE L'ARCIC-I

Ce n'est pas sur un exposé détaillé des diverses conclusions des documents de l'ARCIC que nous nous attarderons dans cette rapide étude. D'une part, cela exigerait plus d'espace que celui qui nous est alloué en ce colloque. D'autre part, et surtout, nous risquerions de laisser dans l'ombre les grandes options autour desquelles, de Windsor 1970 à Windsor 1981 puis dans la deuxième phase de sa recherche, l'ARCIC a structuré sa réflexion. Nous avons souvent dit que le défaut majeur de certaines lectures sévères du *Final Report* fut précisément de se fixer sur les détails, sans prendre le recul suffisant pour saisir l'œuvre dans son ensemble. De même qu'on ne comprend une toile d'impressionniste qu'en la contemplant d'un seul regard, et non pas en collant ses yeux sur chaque tache de couleur, on ne peut juger équitablement le *Final Report* qu'en le lisant dans la totalité de ce que nous aimons appeler la certitude profonde qui habitait les membres de l'ARCIC-I. Une certitude née de la rencontre entre une réflexion théologique exigeante, une amitié vraie, une prière de pauvreté. Car c'est à cause de cette rencontre que ceux qui en janvier 1970 avaient quitté Windsor remplis d'inquiétude – surtout après le regard perçant, implacable, que le *paper* de Henry Chadwick avait porté sur le lien entre vérité et autorité dans chacune des deux Églises – quittèrent ce même château de Windsor en septembre 1981 sûrs d'avoir découvert l'unité «substantielle» que les blessures du passé avaient occultée, sans la détruire.

Ce sont ces grandes options que nous tâcherons ici de dégager, sans nous laisser entraîner dans le dédale des analyses de détail. Tout nous y incite. L'ARCIC-II, surtout dans sa seconde phase, est demeurée pour l'essentiel fidèle aux mêmes perspectives qu'il est bon de préciser au moment où ses discussions sur l'autorité arrivent à terme. En outre, l'anniversaire des Conversations de Malines fournit l'occasion, providentielle, de situer l'ARCIC sur le long processus qui va du verdict romain de septembre 1896 (*Apostolicae Curae*) à la décision anglicane de Lambeth 1988 sur l'ordination des femmes. Deux prises de position cruciales qu'on croirait être deux crans d'arrêt. Et pourtant, notre présence en ce lieu (après 1896, 1926, 1988) prouve que la volonté de communion est pour anglicans et catholiques un impératif qu'aucun obstacle ne parvient à bloquer. Parmi les notes personnelles que nous avions glissées dans le dossier constitué pour préparer la première réunion de l'ARCIC – celle de janvier 1970, à Windsor – se trouvait le texte suivant, par lequel André Paul concluait, en 1930, sa présentation des Conversations de Malines:

> Une parole bien grave a été prononcée lors de la réunion des Églises d'Écosse (2 octobre 1929) par le dernier Archevêque de Canterbury, Lord Davidson[1]: «Nous avons longtemps cherché l'unité de l'Église en nous tournant vers le catholicisme romain. Maintenant c'est fini. C'est vers nos frères protestants que nous voulons nous tourner à l'avenir»[2].

Mortalium animos de Pie XI (6 janvier 1928), l'annonce par *l'Osservatore romano* (21 janvier 1928) qu'il n'y aurait plus de «Conversations de Malines»[3], les coups bas du cardinal Merry del Val et de ses amis, la croissante discrétion du cardinal Gasparri lui-même au sujet de l'importance de ces réunions qu'il avait pourtant encouragées[4], avaient conduit à cette déclaration désabusée. Pourtant l'ARCIC allait commencer, et malgré Lambeth 88, l'ARCIC dure...

Qu'on nous permette une confidence. C'est en tête du dossier de Porvoo et du Concordat que nous avons maintenant placé ce texte, troublant, de l'Archevêque Davidson. On devine pourquoi, et avec quelle inquiétude. Car sous ce nouveau projet – impliquant beaucoup plus que ce qu'on pense spontanément – il nous arrive d'entendre, en nos moments de déprime œcuménique, comme un écho de la parole de l'Archevêque Davidson, en sachant que les responsabilités sont partagées.

I. VISION FONDAMENTALE ET MÉTHODE DE L'ARCIC

1. *Influence de Malines*

Mise à part l'allusion fréquente à la petite phrase «l'Église anglicane unie non absorbée» et aux remous dus à la lecture par le cardinal Mercier, lors de la quatrième conversation (19 et 20 mai 1925), du long

---

1. Celui-là même qui avait été impliqué dans l'appel de Lambeth 1920 et les Conversations de Malines. Il avait été l'Archevêque de Canterbury de 1903 à 1928.
2. André PAUL, *L'unité chrétienne. Schismes et rapprochements* (Christianisme, dirigée par P.L. Couchoud), Paris, 1930, p. 283. Il renvoie à L. DE SAINT ANDRÉ, *Christianisme* du 31 octobre 1929, p. 813.
3. Voir J.A. DICK, *The Malines Conversations Revisited* (BETL, 85), Leuven, 1989, p. 179.
4. Voir R.J. LAHEY, *The Origins and Approval of the Malines Conversations*, dans *Church History* 43 (1974) 366-384, p. 384 note 93.

document qui en explicitait le sens[5], les Conversations de Malines ont été rarement évoquées durant les sessions de l'ARCIC-I. Certes, avec son sens des gestes symboliques, Paul VI lui-même, en mars 1966, passant aux doigts de l'Archevêque Ramsey son anneau d'archevêque de Milan[6] pour renouer avec le geste du cardinal Mercier en son suprême adieu à son ami Lord Halifax[7], avait signifié que l'ARCIC s'inscrirait dans le climat de communion profonde qui avait inspiré au moins les acteurs principaux des rencontres de Malines. De plus, nul n'ignorait – Montini moins que d'autres[8] – qu'entre 1925 et l'ouverture du concile du Vatican II, à plusieurs reprises, des dialogues entre catholiques et anglicans avaient été ébauchés, trop fragiles pour durer. Mais les membres de l'ARCIC-I voulaient construire essentiellement sur les bases ecclésiologiques fermement établies par le concile et dans lesquelles les intuitions des rares documents issus de Malines se trouvaient assumées. Les coïncidences n'en seront que plus significatives.

2. *Recherche de l'unité substantielle*

a. Une conviction de base qui, surtout après la mise au point définitive de l'accord de Windsor sur l'Eucharistie (1971), devint presque une évidence pour la quasi totalité des membres et même de ceux qui au départ se montraient les plus sceptiques, domina tout le travail. Sous les gravats des séparations canoniques, des polémiques doctrinales, des excommunications mutuelles, des agressivités exacerbées par des siècles de polémique, des suspicions que l'opposition de Merry del Val et de ses amis

5. Texte dans J.A. DICK (n. 3), pp. 217-225. Pour les remous, voir H. HEMMER, *Monsieur Portal, prêtre de la Mission (1855-1926)*, Paris, 1947, pp. 201-203; J.A. DICK, pp. 185-190. Pour sa portée, voir S.A. QUITSLUND, *United not Absorbed, Does it Still Make Sense?*, dans *Journ. of Ecum. Studies* 8 (1971) 255-285.
6. Sur tout le contexte, voir W. PURDY, *The Search for Unity*, London, 1996, pp. 89-98 (96). Il est regrettable que l'on n'ait publié qu'un abrégé de cet ouvrage (posthume) de Monseigneur Purdy. Des points importants sont ainsi passés sous silence. On passe vite sur les réunions de Poringland (p. 151). Par exemple, ce qui est dit de la préparation de l'accord de Windsor (1971) ne tient pas compte de plusieurs éléments, s'attardant outre mesure sur la sous-commission d'Oxford et n'analysant pas les discussions de Poringland où tout prit forme. De plus, les vraies sources de la distinction entre «les deux registres du sacerdoce» (p. 171), qui joua un grand rôle dans les discussions de la commission, ne sont pas indiquées. Rien n'est dit du travail qui a préparé les *Élucidations*, et où divers *ARC* nationaux (par exemple celle du Canada) ont été impliquées. On semble avoir opté pour les circonstances historiques ignorées et les intrigues autour des documents et abrégé ce qui concernait la substance de ceux-ci.
7. Voir J.A. DICK (n. 3), p. 162; J. GUITTON, *Dialogue avec les précurseurs*, Paris, 1962, pp. 117-118; H. HEMMER (n. 5), pp. 208-209; E. FOUILLOUX, *Les catholiques et l'unité chrétienne du XIXe au XXe siècle*, Paris, 1982, p. 134; A. PAUL (n. 2), p. 279.
8. Voir W. PURDY (n. 6), pp. 5-6.

anglais[9] aux Conversations de Malines avaient gonflées, demeurait une unité profonde. On en vint très vite – pour Julian Charley et nous-même dès notre travail commun sur le ministère épiscopal – à parler d'une «unité substantielle» qu'exprimerait un «accord substantiel».

L'expression «unité substantielle» sera mal comprise, en particulier par certains organismes officiels. L'erreur de l'ARCIC-I aura été de ne pas l'expliquer, par un souci exagéré de concision. Car – quoiqu'on en ait pensé – elle ne voilait pas un subtil retour à la *branch theory*. C'est d'ailleurs pourquoi on tenait à préciser le but recherché en utilisant une autre expression, plus juridique, sans lien avec quelque forme de *branch theory*, l'expression «unité organique», que hélas on négligea également d'expliquer. La commission se proposait donc de faire l'«unité substantielle» toujours présente fleurir en une «unité organique». Mais dans la conjonction de ces deux expressions, c'est la première qui était à ses yeux la plus fondamentale, elle qu'il fallait d'abord dégager, mettre en relief, articuler, au prix d'une exigeante recherche.

Lors de la quatrième conversation de Malines (19 et 20 mai 1925), l'anglican Charles Gore, tablant sur les positions du groupe Anglo-Catholic[10], avait lu un rapport insistant sur une prise au sérieux du fameux canon de Vincent de Lérins: «est-il totalement impossible que, pour une réconciliation corporative avec la communion orthodoxe et la communion anglicane, l'Église romaine se borne à demander uniquement l'acceptation des articles de foi qui tombent sous la règle de saint Vincent de Lérins (*quod ubique, quod semper*), c'est-à-dire des doctrines fondamentales»[11]? Il s'en était suivi une vive discussion, enflammée par la réaction de Monseigneur Pierre Batiffol refusant toute distinction entre des articles de foi qu'on pourrait qualifier de fondamentaux et d'autres qui ne le seraient pas[12]. Or, il est clair que l'antique affirmation sur «l'unité dans le nécessaire, la liberté dans le doute», reprise par Jean

9. Surtout les jésuites Woodlock, Keating. Pour nous préparer à la première rencontre de Windsor, nous avions lu le livre de E. OLDMEADOW, *Francis Cardinal Bourne*, T. I., London, 1940, T. II, London, 1944. Il ne nous avait guère poussé à l'optimisme. Que dire du rôle indéchiffrable de d'Herbigny? Pour la *branch theory*, voir J.A. DICK (n. 3), p. 148.

10. Voir dans J.A. DICK (n. 3), p. 104, le message de l'évêque de Zanzibar concernant le *Anglo-Catholic Congress*, publié le 29 juin 1923: «We now stand for the Catholic Faith, common to East and West. [...] We stand or fall with Christ's Church, Catholic and Apostolic. And we wait patiently till the Holy Father and the Orthodox Patriarchs recognize us as of their own stock [...]. Our appeal is to the Catholic Creed, to Catholic Worship, and to Catholic Practice». Voir H. HEMMER (n. 5), pp. 184-187.

11. Texte dans W.H. FRERE, *Recollections of Malines*, addendum VII, London, 1985, pp. 110-119. Voir G.L. PRESTIGE, *The Life of Charles Gore*, London, 1935, p. 488.

12. Voir H. HEMMER (n. 5), pp. 202-203.

XXIII puis par *Gaudium et Spes*[13] et avant tout la reconnaissance par le concile d'une «hiérarchie des vérités»[14], permettaient de scruter avec un regard neuf la question posée par Charles Gore. Pourtant, dès Windsor la commission s'orienta dans une autre direction, en harmonie avec le discours d'ouverture du concile (11 octobre 1962). Jean XXIII avait alors déclaré:

> Autre est le dépôt lui-même de la foi, c'est-à-dire les vérités contenues dans notre vénérable doctrine, et autre est la forme sous laquelle ces vérités sont énoncées en leur conservant toutefois le même sens et la même portée[15].

b. L'ARCIC-I ira donc d'emblée aux points les plus brûlants du dossier de la controverse et s'appliquera à montrer comment sous des «formes» différentes (parfois divergentes) se cache une «unité substantielle» toujours présente, mais blessée. Le conflit, souvent vif, des «formes» d'expression empêche cette «unité substantielle» de se traduire en une authentique «unité organique». Selon la commission, il ne sera réglé que si l'on parvient à découvrir la vérité commune défigurée par les polémiques ou, peut-être, légitimement traduite de façon diverse[16]. Il n'est pas vain de noter que cette vision rejoignait la grande intuition du cardinal Mercier dans sa belle lettre du 6 mars 1925 à Lord Halifax:

> Il est de fait que depuis saint Augustin jusqu'au XVIe siècle, l'Église d'Angleterre n'a formé qu'un seul corps avec l'Église romaine. Au fond, aujourd'hui encore, n'est-elle pas implicitement unie à Rome? Si les consciences s'analysaient plus profondément des deux côtés de la barrière, ne trouveraient-elles pas, la grâce de Dieu les y aidant, qu'elles ont tort de se croire irréductiblement séparées? Des influences historiques, des erreurs d'interprétation, des craintes mal fondées ne peuvent-elles pas avoir créé et entretenu des divergences superficielles qui recouvrent et dérobent à la conscience profonde des vérités auxquelles on croit sans s'en rendre compte? Pour ma part, je le crois[17].

---

13. Jean XXIII, enc. *Ad Petri cathedram*, 29 juin 1959, *AAS* 55, 1959, 513; *Gaudium et Spes* 92, 2 (voir aussi *Unitatis redintegratio* 4, «unité dans ce qui est nécessaire»).

14. *Unitatis redintegratio* s'exprime ainsi: «il y a un ordre ou une 'hiérarchie' des vérités de la doctrine catholique, en raison de leur rapport différent avec les fondements de la foi chrétienne» (*UR* 11). L'un des membres de la commission, le Père Georges Tavard, était engagé dans une recherche très profonde à ce sujet.

15. *AAS* 54, 1962, 792.

16. Voir les analyses de G.R. EVANS, *Method in Ecumenical Theology*, Cambridge, 1996; ID., *The Genesis of the ARCIC Methodology*, dans ID. & M. GOURGUES (éd.), *Communion et Réunion. Mélanges Jean-Marie Roger Tillard* (BETL, 121), Leuven, 1995, pp. 125-138 (135).

17. Nous citons d'après E. FOUILLOUX, *Les catholiques et l'unité chrétienne du XIXe au XXe siècle*, Paris, 1982, pp. 135-136. Le 31 janvier 1925, Mercier a reçu le texte de dom Beauduin sur «unie non absorbée» (voir R. AUBERT, *Les Conversations de Malines. Le cardinal Mercier et le Saint-Siège*, dans *Bulletin de l'Académie Royale de Belgique*, Classe des Lettres, 5e série, 53 [1967] 87-159, p. 120).

La ressoudure visible de l'unité doit, pour être authentique, respecter l'œuvre de l'Esprit. Or, de celui-ci, la constitution *Lumen Gentium* et le décret *Unitatis redintegratio* avaient redit ce que nous appelions «le divin entêtement à préserver la *communion*, en patientant avec l'imbroglio de l'histoire et la myopie des responsables ecclésiaux»[18].

L'ARCIC-I s'appuyait donc sur les résultats de Vatican II auquel trois de ses membres anglicans – l'évêque J.R.H. Moorman, E. Fairweather et Howard Root – avaient participé comme «observateurs» et cinq de ses membres catholiques comme *periti*. Par ailleurs, c'est grâce à l'étude honnête des chapitres centraux de *Dei Verbum* et de *Lumen Gentium* que le membre anglican au départ le plus éloigné de la pensée catholique, *l'evangelical* Julian Charley qui devait jouer un rôle clé dans la suite des débats, se convainquit des implications profondes de la *Koinônia*. Nous ne pensons pas nous tromper en disant que si les Conversations de Malines furent une «réception» de l'Appel de Lambeth 1920[19], l'ARCIC s'est bâtie sur la «réception» de Vatican II par les deux groupes concernés.

3. *Options fondamentales*

Le choix de faire émerger l'«unité substantielle», latente, pour parvenir à l'«unité organique» brisée par le schisme, impliquait diverses options. Il nous paraît important d'en évoquer certaines, au regard de la situation présente.

a. Évidemment, on se situait d'emblée dans un domaine étranger à une quelconque promotion des conversions personnelles. Tout en respectant la liberté des consciences[20], la commission ne pensait qu'à la

18. Dans une de nos interventions orales à Venise (septembre 1970). Nous parlions de *stubborness of the Holy Spirit*. L'expression avait étonné, voire choqué, l'un des membres anglicans.

19. «La foi ne peut être proprement préservée, et la bataille pour le Royaume de Dieu honorablement livrée quand le corps est divisé, et ainsi rendu incapable de grandir dans la plénitude de la vie du Christ. Nous pensons que le temps est venu où tous les groupes de la chrétienté, séparés, doivent s'accorder pour oublier les faits du passé et tendre vers le but d'une Église catholique réconciliée. L'unité de la communauté entière s'accomplira grâce à une riche diversité de vie et d'engagement» (*Encyclical Letter from the Bishops with the Resolutions and Reports, [Conference of Bishops of the Anglican Communion]*, ed. 1922, 134). Sur l'influence de cet *Appeal*, voir H. HEMMER (n. 5), p. 171; J.A. DICK (n. 3), pp. 64-65; G.H. TAVARD, *Two Centuries of Ecumenism, the Search for Unity*, New York, 1960, pp. 99-101. Rappelons que le sous-comité de Lambeth 1920 sur «Relation et Réunion avec les Églises épiscopales» disait: «Si à un moment donné l'Église de Rome désire discuter des conditions en vue de la réunion, nous serons prêts à accueillir de telles discussions» (*Conference of Bishops*, ed. 1922, p. 144).

20. La présence de Monseigneur Christopher Butler, converti de l'anglicanisme au catholicisme, fut sur ce point très précieuse.

corporate reunion. Au temps des Conversations de Malines, cette question se trouvait à la source de l'opposition parfois féroce de nombreux catholiques, surtout anglais, pour lesquels la soumission des individus à la *sedes* romaine était l'unique façon d'entrer dans la communion ecclésiale[21]. Le décret *Unitatis redintegratio* (en particulier n°s 4 et 1) et la lente imprégnation des esprits par l'idéal œcuménique faisaient que l'ARCIC n'avait plus à craindre cette réaction. D'autant plus que Paul VI s'était explicitement et officiellement engagé dans le sillage du concile[22]. Comment ne pas souligner que l'actuel retour à des conversions privées est le revers d'une rampante désespérance face à de nouveaux obstacles mis sur la voie de la *corporate reunion*?

La théologie de l'Église – *communion (Koinônia)*, déjà évoquée lors de la *Joint Preparatory Commission*[23], offrait la trame sur laquelle la Commission tissait sa vision de la *corporate union*. L'ARCIC-II devait l'expliciter dans son document sur l'*Église comme communion* accueilli avec une étonnante indifférence par les milieux théologiques. Cette vision permettait pourtant de situer sur un horizon plus large la fameuse question de la *united not absorbed*[24]. Car la raison pour laquelle le *paper* lu par le cardinal Mercier avait suscité tant d'hostilité chez les catholiques anglais et une *chilly* réaction à Rome[25] était surtout le paragraphe II, 6:

> Évidemment, tous les anciens sièges historiques de l'Église anglicane seraient maintenus et les sièges catholiques nouveaux, créés depuis 1851,

21. Voir H. VAUGHAN, *The Reunion of Christendom*, London, 1894; ID., *Leo XIII and the Reunion of Christendom*, London, 1897, pp. 15-22; B. and M. PAWLEY, *Rome and Canterbury, through Four Centuries*, London, 1981, p. 293; J.A. DICK (n. 3), p. 191 («toward the end of the Malines Conversations, the issue of corporate reunion as opposed to individual conversions became the central issue among those opposed to the conversations»).

22. Que l'on compare avec la question sans cesse posée durant les Conversations de Malines: «dans quelle mesure Rome est-elle d'accord»? Voir R.J. LAHEY (n. 4), en particulier pp. 369-371, 384 note 93; noter le jugement moins optimiste de E. FOUILLOUX (n. 17), p. 131 et note 39. Voir aussi H. HEMMER (n. 5), pp. 177, 197-198; J.A. DICK (n. 3), *passim* (surtout pp. 78, 81, 92, 96, 100-101, 116, 122, 131, 147, 148, 150, 153, 156, 157, 159, 160, 162, 165, 167, 168, 171). Sur les divergences entre d'une part le cardinal Gasparri qui soutient Mercier (mais avec la prudence signalée par R.J. LAHEY (n. 4), surtout p. 384 note 93) et d'autre part le cardinal Merry del Val et ses acolythes (Woodlock, d'Herbigny, Walker, Keating, Oldmeadow, sans oublier le cardinal Gasquet) tous hostiles et camouflant toutes les marques d'approbation ou de sympathie venues de Benoît XV et de Pie XI, voir J.A. DICK (n. 3), *passim*.

23. Par Michael Richards, à Gazzada (janvier 1967). Voir W. PURDY (n. 6), pp. 103-104.

24. Texte facilement accessible dans J.A. DICK (n. 3), pp. 217-225; L. BEAUDUIN, *L'Église anglicane unie non absorbée*, Malines, 1977, pp. 11-24.

25. J.A. DICK (n. 3), p. 141 (citant S. LESLIE, *Cardinal Gasquet: A Memoir*, London, 1953, p. 255).

seraient supprimés à savoir: Westminster, Southwalk, Portsmouth, etc... Évidemment, c'est une mesure grave.

Tous les membres catholiques de l'ARCIC-I n'étaient pas d'accord avec cette proposition[26]. Or, l'ecclésiologie de *communion des Églises locales* rendait possible une solution évitant le modèle uniate. On pensait davantage à une analogie avec les grands Ordres religieux en pleine *communion* avec les Églises locales où ils œuvrent tout en gardant leurs constitutions propres, leurs traditions, la marge d'autonomie qu'appelle leur charisme particulier. *L'unité organique* s'établirait alors sur la base de cette *corporate reunion* à laquelle on apporterait la structure indispensable à une Koinônia authentique de foi, de sacrement, de ministère et de mission, respectant la diversité. Il n'y aurait donc ni absorption, ni suppression, ni dispersion.

b. La volonté de faire apparaître l'«unité substantielle» et de travailler fondamentalement à cette profondeur interdit radicalement toute concession au compromis. L'aversion pour la quête du plus petit dénominateur commun sur lequel on peut aisément s'accorder, en dissimulant les désaccords sous un langage vague et nécessairement ambigu, est demeurée l'une des caractéristiques de la recherche de l'ARCIC. Elle inspire encore l'ARCIC-II dans la difficile élaboration de son document sur l'autorité. Lorsque la réponse de la Congrégation pour la Doctrine de la Foi au *Final Report* de l'ARCIC-I jette sur ce point une ombre de suspicion, elle manifeste une incompréhension, qui a blessé plusieurs des membres anglicans. L'ARCIC n'a jamais voulu tricher avec la nécessité impérieuse de scruter à leur racine même les problèmes en cause et, ce faisant, de se montrer intransigeant sur la vérité.

D'ailleurs alors que certains groupes œcuméniques se proposaient de «combler les fossés séparant les Églises» ou de «chercher à harmoniser les différences», l'ARCIC a préféré parler d'une recherche en commun de la vérité. Ce choix est essentiel, et il faut l'expliquer. En effet, il ne s'agissait plus pour chacune des deux traditions de défendre ses positions, dans une sorte d'apologétique confessionnelle. Il s'agissait au contraire de mettre ensemble les compétences et les énergies, la complémentarité des approches, pour contempler sous tous ses angles la vérité en cause, la pénétrer jusqu'en son ultime enracinement dans la Révélation. Ceci, au point qu'on pourra confier à un anglican la présentation

---

26. Alors que dans l'une des réunions de Poringland où la question de l'épiscopat était à l'ordre du jour nous avions évoqué la décision de la *Conférence de Carthage* en 411, dont les Actes venaient d'être publiés et traduits (*Sources chrétiennes*, 194, Paris, 1972), la réaction fut dans l'ensemble assez negative.

d'un point crucial du dossier catholique, parce qu'il est le plus compétent. On ira donc en-deçà des différences, jusqu'à la racine commune qui les explique. Qu'on nous permette de citer, en nous en excusant, ce que non sans maladresse nous disions à Windsor (1970):

> Ceci implique d'abord qu'il nous faudra découvrir sous nos expressions diverses voire polémiques la «tradition» commune d'où nous venons. Car nos divergences sont enracinées dans quelque chose que nous partagions en commun et que, probablement, nous continuons de partager même sous nos propres paroles polémiques. Certaines de ces paroles ont été employées dans le but de sauver ce bien commun. Il sera donc nécessaire de découvrir ce que nous disions ensemble avant la déchirure. Peut-être serons-nous surpris de voir que nous sommes unis précisément dans les matières que nous considérons comme des «divergences doctrinales». Pour manifester cela à nos deux Églises, il sera nécessaire d'employer le vocabulaire commun qui était nôtre avant la séparation (si nous découvrons que notre foi était identique), et d'exprimer nos accords dans ces mots-là, non plus dans les mots de nos disputes polémiques[27].

Projet difficile, redisons-le. On refusait d'en demeurer au *statu quo*, à une conciliation fragile et ambiguë des positions opposées[28]. Néanmoins on refusait de rendre vain le fruit de siècles de réflexion et de vie: il devenait instrument privilégié pour découvrir certaines facettes de la vérité fondamentale, essentielle pour les deux traditions. Au terme de la recherche, chacune de celles-ci serait enrichie. Les exemples les plus clairs sont celui de la nécessaire complémentarité entre primauté et synodalité, affirmée au terme d'une longue recherche, et la relecture de la transsubstantiation. On retourne au vocabulaire d'avant la rupture, mais enrichi de ce que, dans la séparation, chaque famille a explicité de la réalité en cause, à condition que cette explicitation soit «reconnue» en harmonie avec la grande Tradition.

Une telle méthode a, évidemment, ses limites. L'ARCIC-I en prit conscience surtout dans sa discussion de l'épineux problème de l'infaillibilité pontificale. Que faire, en effet, des sujets brûlants sur lesquels la tradition commune antérieure au schisme était demeurée presque silencieuse, et que l'Église catholique a ensuite déclarés – dans la solitude – «dogmes» de foi, vérités à croire? Sur la primauté *comme telle*, sur la place de Rome au nœud de la catholicité, sur la complémentarité entre primauté et solidarité, il était possible de parvenir à un «accord

---

27. Notre intervention est citée et commentée dans G.R. EVANS, *Method* (n. 16), p. 135.
28. Julian Charley ne cessa jamais de mettre en garde à ce sujet l'ARCIC-I. On lui doit, ainsi qu'à l'attentive vigilance de Monseigneur Alan Clark, le *chairman* catholique, la rigueur des discussions. Sur ce point l'évêque Mc Adoo, chairman anglican, était lui aussi intraitable.

substantiel», après une étude approfondie du dossier historique[29]. Abstraitement, l'idée d'infaillibilité était reconnue comme plausible. Mais son application aux dogmes mariaux la rendait concrètement inacceptable aux membres anglicans, malgré la solide dévotion mariale de plusieurs d'entre eux[30]. En dépit des efforts du Père Tavard pour situer ces dogmes à leur vraie place dans la «hiérarchie des vérités», on ne parvint pas à un «accord substantiel». Toutefois, la commission tint à préciser que le désaccord ne portait pas sur l'infaillibilité comme telle mais sur son mode d'exercice. Une nuance qui n'a pas été relevée[31].

L'ARCIC-II doit affronter une situation analogue avec la question de l'ordination des femmes au sujet de laquelle la communion anglicane s'est prononcée dans la solitude. Cette fois, c'est de l'absence de procédures de la Tradition commune jamais mise en face d'une initiative concrète en ce domaine qu'il faut traiter, après la vive réaction de la *sedes* romaine.

c. En optant pour la *reconnaissance* de l'«unité substantielle» latente et non pour la *reconstitution*, par la *conciliation* des divergences confessionnelles, d'une unité brisée en sa profondeur, l'ARCIC s'inscrivait d'entrée de jeu dans la perspective du *subsistit in* (*LG* 8). On a parlé d'un a priori (dans certains milieux *evangelical*), d'une naïveté (dans certains cercles romains)[32]. Il convient donc de justifier cette décision, en filigrane sous toutes les discussions. Car là encore la Commission s'est montrée trop discrète. En fait, l'optimisme de l'ARCIC – toujours

---

29. Voir dans W. PURDY (n. 6), pp. 200-209, la discussion de ce qu'il appelle *the Tillard/Charley draft*, pour la préparation de laquelle nous avions rédigé ce qui deviendra L'évêque de Rome (qui ne paraîtra qu'en 1982).

30. Rappelons l'anecdote que J. Guitton lui-même relate dans *Dialogue avec les précurseurs. Journal œcuménique 1922-1962*, Paris, 1962, pp. 76-77, que nous citons: «(Lord Halifax) racontait: je rencontre un Évangélique qui a horreur de l'Immaculée conception. Je lui dis: «Ne croyez-vous pas que la Mère de Jésus a été dans le péché? – Dans le péché, la Mère de Jésus? Mais vous blasphémez!»

31. Il est éclairant de comparer avec la position de Lord Halifax dans sa polémique avec le jésuite Woodlock. Voir J.A. DICK (n. 3), p. 108. Voir aussi *the English Statement* au terme de la seconde conversation de Malines (14 et 15 mars 1923: «the acknowledgement of the papal See as the centre and head on earth of the Catholic Church, from which guidance should be looked for, in general, and especially in grave matters affecting the welfare of the Church as such» (*ibid*, p. 100; et Viscount HALIFAX, *The Conversations of Malines* 1921-1925, *Original Documents*, London, 1930, pp. 87-88; cf. J.A. DICK [n. 3], p. 184). Sur la réaction du jésuite Woodlock, pour qui l'infaillibilité et la suprématie du pape reposent sur la même autorité que celle qui fonde la divinité du Christ, voir J.A. DICK (n. 3), pp. 105-107, 108; J.G. LOCKHART, *Charles Lindley Viscount Halifax*, t. 2, London, 1936, p. 294.

32. Ce qui rappelle étrangement le jugement de P. Batiffol sur Monseigneur Mercier. Voir J.A. DICK (n. 3), p. 177 et surtout celui de Merry DEL VAL, *ibid*., p. 185.

vif dans l'ARCIC-II telle qu'elle est actuellement constituée – a deux sources: l'histoire de l'anglicanisme, Vatican II.

On devine, en effet, que les catholiques désignés comme membres de la Commission s'étaient empressés de se plonger dans le dossier historique et théologique de la communion anglicane. Mais alors une chose ne pouvait manquer de les frapper: la perpétuelle réémergence des aspirations catholiques, cherchant précisément à donner aux *elementa* de la grande Tradition, toujours présents, une pleine extension. Pensons aux convictions de William Laud, Nicolas Ferrar, Georges Herbert, William Wake (aux XVIIe et XVIIIe siècles) et évidemment à tout ce qui entoure ce dont les Conversations de Malines représentaient l'expression la plus connue (mouvement d'Oxford, dialogue épistolaire entre l'anglican John Rouse Bloxam et le catholique Ambrose Phillipps de Lisle)[33]. Comptent également – c'était encore le cas au temps de Malines – les préoccupations «catholicisantes» imprégnant les révisions du *Prayer Book*[34]. Il paraissait par ailleurs significatif, en cette nostalgie «catholique» (au sens large du terme), que les regards anglicans se tournent aussi vers l'Orthodoxie[35]. Plus déterminante était, évidemment, l'étude du *Chicago-Lambeth Quadrilateral*. Nous n'étions probablement pas le seul à connaître le jugement que son expérience de Malines (durant les trois dernières conversations) avait inspiré au chanoine Hemmer:

> L'anglicanisme n'est pas une orthodoxie, [...] aucun anglican individuellement, fût-il évêque, n'est en mesure de répondre de la foi des autres anglicans. Lorsqu'on affirme que l'Église anglicane enseigne, cela revient à dire que l'anglican estime que sa foi n'est pas incompatible avec la position de son Église[36].

Ces lignes nous avaient personnellement marqué. Elles restent gravées dans notre mémoire. Néanmoins, le *Quadrilateral*, dont le contenu habitait la conscience anglicane depuis 1870[37], représentait pour les membres

---

33. L'un des plus fins connaisseurs du mouvement d'Oxford, le canadien E.R. Fairweather (éditeur de *The Oxford Movement*, London – New York, 1964) était membre de l'ARCIC-I et de la commission ARC canadienne qui contribuera largement aux travaux de l'ARCIC. Sur la correspondance Bloxam et Phillipps de Lisle, nous ne connaissons que R.D. MIDDLETON, *Newman and Bloxam*, Westport, 1971 (réédition).

34. Voir pour Malines B. et M. PAWLEY (n. 21), p. 284; A. PAUL (n. 2), p. 280 («les vêtements eucharistiques jusque-là tolérés à peine devenaient licites, la réserve eucharistique était admise, la rubrique noire supprimée»); J.A. DICK (n. 3), pp. 103, 144, 170, 178.

35. Cf. les tentatives de rapports étroits avec le Patriarcat de Moscou. Pour le contexte de Malines, voir J.A. DICK (n. 3), pp. 86, 90.

36. H. HEMMER (n. 5), p. 213.

37. Il vient de l'épiscopalien Reed HUNTING, *The Church Idea, An Essay Toward Unity* et fut accepté à Chicago en 1886, à Lambeth en 1888.

catholiques la position officielle et ferme de l'épiscopat anglican universel. L'appel de Lambeth 1920, malgré l'empreinte de Cosmo Gordon
Lang, archevêque de York, n'en était-il pas le fruit direct? Or il traduisait
la volonté explicite de rassembler les chrétiens en une unité visible soudée
autour des Écritures, du Credo de Nicée-Constantinople, des sacrements
du baptême et de l'Eucharistie, d'un «épiscopat historique localement
adapté aux besoins des diverses contrées et des divers peuples»[38].
Certes, la conférence de Lambeth 1968 avait modifié l'expression *historic episcopate*, qu'elle ne citait qu'en note, pour lui substituer *ministry
through which the grace of God is given to the people*. Mais les membres
catholiques de l'ARCIC avaient lu l'intelligent travail de D.W. Allen et
A.M. Allchin sur *Primacy and collegiality*, destiné à l'une des sous-
commissions de cette même conférence[39]. Tout poussait à admettre que
la strate catholique, non étouffée à la Réforme, demeurait vive.

De leur côté, les membres anglicans percevaient que plusieurs des
grandes décisions du concile du Vatican, dont trois au moins avaient
suivi jour après jour les débats, répondaient aux vœux de retour à la
pureté évangélique chers à leur tradition. Retour explicite à l'autorité suprême de la Parole de Dieu, emploi de la langue vernaculaire en
liturgie, communion au calice, reconnaissance du sacerdoce baptismal,
simplification des vêtements liturgiques, proclamation de la liberté de
conscience ne pouvaient que raviver l'évidence d'une «parenté foncière».
À sa façon, la réaction du mouvement d'Écône, dénonçant «l'approbation solennelle de réformes protestantes par des évêques catholiques
réunis en concile» les confirmait dans cette ligne. Mais il y avait plus.
Commentant les Conversations de Malines, l'évêque anglican Stephen
Neill écrivait en 1958:

> L'ensemble de l'affaire est marquée d'une certaine naïveté. Certes il était
> bon que certains éminents anglicans estiment possible de rencontrer d'émi-
> nents catholiques romains dans un esprit de charité et de bienveillance.
> Mais la position de Rome en ce qui concerne l'unité est claire et ne souffre
> aucun compromis: soumission absolue à Rome est exigée jusque dans les
> moindres détails de doctrine et de discipline et en dehors de cela il ne sau-
> rait être question d'unité[40].

38. Ceci explique la réaction positive de Benoît XV et du cardinal P. Gasparri à la lecture du document de Lambeth (voir J.A. DICK [n. 3], pp. 65-66).

39. Voir les *Preparatory Essays*, London, 1968. Cette conférence de Lambeth était
marquée par l'ouverture œcuménique du concile du Vatican II.

40. Stephen NEILL, *L'Anglicanisme et la communion anglicane*, trad. française, Paris,
1961, p. 329.

Le décret *Unitatis redintegratio*, l'expérience des observateurs au concile, certains gestes de Paul VI poussaient à reconnaître que, depuis Malines, Rome avait changé.

4. *Le rôle de l'*agapè *dans la recherche de la vérité*

On ne comprendra jamais l'œuvre de l'ARCIC et on ne pénétrera jamais le sens de ses conclusions tant qu'on n'aura pas reconnu la place de *l'agapè* dans l'«unité substantielle» des communautés en communion[41]. Déjà les Conversations de Malines, avec le climat d'amitié unissant Lord Halifax, l'abbé Portal, le cardinal Mercier avaient montré l'importance de l'affection fraternelle comme facteur fondamental pour la découverte de la *communion* latente[42]. L'abbé Portal aimait évoquer l'amitié de Wladimir Soloviev et de Henri Lorin[43]. Aucun des participants à l'ARCIC – particulièrement à l'ARCIC-I – ne niera que sans les liens d'intense fraternité et, dans certains cas, d'amitié authentique qui ont uni ses membres, jamais le *Final Report* n'aurait pu être mis au point. Certains ont payé lourdement le prix de cette amitié.

a. Il est arrivé à des membres de l'ARCIC, surtout après l'accueil du *Final Report* par les autorités romaines[44], de réfléchir ensemble sur le rôle de *l'agapè* dans la quête de l'unité. Le «dialogue de l'amour» auquel Paul VI et Athenagoras ne cessaient d'inviter les Églises était leur inspiration, l'avertissement de Paul aux Galates leur point de référence: «la foi agit par *l'agapè*» (Ga 5, 6). C'était, en effet, portés par l'amour commun de celui qui est la Vérité et par l'amour commun de l'Église de Dieu qu'ils se rencontraient, assidus à leur rude tâche. Cet amour était là, indubitablement. Un même amour, pas plus intense dans

---

41. Voir Julian CHARLEY, *Friendship – the Forgotten Factor in Ecumenism*, dans *Communion et Réunion* (n. 16), pp. 109-114.

42. Voir (en plus du discours que le cardinal Mercier prononça à Bruxelles, en septembre 1925, durant la Semaine de l'Union des Églises, paru dans *Revue Catholique des Idées et des Faits*, 23 octobre 1925) la belle conférence de Louvain, en novembre 1925, qui représente le testament spirituel de l'abbé Portal, *Le rôle de l'amitié dans l'union des Églises*, dans *Revue Catholique des Idées et des Faits* 5, 11 décembre 1925. L'exemple de son lien avec Halifax sert ici d'inspiration. Voir aussi H. HEMMER (n. 5), pp. 204-206, et la belle lettre du cardinal à l'Archevêque de Canterbury, du 25 octobre 1925 (*ibid.*, p. 210).

43. *Ibid.*, p. 205.

44. Cet accueil fait singulièrement écho au verdict du jésuite Alban Goodier ancien archevêque de Bombay, présent comme observateur aux mystérieuses conversations tenues au Thackeray Hotel de Londres, en 1931 (donc après que Rome ait décrété l'arrêt des Conversations de Malines!!). Il écrit: «I see now yet more clearly what Fr. Woodlock has long since said: that Anglicanism is to be met *not by sympathy*, which is only exploited, but by *clear and emphatic definitions*» (cité dans J.A. DICK [n. 3], p. 189).

l'un des deux groupes que dans l'autre. S'ils cherchaient ensemble la Vérité, c'était fondamentalement parce qu'ils se trouvaient, dans la grâce de l'Esprit, unis à ce registre profond de *l'agapè*. Ils découvraient alors que la division était née du refus de se rencontrer à cette profondeur. Le schisme leur apparaissait tout autant schisme de *l'agapè* que schisme de la foi, convaincus qu'ils étaient que la *communion* de foi se soude en proportion de l'amour avec lequel on cherche la vérité. Ils percevaient en outre que leur fraternité, voire leur amitié avait sa source en cet amour commun de la vérité. Ils faisaient donc de l'amour de la vérité et de l'agapé fraternelle un élément essentiel de l'«unité substantielle». Car la *substantia Ecclesiae* est tout autant charité que foi.

b. C'est ce qui explique une proposition du *Final Report*, très mal comprise en plusieurs cercles: «nous suggérons que certaines difficultés ne seront pas pleinement résolues tant qu'une initiative pratique n'aura pas été prise et que nos deux Églises n'auront pas vécu ensemble plus visiblement, dans l'unique *Koinônia*»[45].

Pour les rédacteurs de cette phrase[46], la *communion* ne saura se ressouder visiblement qu'à la rencontre de l'unité dans la foi et de l'unité dans l'agapè. Autrement elle sera un leurre. Or, alors que la recherche théologique, rigoureuse et sans concession facile, permet de déceler la *communion* dans la foi, seule une vie en commun permet l'expérience de *l'agapè*. Puisque la *communion* ecclésiale relève du domaine de la foi vive, au sens thomiste de l'expression, l'unité dans la foi mûrit, s'affine, s'approfondit dans la *vérité* de *l'agapè*. Corrélativement, l'unité dans *l'agapè* se nourrit et s'affermit dans la vérité de la foi. Impossible de tout fonder sur un «tout ou rien» doctrinal sans tenir compte du pouvoir de la charité[47]. Il s'agit de la «foi vive», non de la simple comparaison de deux catalogues de vérités. Sans communion dans ce que nous-même aimions nommer la *substantia caritatis* (amour du Christ Vérité dans Son lien au Père et à tous les membres de Son Corps), l'«accord substantiel» dans les vérités de foi est vain et stérile.

c. Si c'est vivant ensemble dans *l'agapè* et selon la foi qu'*on fait la vérité*, la structure institutionnelle que requiert l'«unité organique» sera

---

45. *The Final Report*, ed. 1982, p. 98.

46. Dont l'inspirateur a été Pierre Duprey, au cours d'une réunion de Sous-commission à Poringland, où l'amitié de Monseigneur Alan Clark avait su faire émerger cette prise de conscience d'une authentique fraternité.

47. On pense à l'émouvante lettre du cardinal Mercier à l'Archevêque de Canterbury, du 25 octobre 1925. On la trouve dans J. GUITTON (n. 30), pp. 106-111 (cf. 108).

toute ordonnée à *ce faire ensemble la vérité*. Telle était la vision sur laquelle l'ARCIC fondait son analyse de l'autorité où elle inscrit la question de la primauté romaine. L'ARCIC-II continue de se situer dans la même veine, et le document qu'elle prépare l'explicitera. L'épiscopat n'existe, à tous les échelons, qu'au service de la foi vive. D'où son importance dans le dossier de l'ARCIC.

Discrétion sur Apostolicae Curae

On a reproché à la Commission sa discrétion sur *Apostolicae Curae* et son scepticisme sur l'utilité de rouvrir le débat. Pourquoi choisir de passer sous silence un verdict aussi net que celui de Léon XIII? Par peur d'une confirmation de cette décision? Car en un siècle – le 13 septembre 1996 sera le centenaire de la bulle – tout, dit-on, l'a appuyée. On va même jusqu'à affirmer que la décision anglicane d'ordonner des femmes est l'événement providentiel obligeant l'ARCIC à enfin prendre position «sans maintenir les catholiques dans l'illusion et les anglicans dans l'erreur».

Quelles sont les raisons de ce silence? Au début de la commission – dès Windsor 1970 – certains membres auraient désiré que *Apostolicae Curae* y soit rediscutée, comme la commission préparatoire l'envisageait[48]. Nul ne mettait en doute le besoin d'une déclaration officielle avant l'entrée en *communion* sacramentelle. Mais le type d'intervention auquel l'ARCIC aspirait fut celui que choisit le cardinal Willebrands dans sa lettre aux deux co-présidents de l'ARCIC-II, le 13 juillet 1985[49]. À la lumière du *Final Report*, s'il est «reçu» par les deux Églises, on examinera les rites d'ordination *actuellement* en usage de part et d'autre et qui sous l'influence du concile du Vatican II et du renouveau liturgique ont été, dans les deux cas, profondément restaurés. On verra alors si le jugement de 1896 se vérifie encore.

Cette façon de procéder face à *Apostolicae Curae* est une conséquence de l'option fondamentale de la commission. Comment découvrir aujourd'hui avec certitude ce que fut l'intention de la première génération anglicane? L'histoire des discussions de la petite poignée de catholiques[50] sur les ordinations anglicanes au temps de Léon XIII appuie ce

---

48. Voir l'éclairante étude de E.J. YARNOLD, *Reunion by stages*, dans *Communion et Réunion* (n. 16), pp. 231-242; voir aussi W. PURDY (n. 6), p. 111.

49. Voir le texte dans E.J. YARNOLD (ed.), *Anglican Orders, a New Context*, London, 1986.

50. «Lors de la première séance du 24 mars 1896, la question semblait s'être posée d'une éventuelle participation anglicane aux travaux de la discussion. Mazzella aurait répondu que c'était hors question. Mais Gasparri et Duchesne souhaitent pouvoir s'adresser à des anglicans entre les séances», (Brigitte WACHÉ, *Monseigneur Louis Duchesne, 1843-1922*, Rome, 1992, pp. 383-384).

scepticisme[51]. La question Barlow, le cas Gordon seraient-ils plus clairs en 1996 qu'en 1896? On peut en douter. L'analyse historique de la rupture ne constitue quand il s'agit de ressouder la *Koinônia*, compte tenu de la nature spécifique de l'anglicanisme, qu'un élément du dossier. La question à laquelle il importe avant tout de répondre est la suivante: peut-on *reconnaître aujourd'hui* entre les deux Églises une «unité substantielle» de foi dans les registres où avant le schisme elles vivaient en *communion*? Si oui, il importera de régler la situation canonique du ministère enserré par ces deux «états-de-vie-en-*communion*», tissé en eux pourrait-on dire. Il est clair – toujours dans l'hypothèse du «oui» – que dans ce maintien de la *communion* les ministères anglicans auront joué un rôle clé, l'*épiskopè* étant ce qu'elle est. Le ministère sert la *Koinônia* comme l'un des instruments essentiels qu'utilise l'Esprit. Mais dans l'entrelacs des *elementa Ecclesiae* n'y a-t-il pas ce que nous avions décrit à la réunion de Poringland, en pesant nos mots, comme une *Sanatio ab aliis elementis communionis*? Surtout s'il est pensable que malgré l'intention de rupture avec la Rome de leur époque les premiers anglicans aient voulu faire ce que fait l'Église, en la réformant, voire que par ailleurs un *ordinal* peut-être défectueux ait pu être utilisé avec une intention «catholique»[52]. Mais peu importe: ce qu'exige l'unité organique, si l'état de communion dans la foi est reconnu, est moins un jugement sur le passé qu'une soudure canonique des deux épiscopats.

La décision anglicane d'ordonner des femmes à l'épiscopat est venue embrouiller cette question déjà fort complexe. Il s'agit d'un problème touchant à la validité même de l'Ordre et par conséquent des sacrements célébrés par les ministres ordonnés. Toute soudure canonique devient impensable, après la Lettre apostolique *Ordinatio sacerdotalis* (22 mai 1994) et la *Responsio ad dubium* de la Congrégation pour la Doctrine de la foi. À notre avis, l'obstacle ainsi posé est plus grave que ceux que visait *Apostolicae Curae*. Or, on le jette sur la voie de l'unité alors que l'ARCIC-I et la lettre du cardinal Willebrands avaient déblayé cette route. Comment ne pas penser à ce que les anciens disaient de la

---

51. J.J. HUGHES, *Absolutely Null and Utterly Void. The Papal Condemnation of Anglican orders*, London, 1968, reste l'ouvrage le plus complet sur la question. Mais voir aussi Brigitte WACHÉ (n. 50), pp. 382-101 (jugement de Duchesne sur le dossier historique).

52. Voir les questions que se pose Monseigneur Duchesne, dans Brigitte WACHÉ (n. 50), pp. 354-356, 385-391. Retenons ceci, sur *l'ordinal:* «Voici où mène la manie de réformer. Sûrement ceux qui ont fait ou accepté *l'ordinal* se seront dit qu'ils avaient bien pris leurs précautions, que l'imposition des mains et la formule *Accipe sp.s.* étaient conservées et même mieux coordonnées que dans le rituel romain. Mais il est arrivé que cette formule n'a plus été considérée comme essentielle, et que, dans la prière vraiment essentielle, ils avaient fait des retouches trop graves, sans croire que cela fût de conséquence» (*ibid.*, p. 390).

tragédie de l'histoire? Quand le but commence à briller, les intéressés eux-mêmes s'ingénient à le rendre encore plus inaccessible... Quoiqu'il en soit, il est maintenant évident que la solution au problème du minis-tère ne saurait être la révision pure et simple de *Apostolicae Curae*. L'ARCIC-I avait vu juste.

d. *La primauté romaine*

Lorsque le *Final Report* affirme que la primauté romaine est donnée à l'Église *divina Providentia*[53], il reprend une expression chère à Lord Halifax[54]. Celui-ci déclarait aux délégués du mouvement d'Oxford (le 9 juillet 1925, entre la quatrième et la cinquième conversation de Malines):

> notre réunion avec Rome est chimérique si nous ne sommes pas prêts à concéder une primauté donnée par la Providence divine elle-même au Saint-Siège, si nous n'admettons pas la revendication du Pape à occuper une position vis-à-vis de l'épiscopat entier telle qu'aucun autre évêque ne saurait y prétendre[55].

Il s'exprimait en son nom propre. Mais le rapport catholique rédigé par le chanoine Hemmer à la cinquième conférence montre que le groupe anglican flirtait quelque peu avec cette vue. Il acceptait une *primacy of responsability* s'explicitant en *spiritual leadership, general superinten-dance, care for the well being of the Church as a whole*[56]. La constitution *Lumen Gentium* (n° 23) avait utilisé l'expression *divina Providentia* en parlant des regroupements d'Églises locales, «unis en un tout organique» tel qu'un patriarcat.

Pour l'ARCIC, dire que la primauté romaine émerge lentement sur la trame de la Tradition vivante, à partir de la place spécifique de Pierre au sein du groupe apostolique, par l'action de la *divina Providentia*, ne répondait en rien à la volonté de donner «le plus petit dénominateur commun». Elle visait au contraire, selon sa méthode, à renvoyer les deux Églises à ce qu'elles acceptaient ensemble avant le schisme. Certes

---

53. *The Final Report*, ed. 1982, p. 87, §13. Voir W. PURDY (n. 6), pp. 202-203, sur la *Tillard/Charley draft*. Les deux auteurs de cette *draft* n'en sont venus à proposer l'ex-pression qu'après une longue réflexion, bien résumée dans le §11 (voir W. PURDY, *ibid.*). Le but essentiel de leur recherche n'était pas pragmatique (voir *ibid.*, p. 208, note 4). Il s'agissait de fonder la primauté dans le plan divin sans pour cela violer certains silences du Nouveau Testament. On tenait également compte de la tradition de l'Orient.

54. Voir dans *Reunion and the Roman Primacy*, London, 1928, l'*Appeal to members of the English Church Union*, discours prononcé au congrès d'Albert-Hall le 9 juillet 1925, donc après la 4° conversation de Malines. Sur ce congrès lire J.A. DICK (n. 3), pp. 146-147; J. LOCKHART (n. 31), T. 2, p. 320; H. HEMMER (n. 5), pp. 203, 216.

55. Trad. H. HEMMER (n. 5), p. 216 (voir 203).

56. Texte dans *ibid.*, pp. 214-215.

nul n'ignorait la date de *Pastor aeternus*! Mais tous connaissaient aussi Damase, Léon, Nicolas, Grégoire VII, Boniface VIII, et bien d'autres chez lesquels les accents de Vatican I se devinent, en filigrane. Nous avions cité l'évêque de Lincoln, Robert Grosseteste, reconnaissant au Siège apostolique le pouvoir «d'ordonner tout ce qui édifie» et lui refusant le pouvoir «d'ordonner ce qui détruit»[57].

On se distançait ainsi de deux excès: l'excès maximaliste convaincu que la primauté romaine est la source de l'Église et relativisant le rôle de la Parole et de l'Eucharistie, l'excès minimaliste réduisant la primauté à une forme accidentelle et contingente de *l'episkopè* due plus au jeu des circonstances qu'à une volonté de Dieu pour le déroulement de son dessein. En d'autres termes, selon une expression de la première ébauche de la *draft* préliminaire[58] que les deux auteurs ont éliminée, la jugeant redondante, «la primauté n'est pas seulement permise, elle est formellement voulue par Dieu». Ici, *providentia* est pris dans le sens fort de la «sagesse selon laquelle Dieu conçoit et met en œuvre son dessein de salut de l'humanité *en Christo*». Impossible donc de penser «conduite de l'Église par l'Esprit de Dieu» sans évoquer la primauté. Celle-ci se trouvait ainsi réaffirmée, réappropriée et non pas imposée aux anglicans. Pour reprendre la remarque d'un des membres anglicans: «l'anglicanisme rompait avec un silence de plusieurs siècles». Sur la base de cette réappropriation, les déclarations de *Pastor aeternus* relues par *Lumen Gentium* n'apparaissaient pas aussi monstrueuses que dans le feu de la polémique. Seule, nous l'avons dit, la qualification d'infaillible telle qu'appliquée aux deux définitions mariales faisait problème. Pour le reste, on ne déplorait que des formes d'exercice ne mettant pas en cause le principe, mais nécessitant une réforme.

Si nous insistons sur ce point, c'est parce qu'il illustre mieux que les autres la méthode de l'ARCIC-I en un domaine épineux. Ni négociations, ni concessions mutuelles, mais émergence de la vérité cachée sous les controverses.

II. Caractère ecclésial du dialogue

1. *Caractère officiel*

On ne peut manquer de remarquer le caractère formellement ecclésial de l'ARCIC. Elle est une Commission des deux Églises concernées née

---

57. Voir J.M.R. TILLARD, *L'Église locale* (Cogitatio fidei, 191), Paris, 1995, pp. 544-545, note 3.

58. Désignée comme la *Tillard/Charley draft* (cf. W. PURDY [n. 6], pp. 200-201).

de la volonté explicite des responsables de celles-ci. Elle appartient à leur dessein officiel de refaire l'unité visible.

On connaît la composition et le style de la commission de 1896 ne groupant que des catholiques. Par ailleurs, le statut des Conversations de Malines a toujours posé problème. Nous avons évoqué les efforts du cardinal Mercier pour une reconnaissance officielle par la *Sedes* romaine[59], et les fluctuations de l'attitude de Rome. Gasparri lui-même qui en 1923 parlait de conversations entre *authoritative persons* en vient peu à peu à voiler tout caractère officiel pour parler de «conversations privées», sous la responsabilité de Mercier, «mais connues et bénies par le Pape»[60]. Dans sa lettre pastorale du 18 janvier 1924, le cardinal Mercier tient d'ailleurs à préciser au sujet des réunions:

> Celles-ci de la dernière à la première furent privées: c'étaient des conversations dans un salon privé. Ce n'était donc pas la rencontre d'autorités ecclésiastiques envoyant l'une vers l'autre leurs délégués officiels[...].

> Nos échanges d'idées ne furent donc pas des «négociations». Pour négocier, il faut être porteur d'un mandat et, ni de part ni d'autre, nous n'avions de mandat. Aussi bien, en ce qui nous concerne, n'en avions-nous pas sollicité: il nous suffisait de savoir que nous marchions d'accord avec l'Autorité suprême, bénis et encouragés par elle[61].

Car «Rome n'approuvait ni désapprouvait officiellement, mais approuvait, encourageait, approuve, encourage, confidentiellement»[62]. Situation inconfortable qu'accentue, en plus des intrigues de Merry del Val, de Gasquet, du Canon Moyes et des jésuites anglais, la suppression inexplicable par l'*Osservatore Romano* de la phrase, pourtant prudente, sur l'encouragement de l'Autorité suprême[63]! Ce ne sera pas la dernière intervention de ce journal[64].

---

59. Voir *supra*, note 22.

60. Voir l'importante note de R.J. LAHEY (n. 4), p. 384, note 93. Mais le 25 novembre 1922, Gasparri avait écrit à Mercier que le Saint-Père «autorise Votre Éminence à dire aux anglicans que le Saint-Siège *approuve et encourage* vos conversations et prie de tout son cœur le Bon Dieu de les bénir». Mercier commentait en parlant de «*haute* approbation et encouragements du Saint-Père» (J.A. DICK [n. 3], p. 96, et notes 96-99, cf. pp. 81, 82, 110; R.J. LAHEY [n. 4], p. 379, note 68 et surtout pp. 378-379).

61. La lettre est intégralement publiée dans J.A. DICK (n. 3), pp. 207-216 (209); aussi G.K.A. BELL, *Documents on Christian Unity*, London, 1955, pp. 141-157 (143-144).

62. J.A. DICK (n. 3), p. 116, note 76.

63. Voir R. AUBERT (n. 17), pp. 112-117, ID., *Cardinal Mercier, Cardinal Bourne and the Malines Conversations*, dans *One in Christ* 4 (1968) 372-379 (377); R.J. LAHEY (n. 4), p. 384, note 93; J.A. DICK (n. 3), pp. 123-124, 129.

64. Voir R.J. LAHEY, *ibid*. Ainsi en 1930, «ces conversations n'ont jamais eu de la part du Saint-Siège la moindre ombre de caractère officiel ou semi-officiel ou quelque espèce de mandat ou de commission» (après la démission de Gasparri comme Secrétaire d'État).

Du côté anglican, la situation n'est guère plus claire. Les délégués avaient la *«cognizance and approval»* de l'Archevêque de Canterbury[65]. L'esprit de l'appel de Lambeth poussait à l'accueil[66]. Mais on était prudent:

> Il avait été suggéré que [...] les deux Archevêques anglais (anglicans) puissent nommer les délégués de façon informelle et suggérer les grandes lignes à suivre pour la discussion. Je n'ai pas cru que telle était ma voie, mais dans la correspondance qui s'en suivit j'ai exprimé ma disponibilité à prendre connaissance officiellement (*have official cognizance*) des arrangements pourvu que le Vatican fasse de même. [...] J'ai pris la responsabilité d'inviter de façon nette le Dr Gore. [...] Inutile de dire qu'il n'y a eu aucune tentative de commencer ce qu'on peut appeler des «négociations» de quelque sorte. Les anglicans qui, avec mon plein encouragement, ont pris part [aux conversations] ne sont d'aucune façon délégués ou représentants de l'Église comme telle. Je n'ai eu ni la volonté ni le droit de leur donner ce caractère[67].

Il est toutefois clair qu'ici la relation à l'autorité hiérarchique est moins tortueuse que dans l'autre Église.

Dans le cas de l'ARCIC, il y a mandat officiel des deux Églises. La création de la Commission a été discutée durant la visite à Rome de l'Archevêque Ramsey (21 mars 1966) dans la rencontre privée de celui-ci avec Paul VI[68]. Le dialogue sera donc pensé et conduit «en accord avec un mandat officiel des deux plus hautes autorités des deux communions respectives»[69]. Aussi est-ce à elles directement que ses résultats seront d'abord communiqués. Ce mandat sera renouvelé pour l'ARCIC-II. La *Common Declaration* du 24 mars 1966 à St. Paul-hors-les-murs reste toujours normative.

2. *Représentativité*

En outre, la composition de chaque groupe est plus représentative dans l'ARCIC qu'à Malines. Nous évoquions le problème causé alors par l'exclusion des catholiques anglais[70]. Or, l'ARCIC a non seulement

65. *Ibid.*, 383-384 (avec la note 92).
66. Voir la lettre de l'Archevêque Davidson, de Noël 1923, dans J.A. DICK (n. 3), pp. 201-206 (203-206); G.K.A. BELL, *Documents on Christian Unity*, pp. 130-140 (137-140). Voir aussi J.A. DICK, p. 92, note 75.
67. Dans l'édition de J.A. DICK (n. 3), pp. 204-205. Comparer avec R.J. LAHEY (n. 4), pp. 378-379.
68. Voir W. PURDY (n. 6), pp. 95-97.
69. *Ibid.*, 99; et J. WILLEBRANDS, dans *SPCU – Information Service* 11 (1970) 11-14.
70. Voir J. GUITTON (n. 7), pp. 104-105; J.A. DICK (n. 3), pp. 66, 70, 79 note 17, 95, 112, 116, 121, 123, 126, 129, 138; R.J. LAHEY (n. 4), pp. 380-381; H. HEMMER (n. 5), p. 197; R. AUBERT (n. 63); E. FOUILLOUX (n. 7), pp. 129-130.

un co-chairman catholique britannique mais a toujours compté parmi ses membres des évêques, des théologiens et historiens catholiques anglais[71]. Ils y ont pour collègues des représentants des principales contrées où les contacts avec l'anglicanisme sont fréquents (Australie, Canada, États-Unis, Irlande et, pendant quelques années, Nigeria, Inde). La situation y est plus simple que dans le cas anglican.

En effet, si déjà à Malines l'idée était venue d'inviter des épiscopaliens[72], jamais on n'y donna suite. L'ARCIC s'est voulue plus internationale, bien que certains de ses membres épiscopaliens ou appartenant à d'autres Provinces que York et Canterbury se soient parfois crus marginalisés. Elle compte actuellement un représentant de l'anglicanisme latino-américain. Mais le plus grave reproche fait à Malines était que seule la *High Church* et la pensée du mouvement d'Oxford s'y faisaient entendre, «*a fraction of a fraction of a fraction of the English people*» diront les adversaires[73]. Or, dès la commission préparatoire, l'ARCIC se préoccupa d'une contribution solide des *evangelicals*[74]. En fait, aussi bien dans l'ARCIC-I que dans l'ARCIC-II, cette participation n'a cessé de s'imposer comme l'une des plus sérieuses, des plus honnêtes et des plus positives.

CONCLUSION

Au terme de cette présentation, nous ne pouvons taire la question qui nous taraude. L'ARCIC-I avait tout pour atteindre son but, et l'ARCIC-II dans sa forme actuelle a tout pour réussir à conduire les deux Églises vers le degré de κοινωνία que le *Final Report* rend possible. Nous croyons que l'Esprit de Dieu n'est pas étranger à ce que Bishop Butler n'hésitait pas à appeler «le prélude du Magnificat». Comment alors expliquer les accueils rugueux, les décisions graves prises en solitude, les espérances brisées, les piétinements, les retours aux chemins anciens? Pourquoi, depuis plus d'un siècle, les retrouvailles des catholiques et des

71. Monseigneur Butler accordait une grande signification à la présence parmi eux d'un jésuite sympathique à l'anglicanisme et ardemment désireux de la *corporate Union*, le Père E. Yarnold. Il pensait alors à Woodlock, Keating, etc...

72. Voir l'initiative de l'américain Hoffmann Nickerson, avant la quatrième conversation (J.A. DICK [n. 3], pp. 136-139). Il fait écho à la rumeur selon laquelle le cardinal Bourne aurait eu le désir d'ajouter deux catholiques anglais au groupe catholique (*ibid.*, p. 138).

73. Voir l'article de *The Tablet* (parlant de Lord Halifax) cité dans J.A. DICK (n. 3), p. 91. Voir aussi *ibid.*, pp. 97, 144 note 1.

74. Voir W. PURDY (n. 6), pp. 107, 110 (au sujet de James Atkinson, à l'époque professeur à l'université de Hull), 125 (au sujet de Julian Charley).

anglicans sont-elles comme des éclairs qui illuminent pour quelques saisons le ciel de l'œcuménisme puis s'éteignent dès que la nuit s'est à peine éclaircie? Dans le dessein de Dieu, qui épouse souvent la loi sauvage et irréversible de l'histoire, nos deux Églises seraient-elles destinées à demeurer le signe indélébile de la tragédie de la «division»? Une tragédie dont pourtant elles ne sauraient d'aucune façon prendre leur parti, une déchirure à laquelle elles n'ont pas, devant Dieu le droit de consentir...

Couvent des Pères Dominicains   Jean-Marie R. TILLARD, O.P.
96 avenue Empress
Ottawa K1R 7G3
Canada

11

THE 75TH ANNIVERSARY OF
THE MALINES CONVERSATIONS (31.08.1996)
CEREMONIAL ADDRESSES AND LIST OF PARTICIPANTS

I. ADDRESSES TO THE COLLOQUIUM

1. *Cardinal Danneels' Welcome to the Colloquium*

It is a particular honour for me and a real pleasure to welcome here in
our venerable city of Malines, His Grace George Carey, Archbishop of
Canterbury and Primate of all England. We are very honoured, your
Grace, by your presence on this special occasion of the 75th anniversary
of the Malines Conversations.

Welcome to the Audience

We are very glad to welcome His Eminence Cardinal Cassidy, President of the Pontifical Council for the Promotion of Christian Unity.
Thank you for coming, Eminence, because doing so, you express your
appreciation for what my predecessor Cardinal Mercier in the twenties,
started in an informal way and what the Pontifical Council is doing now
on a higher level and on an official way. Welcome to Cardinal Willebrands, former Archbishop of Utrecht and former president of this same
Council. Thank you for all you have done and still do for Christian
Unity, Cardinal. Welcome to Mgr Giovanni Moretti, Pontifical Nuncio
in Brussels. We appreciate your presence as well as your service in this
country as the representative of the Holy Father.

We were very glad to host on this occasion the members of ARCIC II,
who had their meeting here last week and we welcome them very warmly
this morning. We thank Bishop Baycroft and Bishop Murphy O'Connor
who presided as co-presidents this session. Much good work has been
done during these last days and we were very honoured by the fact that
this official conversation between the Catholic Church and the Anglican
Communion could take place in Malines, seventy-five years after the
Malines Conversations.

A special word of gratitude and welcome to the York delegation. The
contacts between the archdioceses of York and Malines never ceased

since Lord Halifax came here to the archbishop's house and since Cardinal Mercier, just before his death, gave his episcopal ring to Lord Halifax, which has been inserted since then in the famous 17th-century chalice in York Minster.

I am happy that there are so many people here today from within and from outside of Belgium who are involved in ecumenism. Right from the youthful start of the ecumenical movement, this country has had a keen interest in Christian unity. Even though we do not have the mix of churches and confessions one finds in our neighboring countries, we have always been actively involved in prayer, reflection and serious work in the interest of bringing Christians closer to each other. Belgium has in fact had an exemplary record as far as relationships between churches and religions are concerned.

The Malines Conversations and ARCIC

The fact that Cardinal Mercier inaugurated the Conversations in 1921 here in Malines is due, without doubt, to the solemn invitation of the Lambeth Conference of 1920 to all churches that they begin to work toward unity. We know that Mercier was acquainted with this text and that it played a role in the personal initiative taken by him[1]. This same Lambeth Appeal of 1920 influenced *Faith and Order* and its reverberations were felt into the 1960's in the Second Vatican Council. It is with Christian gratitude, and out of historical justice, that we thank the Anglican Communion for the inspiration of this early initiative. We must also thank the Lambeth Appeal for the fact that today there is an official inter-religious body between the Anglican Communion and the Catholic Church: ARCIC. But we must immediately add that back then – just one year after the Appeal – few people heard and responded to the Appeal like Cardinal Mercier did. The ecumenical adventure of the Malines Conversations was no simple matter in 1921. It took a lot of courage and hard work and would never have taken shape without the personal prestige of the Cardinal from Malines. That all of this has occurred and that ecumenism has become a normal reality today is due, therefore, to the efforts of our predecessors on both sides of the channel.

I would like to add that the fact that this commemoration falls on the Belgian Catholic feastday of Mary, Mother of all Graces can hardly be

---

1. It was in fact Walter Howard Frere who informed Father Portal about the important paragraph VIII of the Lambeth Appeal. His letter (3th Dec. 1920) "est à l'origine immédiate des conversations de Malines" (cf. R. LADOUS, *Monsieur Portal et les siens 1855-1926*, Paris, 1985, p. 417). [A. Denaux]

an accident. For many years Cardinal Mercier worked for and eventually achieved a place for this feastday on the liturgical calendar of the Belgian Catholic Church Province. It may be that the date for the feast was changed some years ago from 31 May to 31 August so that it would coincide with the 75th anniversary of the Malines Conversations! Who knows?

ARCIC

This anniversary comes at the end of a week of work for ARCIC. This is significant. ARCIC has some very specific goals.

At a time such as ours when there are a great number of issues confronting the church – heated and often urgent questions. And one often labors to get down to the fundamental concerns, ARCIC has chosen to act in favor of what I call a hierarchy of urgent questions. For this reason, right from the start, ARCIC focused on the Eucharist. What is true Eucharist? The chalice to which Lord Halifax affixed the ring he had received from the dying Cardinal Mercier has become symbolic and prophetic: prophetic because it touches on the most important issue – the precious Testament of Christ – the sacrament of his Body and Blood.

A second pressing issue which flows from this first is ministry in the church and specifically episcopal ministry. Eucharist can not be true unless it is linked with ecclesial service, that is with ministry ordained by the Church.

ARCIC has always tried to avoid the narrow concerns which I call the concerns of the sacristy: the internal problems of the churches. There are in fact a great number of major issues for which the churches must take responsible action: evangelization, human rights, hunger, development, peace, the relations among peoples, and public morality. ARCIC has always sought to avoid the narrow straits. Church unity goes beyond the pre-occupations of the sacristy: decorations, liturgical traditions, incense and relics.

A Special Vocation

It seems to me that ARCIC has a very particular vocation within the ecumenical movement. In fact, a prophetic vocation.

ARCIC is marked with a kind of universality. A great number of other ecumenical groups often limit themselves to a certain part of the world and are characterized by a certain regionalism or continentalism. Their focus is often European or Anglo-American or Latin-American or even

Asian. And this is certainly legitimate. But at the heart of ARCIC one is not just concerned with Europe. ARCIC participants come from the entire world. And an important dimension of this ARCIC universality is that it touches the center. It goes to what constitute the body and framework of the Church: word and sacrament. This is because the Church is more than a kind of spiritual UNICEF or a world philanthropic organization. The Church is the Body of Christ, nourished by his Word and sacramental Flesh. If there are indeed matters of major importance, there are also matters of essential importance. These are all necessary if we are to remain faithful to the will of Jesus. The most important, however, is that we preserve his memory in the service of the Word and his living memorial in the Eucharist.

A Difficult Way

We know of course that we are inundated today with a consensus about many difficulties which need urgently to be addressed. It would be superfluous and even inappropriate to list all of them today on this special festive occasion. But the strife is there and it charges all of us before the will of Jesus: "That they may all become Father, as I am in you and as you are in me". The mirror which Jesus holds before all of us today provokes us to seriously examine our consciences for a more profound observance of his will.

Perhaps we have not yet prayed earnestly enough? This afternoon we will take ourselves to the tombs of Cardinal Mercier and Cardinal Suenens now deceased three months.

Personal Contacts

Cardinal Mercier and Cardinal Suenens undoubtedly will be our intercessors in this difficult charge the Lord gave us to accomplish our task in history. I just would like to stress here the importance of personalities and personal contacts in the field of ecumenism. Surely, the protagonists in this work are the Churches as institutions. But nothing will be achieved without warm, personal, open and courageous contacts between individual persons within the churches, especially between the leaders. Peace and unity are the result not only of discussions and agreements, they are above all the fruit of love. And love is always personalised: institutions, commissions and workgroups are not real lovers, human beings are. The Malines Conversations were in the first place human contacts, in the privacy of Cardinal Mercier's home, around the table of friendship and mutual respect. That's the final reason why I am glad to receive all of you today. Where people come together, as today, to pray and to listen to each other, to meet in love and peace, there is a kind of mysterious magnetism uniting them with a special power, which we call grace or the Holy Spirit. He, the Holy Spirit is the last one I have to welcome here on the 75th anniversary of the Malines Conversations.

Godfried Cardinal DANNEELS
Archbishop of Mechelen-Brussels

2. *The Archbishop of Canterbury's Concluding Address*

I want to begin this afternoon by thanking His Eminence, Godfried, Cardinal Danneels for his generous gesture in hosting both this colloquium and this afternoon's act of worship here in Mechelen. I want also to thank publicly all who have been involved in bringing together such an eminent group of speakers to help us reflect a little on the legacy that the Malines Conversations have left to us over the last seventy-five years. We are all very grateful to the speakers who, today, have offered, in a wide variety of papers, many enthralling insights into the development of relationships between the Roman Catholic Church and the Anglican Communion since 1921.

Your Eminence, the significance of a journey cannot be fully appreciated until one looks back and sees how far one has travelled. So it is with respect to today's celebration. In 75 years we have made much progress in relations between Roman Catholics and Anglicans, and it all began with men of faith and courage who thought at the time that it was worth making the effort to kindle the flame of Christian Unity between Roman Catholics and Anglicans. On September 19th 1921, Archbishop Cosmo Gordon Lang, then Archbishop of York, received a letter from Lord Halifax, an old friend:

> I shall have a very important letter to write to you and to the Archbishop of Canterbury in a few days, touching a matter which may really have by God's blessing the greatest consequences. It relates to an interview which through no seeking of my own I am likely to have with Cardinal Mercier. I believe despite my eighty-two years and my eyes I shall be going to Brussels in October for this purpose, but that is only a part and a small part of what is involved.

"...a part and only a small part..." Lord Halifax knew only too well the importance of the task that he and Abbé Portal were engaged upon.

Both of them had been profoundly disappointed by Leo XIII's Bull *Apostolicae Curae*. It seemed, at the time, to put an end to the hopes they had. But they weathered that, and, in those years following the First World War, set out once again on their journey of exploration and hope. The meeting that Lord Halifax had with Cardinal Mercier turned out to be a truly ecumenical moment; an act of grace that was to have lasting results, not so much for what it accomplished as by what it represented – a determination to carry on talking and praying for the unity which is the will of God.

As we re-read the history of the Malines Conversations, time after time we are struck by the hesitancy on both the Roman Catholic and the Anglican sides in 'owning' the conversations officially. It took the prophetic actions of Cardinal Mercier to give these conversations some sort of 'official' platform. Today, we too can give those initiatives and conversations some form of official blessing.

But, 75 years on we are constrained to ask: How may we build on the heritage given to us? Allow me to reflect on the papers presented to us today. I offer to you four familiar topics:

Unity and Mission. This morning, Professor Dick has outlined for us what he terms the 'unfinished agenda' of the Malines Conversations. I am sure that what he has said will resonate for many of us not least his concern that practical issues, for example as those surrounding marriage and human sexuality, need to be a part of the agenda for discussion whenever Christians from different traditions meet together for discussion. I think that the ARCIC document *Life in Christ* with its examination of the area of morals provides an important model for the future. Certainly, we need to continue and deepen our common exploration of topics which are of fundamental theological and ecclesiological importance, but, at the same time, we need to open up practical issues of common concern, issues which all Christians have to face in their calling to be faithful witnesses to the Gospel. In many of these areas of witness we have common starting points, familiar convergences of agreement, that allow us to build our unity upon both a shared gospel and shared values. It is my view that we are not doing this enough.

Christian identity. Bishop Hill and Professor Tillard both examined the work of ARCIC. Indeed, it would be difficult to find two people better qualified to do so. There is much in both of these papers to stimulate thought. I was struck by Prof. Tillard's focus on what ARCIC has uncovered about what we have in common. Speaking of the method of

ARCIC, Professor Tillard referred to the '...emergence of truth hidden under controversies'. I think that one of the great gifts of ARCIC, both in its first and second commissions, has been the sense that underneath our evident divisions and our divergent cultures and histories, there is a bedrock of common Christian identity, grounded in a common baptism. ARCIC has both helped to identify this and has provided tools with which we can appropriate it. I know that the present ARCIC commission, meeting here in Malines, is hard at work on a new document examining Tradition to which we all look forward with great eagerness.

I want to make it clear that the Anglican Communion is absolutely committed to the continuing work of theological dialogue with the Roman Catholic Church. This celebration here today demonstrates quite how far we have come and in many ways gives the lie to those who delight in proclaiming that ARCIC has run out of steam. Of course there have been problems, but I believe that none of them is, in the end, insurmountable.

Reception. Professor Tillard referred to the fact that *Church as Communion* was, "... welcomed with astonishing indifference in theological circles". In this understated remark, he points us clearly to an issue to which His Eminence, Cardinal Cassidy has already referred in print this year – the issue of reception. I do not believe that we have yet sufficiently received the gifts of thirty years of ARCIC into the life of the Church. That is a challenge for our communions to address both individually and collaboratively. I would like to see these documents on the curricula of our theological colleges and seminaries. I want the insights they contain to become part of the lingua franca of the Church instead of being the preserve of theologians and professional ecumenists.

Nowhere can we observe this process of reception taking place than when Christians of different traditions meet to explore the faith that draws them together. In this regard Professor Denaux has shown us how the legacy of the Malines Conversations has been worked out in just one country where Catholics and Anglicans have come into contact. This should remind us of the important work which is being done by local ARCs throughout the world. I am sure that the task of these local committees must be in developing, articulating and receiving the insights of the International Dialogue. But also they need to deal with the practical consequences of shared life and shared pastoral problems. ARCs throughout the world have a special responsibility to offer ecumenical leadership and display something of the openness and willingness to learn from each other that we see displayed so clearly in the

Malines Conversations. We should also remember, when talking about local relationships, quite how fruitful twinning arrangements have been between dioceses of the Church of England and Catholic dioceses in Continental Europe. Those with Belgium are a particularly good example of this, for instance, that between Lincoln Diocese in England and Bruges but also that important relationship which exists between York and the Diocese of Malines-Brussels. The previous Archbishop of York, Lord Habgood was always deeply appreciative of the private conversations that he had over the years with Cardinal Danneels.

The experience of common prayer and shared worship, also, has a vital role to play in deepening our common faith. Common prayer among divided Christians is an indication of how far we have already come, an essential contribution towards going further and an anticipation now of the full communion ahead.

Humility and Generosity. As I reflect on the Malines story I ponder on the humility and generosity of those who took part in those first conversations. Ecumenism is rarely a metamorphosis of one Church to become exactly the same as another but it is rather a journey or pilgrimage whereby both or more bodies are given grace to grow into something for which they have always waited and which is God's will. It takes humility to say 'sorry' for the past and generosity to give and forgive. In a lecture that I gave recently, I wrote:

> ...to get from where we are in our divisions to that unity to which we aspire, each Church will be called to a deeper surrender and a greater generosity. The Anglican Communion is committed to the unity of God's Church and we shall seek to play our part in the healing of the body. God is calling us all to be a new Church, open to our world and its need, less self centred and preoccupied by Church politics and Church affairs.

In 1920, the Anglican Communion was a lot smaller than it is today. In many ways it was much less certain of its identity as a Christian world communion. Today we are still concerned to articulate what it is to be a Christian world communion aware of our historical legacy but developing away from our colonial past to embrace diversity within the context of our own ecclesiology. Yet, the ecumenical imperative remains central to who we are as Anglicans.

We can wholeheartedly give thanks for the innovative work of Cardinal Mercier, Lord Halifax, Abbé Portal and those others who participated in the Conversations of Malines. We have learned this morning something of the developments in relationships between Catholic and Anglicans over the last seventy-five years. We know that there is still a long way to go until we realise their great dream of visible unity between our two communions and yet, I am struck that what we have heard this morning demonstrates that their sense of vision and hope has not been lost. Their work and the fruits of these remarkable friendships remain very much alive.

In conclusion, although, quite rightly, our attention has been focused this morning on the Malines Conversations, there is another anniversary of note this year. Thirty years ago Archbishop Michael Ramsey made his historic visit to Pope Paul VI. The Common Declaration that they made together led directly to the establishment of what we now know as ARCIC. But perhaps it was the evident warmth in the relationship between these two great men that captured the imagination of many. Pope Paul VI's description of the Anglican Communion as "our ever-beloved sister" and, even more poignantly the moment when the Pope gave this ring to the Archbishop of Canterbury.

It is a reminder to us all that visible friendships between Christians are the firm basis for visible unity between Churches.

And perhaps we might ask ourselves would any of this been possible but for the Conversations of Malines?

George CAREY
Archbishop of Canterbury

II. Ceremonial Addresses
during the Prayer Service in the Malines Cathedral

1. *Letter of His Holiness John Paul II (15 August 1996) to Cardinal Edward Idris Cassidy, President of the Pontifical Council for Promoting Christian Unity*

It gives me great pleasure to send through you cordial greetings to Cardinal Danneels and the Archdiocese of Mechelen-Brussel who are hosting a special celebration to mark the Seventy-fifth Anniversary of the beginning of the Malines Conversations. With affection in the Lord I greet His Grace the Archbishop of Canterbury, the Most Reverend Dr. George C. Carey, who is honouring this occasion with his presence. I also warmly greet the members of ARCIC II, the International Commission for dialogue between the Catholic Church and the Anglican Communion, which is meeting in Mechelen at the same time. This significant ecumenical gathering affords me the opportunity to reaffirm the Catholic Church's irrevocable commitment to seek the full and visible unity for which the Lord prayed on the eve of his Passion (cf. Jn 17,20-21).

The Malines Conversations, which began in 1921 and lasted for five years, were the fruit of the joint initiative of three ecumenical pioneers: Cardinal Mercier, the then Archbishop of Mechelen, Lord Halifax and the Abbé Fernand Portal. Impelled by indomitable faith, these remarkable witnesses to the urgency of Christ's plea for unity hoped for the return to full communion within the Catholic Church of "the Anglican Church united not absorbed". Their informal conversations made an enduring contribution to a fundamental principle of ecumenism, one later sanctioned by the Second Vatican Council and reaffirmed by myself in my recent Encyclical Letter *Ut Unum Sint:* "Legitimate diversity is in no way opposed to the Church's unity, but rather enhances her splendour and contributes greatly to the fulfilment of her mission" (no. 50). At Mechelen the dialogue was marked by a sincere desire for reconciliation and was conducted in a spirit of genuine humility, shared conversion to the Gospel, love for truth and fraternal charity. We owe a great debt of gratitude to those who seventy-five years ago walked the ecumenical path together, "straining forward to what lies ahead" (Phil 3,13).

The results of the Malines Conversations matured with the passage of time. After many centuries of mutual misunderstanding, formal contacts between Catholics and Anglicans were happily resumed by my Predecessor Pope John XXIII and Archbishop Geoffrey Fisher, and these bonds of friendship and esteem were strengthened during the course of the Second Vatican Council. Indeed, the Council's Decree on Ecumenism, *Unitatis Redintegratio,* recognized that the Anglican Communion "occupies a special place" among the Christian Communities of the West "in which some Catholic traditions and institutions continue to exist" (No. 13). Our common pilgrimage took yet another step forward thirty years ago, when Pope Paul VI and Archbishop Michael Ramsey agreed to set up the Anglican-Roman Catholic International Commission as an instrument designed to help in restoring the unity in truth which Christ gave to his Church and to which he perennially calls his disciples. How can we fail to praise the mercy of God who is leading us to erase from memory the bitter polemics of the past? It is he who continues to guide our mutual quest for full communion in faith. sacramental life and ministry.

Despite the difficulties – some of them sadly of recent origin – which Anglicans and Catholics have yet to resolve – I am heartened by the providential growth in effective cooperation which has taken place in recent years. It is my fervent prayer that the International Commission will continue its mission of pursuing and expressing "the whole truth into which the Holy Spirit guides Christ's disciples" (cf. *Ut Unum Sint,* 36) in ways which reflect the profound spiritual bonds linking the Catholic Church and the Anglican Communion.

As the Great Jubilee of the Year 2000 draws ever nearer, all Christ's disciples must be ever more docile to the Holy Spirit who enables them to acknowledge and reject the sins which have so painfully wounded the unity of God's People (cf *Tertio Millennio Adveniente,* 34). A clear-sighted and courageous examination of conscience will, with the help of God, purify the hearts and minds of all Christians, leading them to the grace of deeper conversion to the Gospel. As we look towards the Third Christian Millennium, we joyfully praise Almighty God for the "great things" (cf. Lk 1,49) which he has already done to heal divisions between Christians. It is my hope that this Seventy-fifth Anniversary of the Malines Conversations will give fresh impetus to the dialogue between Catholics and Anglicans. I join all those taking part in the anniversary celebration in fervent prayer that the Lord will indeed grant us that unity for which he himself prayed.

2. *Homily of Mgr. Luk De Hovre, Auxiliary Bishop of Brussels*

First Reading: Isaiah 66,18-20.22-23.

We have chosen to come together here today, in the name of the Lord. We believe, as the prophet Isaiah has announced, that the Lord Himself brings us together. "I come", says the Lord to us today "to gather together all peoples and all languages". But whom does he bring together? First of all, those who profess Him as Father, Son and Holy Spirit. This profession of faith is for each of us, and only for Christians, the mystery of Christian identity. He brings us together again. We who were separated, who slowly and with difficulty find our ways to each other again. We, sinners through our lack of unity, seek in this love-filled gathering to become one flock under the one shepherd through our dialogue with each other and especially in our prayers. We – to whom He promised that we would see His glory.

And that sign He gives us again today as we commemorate with gratitude and appreciation the event of seventy-five years ago when he gathered around one table a group committed Christians from a variety of peoples, languages and churches. Despite our continued separation, He still sends us to all peoples of the world who have not yet seen His glory, the majesty of the one God, so that continually more faith-filled people can approach the holy mountain of Jerusalem.

In his 1995 encyclical *Ut Unum sint,* Pope John Paul II writes that the church can not be simply concerned about itself. It must be continually open to the missionary and ecumenical dynamic. It has been sent into the world to proclaim, that which is central to its being, the mystery of communio.

Saint Cyprian says that God orders His people to go from the altar and to be reconciled with each other so that he can acknowledge their prayers which have been offered in peace. The greatest gift that we can offer God is our peace, our brotherly union – one people united in the unity of Father, Son and Holy Spirit.

As the third millenium approaches we can do nothing better than to ask the Lord, with renewed energy and a more developed consciousness, to send the grace for this gift of unity.

3. *Méditation de Son Excellence Monseigneur Pierre Duprey, Secrétaire du Conseil pontifical pour la promotion de l'unité des chrétiens*

Deuxième lecture: 1 Corinthiens 12,4-14 et 27-30.

Dans l'enthousiasme et la déception du retour d'exil à Jérusalem, le prophète avait rêvé dans l'espérance d'un rassemblement universel des peuples réunis en offrande au Seigneur pour annoncer sa gloire dans l'adoration (Isaïe 66,18-20).

Dans l'effervescence de la communauté de Corinthe, cette vision d'espérance se réalise déjà. Mais Paul doit rappeler à quelle profondeur la communauté est rassemblée. C'est par le don de l'Esprit dans le baptême et l'Eucharistie. «Nous avons tous été *baptisés* dans un seul Esprit en un seul corps, juifs ou grecs, esclaves ou hommes libres, et nous avons tous été *abreuvés* d'un seul Esprit» (12,13). La diversité des origines de chacun, la diversité des cultures de chacun, la diversité des conditions sociales sont transcendées par le don d'un unique Esprit. Cet Esprit assume ces diversités. Il leur donne une vie nouvelle. Il les transpose à un niveau supérieur. Il les utilise pour répondre aux nécessités du corps. Il suscite par elles d'autres diversités requises pour la croissance du corps. De cette croissance, l'Esprit est l'architecte et le guide: «tout cela c'est l'unique et même Esprit qui le met en œuvre, accordant à chacun des dons personnels divers, comme il le veut» (12,11).

Tous ces dons sont nécessaires à l'Église, à la communauté de tous. Dieu les a donnés à chacun pour tous. Il les a répartis entre tous. Il a disposé dans l'Église, en un ensemble harmonieux, ceux qui les ont reçus (12, 28-30). Tous ne font pas tout. Mais tous et chacun doivent respecter et s'édifier des dons de tous. Agir ainsi c'est respecter la liberté de l'Esprit. C'est prendre conscience que ces dons sont *gratuitement* donnés. C'est demeurer dans l'adoration de Celui qui donne, dans l'action de grâce à Celui qui donne. C'est éviter de détourner ce qui est donné à chacun pour tous vers des intérêts personnels. C'est refuser d'accaparer le don pour un parti ou contre un parti (cf. 3,3-11). Respecter la variété des dons, c'est encore accepter notre vocation personnelle; accepter de remplir dans le corps la fonction, le rôle qui nous a été confié; accepter la manière dont Dieu nous a disposés dans l'Église (12, 28), dont de toute éternité il nous a prédestinés dans le corps du Christ.

L'authenticité de ces dons est vérifiée par l'authenticité de la foi confessée car seul l'Esprit Saint peut permettre de proclamer: «Jésus est Seigneur» (12,3). Le péché c'est de refuser de croire dans le Fils (Jn 16,19). L'authenticité de ces dons est manifestée enfin et surtout par leur convergence, leur orientation vers «la voie infiniment supérieure» (12,31) qu'ils ont à servir, en vue de laquelle ils sont donnés. Les dons de l'Esprit manifestent – chacun à sa manière –, que la grande espérance du peuple de Dieu est «déjà» réalisée. Mais le «déjà» de cette réalisation n'est authentique que s'il est entièrement tendu (Phil 3,13) vers le «pas encore» de sa réalisation plénière.

Maintenant ces dons demeurent, mais celui qui ne passera pas c'est «l'amour qui est le plus grand» (13,13). L'amour par lequel l'Esprit nous fait réellement fils (Gal 4,6).

Alors, comme le dit Saint Augustin, il n'y aura plus qu'un seul Christ, un seul Fils aimant le Père pour l'éternité.

4. *Homily of George Carey, Archbishop of Canterbury*

Gospel Reading: John 16,5-15.

"Sorrow has filled your hearts". Some places can be heartbreaking. Take Charleroi, just a few miles away from here, where terrible and unspeakable crimes have been committed against young people. We shudder as we think of the evil committed. How can people do such terrible things to precious youngsters! Even to think of what those youngsters suffered is beyond the comprehension of decent people. How much such suffering touches the heart of God; what sorrow fills his heart. The sadness for Charleroi, the place, is that many people who do not know it will forever associate the name with the evil that has dominated our daily news for the last two weeks.

It may seem strange to begin a meditation at this ecumenical service with such evil. But the breadth of John's vision of the Gospel actually encourages us to do so. He faces us with the reality of a world in need of God. What we have discussed today is not unrelated to the suffering and evil in our world but directly connected with it. Unity is not an antiseptic entity in its own right but central to the gospel we preach. Of course, some would deny this and consider that we are wasting our time. "Ecumenism" said G.K. Chesterton famously, "is the last resort of the ecclesiastical bigot". He was wrong. Ecumenism is the striving for peace in the Church; it is more, it is to enter into God's sorrow for the sin of separation; it is even more, it is to join hands with God in his task of reconciliation.

For us today and for our two Communions this place, Malines tells a different story. It is associated with practical ecumenism. 75 years ago Cardinal Mercier, Abbé Portal and Lord Halifax and others put ecumenism to work. They wanted a Church that from its secure unity in the truth of God showed to a broken and troubled world the way of peace, the pathway of holiness and the love of God.

But when we are faced with such evil in our world and, often, the intransigence and the reluctance to change in our Churches what can we do? We have to remain men and women of hope; dependant on the Spirit of truth whose task it is to guide us into all truth. The late Cardinal Suenens was once asked why he was a man of hope. His reply was inspiring. He said: 'Because I believe the Holy Spirit is at work in the Church and in the world, even where his name remains unheard. I am an optimist because I believe the Holy Spirit is the Spirit of Creation. To those who welcome him he gives each day fresh freedom and a renewal of hope'. I don't know if Cardinal Suenens was thinking of ecumenism when he also said: 'What is difficult can be done at once, what is impossible takes a little longer!'

5. *Conclusion by His Eminence Cardinal Edward Idris Cassidy, President of the Pontifical Council for Promoting Christian Unity*

As we come to the end of this commemorative prayer service, on the occasion of the 75th anniversary of the "Malines Conversations", I feel sure all our thoughts have turned to this and other early initiatives in the Ecumenical field. While we have offered thanks to the Lord for such grace, I am certain that we have also not failed to rue the many opportunities that were lost on the way.

The final years of this 20th Century have shown beyond all doubt that there is a widespread aspiration and deep longing for Christian Unity, which will not be denied. Among Christians of every denomination one can observe a growing conviction that the Lord is calling us to strive to overcome our divisions, that we cannot in conscience remain indifferent or complacent before such a clear challenge: "I ask not only on behalf of these, but also on behalf of those who will believe in me through their word, that they may all be one. As you, Father, are in me and I am in you, may they also be in us, so that the world may believe that you have sent me" (John 17,21). Despite the difficulties that delay progress, Christians are working ever more closely together, doctrinal differences are constantly being reviewed, there is a readiness to listen to one another and to join together in common prayer. "If Christians, despite their divisions, can grow ever more united in common prayer around Christ, they will grow in awareness of how little divides them in comparison to what unites them" (*Ut unum sint*, n° 22).

Pope John Paul II, in his Encyclical Letter on Commitment to Ecumenism, *Ut unum sint,* expresses this conviction in words which leave no room for uncertainty. For His Holiness *"the way of ecumenism is the way of the Church"* (n° 7). He goes on to explain: "Thus it is absolutely clear that ecumenism, the movement promoting Christian Unity, *is not just some sort of 'appendix'* which is added to the Church's traditional activity. Rather, ecumenism is an organic part of her life and work" (*op. cit.*, n° 20).

To that profound, organic relationship of Church and the Ecumenical movement, we cannot but add a second consideration that has been at the heart of the Ecumenical movement since the early years of this century, namely the vital link between ecumenism and evangelization.

The Second Vatican Council found the following significant words to describe the depth of the tragedy for evangelization resulting from the lack of Christian Unity: "Certainly, such division openly contradicts the will of Christ, scandalises the world, and damages that most holy cause, the preaching of the Gospel to every creature" (*Unitatis Redintegratio, n. 1*).

The picture is no less worrying today. Indeed we Christians are face to face with societies that even in many "Christian" cultures have lost contact with the Gospel. Solomon had the wisdom to ask the Lord for the great gift of discerning good from evil. So many of our modern societies either get the two mixed up or at least relativize both the good and the evil.

And there are the many millions who have never known their Saviour, Jesus Christ, and who cannot be bothered with Christian missionaries who seem determined to bring into their midst the problems and divisions that have troubled them for centuries.

Can we continue to remain divided in a world that so badly needs the Word of God? "Father, may they .... be one in us, so that the world may believe that you have sent me ....and have loved them even as you have loved me" (John 17,21-23). The Lord is calling us to unity. He offers us this precious gift – but we must play our part. He will not force this unity upon us – but surely we cannot go on resisting his call.

What a joy it would be if we could say, each one of us gathered here to-day, that all those exercising responsibility in our two communities – or even the great majority of them – are deeply committed to the Ecumenical movement. I regret to say that much still has to be done before it will be possible to make honestly such a statement.

But rather than look to others, let us dedicate ourselves once again this evening to living out even more fully the challenge that comes to us from the "Malines Conversations". This challenge has special relevance for Anglicans and Catholics. Lord Halifax and Cardinal Mercier lit a torch 75 years ago that has still to burn brightly. It has never gone out – but that is not enough – it must shed new light on ARCIC and, through ARCIC, on the Ecumenical movement as together we go forward into a new millennium – which will surely be a millennium of Christian unity, if each one of us is ready to listen to what the Spirit is saying to the Churches and has the courage to act accordingly. Let us make our own the prayer that St. Brigid of Sweden has given us: Lord show me the way and make me ready to follow it. Amen.

III. List of Participants

Are listed the persons who participated at the Academic Session and/or the Ecumenical Prayer Service. Members of ARCIC are marked with an asterisk.

ALAERTS, Jos, Mechelen
ALLEN, Geoffrey G., Rheden (NL)
ALMACK, Jill and SWALES, Rachel, Whitby (UK)
*ANDERSON, Donald, London (UK)
ANDRESEN, Ellen-Mette, Rixensart
AVONTS, Frieda, St-Martens-Bodegem
BACKELJAUW, Joris, Leuven
BAERT, Antoon J., Westouter
BALZAT, Jacques, O.S.B., Ramillies
BARLOW, Bernard, O.S.M., Oxford (UK)
BARNAS, Thaddée, O.S.B., Chevetogne
BASSI, Fabio, Brussel
*BAYCROFT, Rt Rev John, Bishop of Ottawa (CAN)
BEARD, Gillian and Sarah, Cambridge (UK)
BEUKEN, Willem A.M., Heverlee
BOGAERTS, Bessie, Sint-Niklaas
BONNY, Johan, Brugge
BOOLAKY, Vicki, Stockton, Middlesbrough (UK)
BORRAS, Alphonse, Liège
BOUMAN, Pieter, St-Joris-Weert
BRADSHAW, Timothy, London (UK)
BRIDGES, Joan M., Brasschaat
BRIEVEN, Wilfried, Mechelen
BRINKMAN, Martien, De Bilt (NL)
BRUSSELMANS, Jean, Mechelen
BULCKENS, Jozef, Leuven
*BUTLER, Sara, Mundelein, IL (USA)
BUYSSE, Martina, Mortsel
CABIROU, Athanase, Brussel
CAIRNS, John, Gent
CALLEBOUT, Bernhard, Rotselaar
CAREY, Most Rev and Rt Hon Georges Leonard, Archbishop of Canterbury (UK)
CAREY, Mrs. Georges, Canterbury
CARTER, David, Carshalton (UK)
CASSIDY, His Eminence Edward Iris, Card., Rome (I)

CASSIERS, Françoise, Bruxelles
CAUDRON, Marc, Kessel-Lo
CAUWE, Raymond, Brugge
CHAPMAN, David, London (UK)
CHEVALIER, Philippe, Brussel
CLAES, Harry, Mechelen
CLAES, Luciana, Mechelen
CLARK, Rt Rev Alan, Bishop of East Anglia, Poringland, Norwich (UK)
CLOCQUET, Cl.-Marie, Antwerpen
CODNER, Christine, London (UK)
CONWAY, Martin, Birmingham (UK)
COOLS, Louisa, Tildonk
COSIJNS, Herman, Brussel
COX, Bruce and Dianna, York (UK)
*CROSS, Peter, Frankston Vic (AUSTR)
DABIN, François, Liège
DAGET, Nicole, York (UK)
DANNEELS, His Emin. Godfried, Card., Archbishop of Mechelen-Brussel
DASHWOOD, Henry John, Antwerpen
DAVIN, Paul, O.S.B., Bedfordshire (UK)
DAVISTERS, Christiane, Bruxelles
DAVSON, Chris and Kate, East Sussex (UK)
DAYEZ, Nicolas, O.S.B., Abbot of Maredsous
DE BRUIN, Guido, 's Gravenhage (NL)
DE CLERCK, Paul, Bruxelles
DE CLERCK, Stefaan, Minister van Justitie, Brussel
DECLERCK, Leo, Brugge
DE CLERCQ, Ghislaine, Antheit
DEGAND, Philippe, Bruxelles
DE GEIJTER, Hildegarde, Steenokkerzeel
DE GENDT, Dirk, Mechelen
DE GENDT, Rik, Brussel
DE HOVRE, Rt Rev Luk, Tit. Bishop of Domnach-Sechnaill, Brussel

DE KESEL, Jozef, Gent
DE KEYSER, Theophila, Dendermonde
DELOBEL, Joël, Leuven
DE MAERE, Luc, Namur
DEMARQUE, Jean-Marie, Houdeng-
  Goegnies
*DENAUX, Adelbert, Leuven
DENAUX, Joris, Assebroek
DEPREZ, Jean-Philippe, Bruxelles
DERREY, Nicolas, Troyes (FR)
DE SAEGER, Luc, Dendermonde
DE SCHRYVER, Johan, Meise
DE SMEDT, Raphael, Mechelen
DESMET, Sylvère, Heverlee
DESMET, Cyriel, Tervuren
DE TERSCHUEREN, Mme, Bruselles
DETOBEL, Agnes, Leuven
DE TROY, Jean, Evrehuillies Yvoir
DEVILLE, Geneviève, Brussel
DE VILLERS, Geneviève, Ciney
DE VLIEGER, Jacques, Brussel
DEWANDEL, Mine, Mechelen
DE WULF, Jean, Mechelen
D'HAESE, Peter, Gent
DICK, John A., Heverlee
DICK, Mrs. John A., Heverlee
DIET, Marie, Knokke
DOCX, Herman, Molenbeek
DOMS, Dirk, Brugge
DONALDSON, Margaret and Ian,
  Hulton Rudby, Middlesbrough
  (UK)
DORE, Ann and Mike, Wakefield
  (UK)
DRAPER, Martin, Paris (FR)
DREISBACH, Ardis, Leuven
DUCHATEAU, Paula, Brussel
DUHEM, Yolande, Mechelen
*DUPREY, Rt Rev Pierre, Tit. Bishop
  of Thibaris, Vatican City
DUTTON, Nelly, Bruxelles
ECHTERBILLE, M.-H., Ath
ECKER, Leo, Steenokkerzeel
*ELDER, E. Rozanne, Kalamazoo MI
  (USA)
ELLIS, Chris and Angela, York (UK)
ELLISON, Tony, Northallerton (UK)
EPLIKDJIAN, Hamparsoum and
  Béatrix, Brussel

FAMERÉE, Joseph, Bruxelles
FARRELLY, Joseph, Wallington (UK)
FLOYD, David, Brussel
FOBLETS, Maria M., Antwerpen
FOCANT, Camille, Franc-Waret
FRANCIS, Paul, Bruxelles
FRANCK, Rt Rev Fernand, Archbishop
  of Luxembourg (L)
FUCHS, Lorelei, Leuven
*GALLIGAN, Timothy, Vatican City
GARBAYO, Ana Maria, Bruxelles
GARDNER, Alan and Linda, York (UK)
GEERS, Beatrijs, Diest
GESCHE, Adolphe, Louvain-la-Neuve
GEVERS, Godelieve, Leuven
GIELIS, Marcel, Turnhout
GILCHRIST, Eric and Frances,
  Nunthorpe, Middlesbrough (UK)
GOETGHEBEUR, Jan, O.S.B., Abbot of
  Affligem
GOFFINET, Edward, Mechelen
GORODETZKY, Michel, Bruxelles
GRAY, Sir John, Brussel
GRIBBEN, John, Mirfield (UK)
GRISWOLD, Rt Rev Frank T.,
  Archbishop of Chicago (USA)
GROOTAERS, Jan, Brussel
GUNS, Edmond, Leuven
HACHEM, Gabriel, Perwee
HAESEDONCKX, Benno, Brussel
HALLIGAN, Jeanette and Naomi,
  Harrogate (UK)
HAQUIN, André, Louvain-la-Neuve
HARDY, Rt Rev Robert, Bishop of
  Lincoln (UK)
HARPIGNY, Guy, Charleroi
HARRIS, Richard, Middlesbrough
  (UK)
HAUTFENNE, Josine, Bruxelles
HAYEN, Tony, Herk-de-stad
HEIRMAN, Mark, Antwerpen
HENDRICKX, Jos, Antwerpen
HERING, Wolfgang, Schoten
HERTOG, Eric, St.-Katelelijne-Waver
HILL, Rt Rev Christopher, bishop of
  Stafford, Stoke-on-Trent (UK)
HIND, Rt Rev John William, Suff.
  Bishop Horsham, Crawley, West
  Sussex (UK)

HOGAN, Mgr David C, Middlesbrough (UK)
HOOGMARTENS, Patrick, Hasselt
HOLLIS, Rt Rev Crispian, Bishop of Portsmouth (UK)
HOSKIN, Roy, Blegny-Saive
HOUSSIAU, Rt Rev Albert, Bishop of Liège
HUART, Rob. and Anita, Bruxelles
HULL, Henry, London
IND, Rt Rev William, Bishop of Grantham (UK)
JACQUET, Lily, Bruxelles
JANS, Aloïs, Mechelen
JANS, Imelda, Mechelen
*KELLY, Rt Rev Patrick, Archbishop of Liverpool (UK)
KERSTERS, Josette, Vatican City
KNOCKAERT, André, Bruxelles
KRAENTZEL, Maggy, Bruxelles
LANNE, Emmanuel, OSB, Chevetogne
LANNEAU, Rt Rev Paul, Tit. Bishop of Tusuro, Bruxelles
LAPORTE, Christian, Brussel
LARIDON, Rt Rev Eugène, Tit. Bishop of Tighes, Brugge
LAURENT, Gisèle, Linkebeek
LAUWERS, Chris, St-Joris-Weert
LEACH, Agatha, York (UK)
LEBEAU, Paul, Bruxelles
LECLERCQ, Henri, Leuven
LEIJSSEN, Lambert, Leuven
LENDERS, Marc, Bruxelles
LÉONARD, Rt Rev André-Mutien, Bishop of Namur
LEPOINT, Elisabeth, Vaux-S-Chevremont
LEURIDAN, Henk, Leuven
LIBON, Marie-Christine, Modave
LICKESS, David and Mrs., London (UK)
LOOK, Mrs., Gent
LOZE, Elizabeth, Antwerpen
LUYSTERMAN, Rt Rev Arthur, Bishop of Gent
MACDONALD, Alan and HOGGART, June, Yarm, Middlesbrough (UK)
MARAITE, Serge, Liège
*MARASCHIN, Jaci, Sao Paulo (BRAZ)

MARSH, Richard, London (UK)
MARTINEAU, Suzanne, Poitiers (FR)
MATHYS, Roger, Ertvelde
McCANN, Dennis, Lasne
McKINLEY, Peter-Damien, South Yarra (AUSTR)
METCALFE, Ron, York (UK)
MICHIELS, Robrecht, Kessel-Lo
MILLS, Diana, Mirsk, York (UK)
MISSUWE, Francine, Brugge
MOAT, Andrew, Bruxelles
MOLE, David, Brugge
MOORE, Patrick, York (UK)
MOORSE, John and Shirley, Nunthorpe, Middlesbrough (UK)
Monialen van het H. Sacrament (6), Halle
MORETTI, Rt Rev Giovanni, Archbishop of Vartana, Brussel
MORREN, Lucien, Louvain-la-Neuve
*MUDDIMAN, John, Oxford (UK)
*MURPHY-O'CONNOR, Rt Rev Cormac, Bishop of Arundel and Brighton, Pulborough, W. Sussex (UK)
MUYSHONDT, Maria, Heverlee
NAGELS, Lionel, Terhagen
NAVEZ, Chantal, Braine-l'Alleud
*NAZIR-ALI, Rt Rev Michael James, Bishop of Rochester (UK)
NECKEBROUCK, Valeer, Korbeek-Dijle
NEEFS, Julienne, Turnhout
NEIRYNCK, Frans, Leuven
NEUBEST, Ingeborg, 's-Gravenwezel
NOEL, Maurice, Leuven
NOEL, Xavier en Agnès, Brussel
NOLLET, Yves, Bruxelles
NURSER, John S., Suffolk (UK)
OBERGE, Leopold, Tienen
OOST, Willy, Brussel
ORLANS, Phaedra, Gent
OSAER, Toon, Leuven
PALMANS, Piet, Provinciaal Salesianen, St-Pieters-Woluwe
PARRÉ, Pierre, Bruxelles
PEERAER, Leslie, Mortsel
PEETERS, Carl, Zemst
PETIT, Armand, Bruxelles
PIRARD, Armand, Bruxelles
PIRSON, Albert, Wavre

PORTAEL, Jos, Mechelen
PRICE, Alan, (UK)
PYCKE, Jacques, Rosieres
QUINTIENS, Etienne, Brussel
RAEDTS, P.G.J.M., Leiden (NL)
READMAN, Brian and Veronica,
    Wolviston, Middlesbrough (UK)
RENCKENS, Joh., Brussel
RIJCKEN, Felix, Hasselt
ROMBAUTS, Griet, Hove
RONGVAUX, Michel, Bruxelles
*ROOT, Michael, Strasbourg (FR)
ROSE, André, Namur
ROSENTHAL, James, London (UK)
ROSSEY, André, Brugge
ROWLAND, Catherine and Peter,
    Middlesbrough (UK)
ROWLANDS, John and Helen, Great
    Ayton, Middlesbrough (UK)
SABBE, Maurits, Kessel-Lo
*SAGOVSKY, Nicholas, Cambridge (UK)
SALVATI, Silvana, Rome (I)
SANTRY, Robert M., (USA)
SCHMID, Elisabeth, Ramegnies-Chin
SCHOTSMANS, Paul, Leuven
SEGERS, Laurentia, Loppem
SELLESLAGH, Alfons, Mechelen
SELLING, Joseph, Leuven
Servieten van Maria, Wezembeek-
    Oppem
*SHERLOCK, Charles, Clifton Hill
    (AUSTR)
SIMMERSON, Rita and Peter, Thirsk,
    York (UK)
SIMONIS, His Emin. Adrianus, Card.,
    Archbishop of Utrecht (NL)
SIMPSON, David and Margaret, Selby,
    York (UK)
Sisters Abdij van Betlehem (13),
    Bonheiden
Sisters Annuntiaten (3), Brussel
Sisters het Heilig Hart (2), Hoegaarden
Sisters Monastère Ste-Gertrude (2),
    Louvain-la-Neuve
Sisters Monastère de l'Alliance
Sisters O.L.V. van Sion (4), Brussel
Sisters of Overijse-Mechelen (4)
Sisters of Ste-Angela (2), O.-L.-
    Vrouw-Waver

Sisters Union au Sacré Coeur (3),
    Jodoigne
Sisters Ursulinen (3), Tildonk
Sisters of Windesheim (2), English
    Convent Brugge
SMAL, Marie-Thérèse, Heverlee
SNOWBALL, Robert, York (UK)
SOETENS, Claude, Bruxelles
SOLOT, Jules, Rochefort
SPRATT, Nancy, York (UK)
STEELE, Mgr. William, Bradford
    (UK)
STEVENS, L., Mechelen
STOCKMAN, René, Provinciaal
    Broeders van Liefde, Gent
STORME, Marcel, Gent
TANNER, Mary, Westminster (UK)
TERCIC, Johannes, Hasselt
TEURLINGS, Carla, Halle
THOMASSET, Alain, Bruxelles
*TILLARD, Jean-Marie R., Ottawa
    (CAN)
TRIEST, André and Elisabeth, Bierges-
    Wavres
TROUILLEZ, Pierre, Diest
TURNER SMITH, Ann, Wilrijk
ULLMANN, Rainer, Lasne
VANACHTER, Jos, Puurs
VAN BEEK, Joanna, Leuven
VAN BILLOEN, Etienne, Bruxelles
VANCOTTEM, Rt Rev Remy V.,
    Bishop of Unizibira, Wavre
VAN DARTEL, Geert, 's-Hertogen-
    bosch (NL)
VANDEN BERGHE, Eric, Brugge
VAN DEN BERGHE, Rt Rev Paul,
    Bishop of Antwerpen
VAN DEN BOSCH, Rosa, Abbesse,
    Abbaye Notre Dame de la Paix
VANDENBROECK, Veerle, Antwerpen
VANDEN BUSSCHE, Jozef, Wezem-
    beek-Oppem
VAN DEN EYNDE, Willy, Mechelen
VAN DEN OUWELAND, Jef, Leuven
VAN DEN PUTTE, M., Brussel
VAN DE PUTTE, Maria, Gent
VANDER MAELEN, Hildebrand,
    Procinciaal O.S.A., Gent
VAN DER PLANCKE, Chantal, Brussel

VAN DER SCHEUREN, André, Sint-Andries

VANDERSTRAETEN, Sebast, Zepperen

VAN DE VOORDE, Mark, Antwerpen

VAN DRIESSCHE, Guido & Rosette, Brugge

VANDREPOL, Marieke, Mechelen

VAN DYCK, Maria J., Turnhout

VANESCOTE, Daniel, Marbais

VANGHELUWE, Rt Rev Roger, Bishop of Brugge

VAN HILST, Luc, Scherpenheuvel

VANHOOF, Charly and Mrs., Antwerpen

VAN INNIS, Gonzague, Bruxelles

VANLATHEM, J., Mortsel

VAN LEEUWEN, Dirk, Antwerpen

VAN LUYN, Rt Rev Adriaan H., Bishop of Rotterdam (NL)

VAN MAELE, Yvonne, Sint-Kruis

VAN MUYLDER, Germaan, Provinciaal Miss. H. Hart, Borgerhout

VANNESTE, Mgr. Alfred, Brugge

VAN PARYS, Michel, OSB, Abbot of Monastère Saint-André, Chevetogne

VAN PETEGHEM, Rt Rev Léonce, Em. Bishop of Gent, De Pinte

VAN SCHOUBROECK, Raymond, Bruxelles

VANSINA, Frans, Leuven

VAN SOOM, Willy, Leuven

VAN VAECK, Frieda, Mechelen

VEKEMAN, Diederik, Antwerpen

VERBEKE, Jos, Brussel

VERBELEN, Jozef, Tienen

VERCRUYSSE, Jos E., Heverlee

VERHEYEN, Bob, Kontich

VERSTREPEN, Hugo, Mechelen

VERWIMP, Anne-Véronique, Brussel

VINKEN, Leopold, Antwerpen

VRANCKX, Jos, Antwerpen

VRIENS, Jacques, Mechelen

VTM-nieuws (3), Vilvoorde

WAGEMANS, Felix, Rotselaar

WALKER, John Cameron, Gent

WALKER, Nigel, Brussel

WALKER, Rachel and Howard, Masham, Northalleston (UK)

WALRAVENS, Anne-Marie, Bruxelles

WALRAVENS, Elisabeth, Bruxelles

*WALSH, Liam, Fribourg (CH)

WARIN, Pierre, Liège

WASTELL, Ethel, Middlesbrough (UK)

WEATHERILL, Kathleen, Loftus, Middlesbrough (UK)

WELSCH, Pierre, Hevilliers

WESTPHAL, Gaston, Saint-Genaise-le-National (FR)

WIEERS, F., Antwerpen

WILLAERT, Benjamin, Leuven

WILLEBRANDS, His Emin. Johannes, Card., Rome (I)

WILLEMS, Willy, Brussel

WITTOUCK, Françoise, Jodoigne

WOOD, Daphne, York (UK)

WYNS, Jaak, Brussel

PART III

ARCIC BIBLIOGRAPHY 1966-1996

COMPILED BY ADELBERT DENAUX AND LORELEI FUCHS

INTRODUCTION

This cumulative bibliography comprises a selection of printed publications (books and articles) of and about the Anglican-Roman Catholic International Commission (ARCIC), from the year of the Common Declaration of Pope Paul VI and the Archbishop of Canterbury announcing the formation of a joint Commission until 1996. The bibliography has been prepared by Sr. Lorelei F. Fuchs, SA, Associate Director Graymoor Ecumenical & Interreligious Institute, New York, in collaboration with the Centro Pro Unione, Rome, Italy. Adelbert Denaux has finalised the preparatory draft.

Classification of the references is based on the major documents, meetings and foci of issues of the Anglican-Roman Catholic dialogue. Section I (General) follows mainly a chronological order (and within each item an alphabetical order); Section II (Issues) follows a thematic disposition and is organised in 9 subsections in alphabetical order. Section III (National and Regional Dialogues) is organised along geographical criteria: countries are listed in alphabetical order (see *Contents*, pp. 305-307). Categories of classification overlap, but ordinarily a reference appears only in one category. An exception is the periodic reports on ARC relations and national/regional dialogues of C. Davey and C. Hill, which appear in both the issues section and under the national/regional to which the reports refer. When searching a particular issue, a cross-check with the national/regional section should be made. An Alphabetical List of Authors and Editors can be found at the end of this volume in the general *Index of Names* (pp. 309-317).

ARC texts in their official title which are published both in book/booklet form and as articles in a book or journal appear in italics. For example, the *Final Report*. This applies also to sections of the *Final Report* which were published as separate booklets, i.e., *Authority in the Church*. With the exception of official ARC texts and translations, which are given by language group, references which are published in more than one journal and/or book are listed as one entry with their citations in alphabetical order. References appearing in the two languages of bilingual publications are listed together, first in English and then in the second language of the publication. For example, an article in *Ecumenism* is followed by its French edition in *Œcuménisme* or a news item in English in *Information Service* is followed by its French edition in *Service d'Information*. Explicatory annotations are given in brackets.

ABBREVIATIONS

ACC	Anglican Consultative Council
A-RC	Anglican-Roman Catholic
ARCCNY	Anglican-Roman Catholic Central New York
ARCIC	Anglican-Roman Catholic International Commission
ARCIC I	Anglican-Roman Catholic International Commission dialogue 1967-1982
ARCIC II	Anglican-Roman Catholic International Commission dialogue 1982-present
ARCMONT	Anglican-Roman Catholic Montana [USA]
ARCNY	Anglican-Roman Catholic New York
ARCUSA	ARC United States of America
BEM	*Baptism, Eucharist and Ministry*
EDEO	Episcopal Diocesan Ecumenical Officers [Episcopal Church USA]
LWF	Lutheran World Federation
NADEO	National Association of Diocesan Ecumenical Officers [USA Roman Catholic]
RC	Roman Catholic
RCC	Roman Catholic Church
WARC	World Alliance of Reformed Churches

I. GENERAL

1. Preparations for Dialogue

Anglican-Roman Catholic Discussions. – *One in Christ* 3 (1967) 1, 97-98.

Catholiques et autres chrétiens. – *Irénikon* 39 (1966) 4, 555-560.

Groupes mixtes de travail. – *Information Service* (1968) 5, 3-8.

Mgr. Willebrands on Anglican-Roman Catholic Relations. – *One in Christ* 3 (1967) 2, 206-213.

2. Common Declarations of the Anglican Communion and the Roman Catholic Church and Reflections on the Declarations

1966 Declaration (Rome, 24 March)

Text:

Common Declaration of Pope Paul VI and the Archbishop of Canterbury, Dr. M. Ramsey.

– *Acta Apostolicae Sedis* 58 (1966) 286-288 (Latin and English). Anglican-Roman Catholic International Commission, *The Final Report. Windsor 1981*, London: CTS/SPCK, 1982, pp. 117-118. *Unity Digest* (1966) 14, 26.- HILL, C. & E. YARNOLD, *Anglicans and Roman Catholics: The Search for Unity*, London, 1995, pp. 10-11. WITMER, J.W. and WRIGHT, J.R. (eds.), *Called to Full Unity: Documents on Anglican-Roman Catholic Relations, 1966-1983*. Washington, DC: USCC Office of Publishing and Promotion Services, 1986, pp. 3-4.

Déclaration commune 1966.

– Commission Internationale Anglicane-Catholique Romaine, *Rapport Final. Windsor, septembre 1981*, Paris: Cerf, 1982, pp. 126-127. *La Documentation catholique* (1966) 682.

Dichiarazione comune 1966.

– VOICU, S.J. and CERETI, G. (eds.), *Enchiridion œcumenicum: documenti del dialogo teologico interconfessionale (1): dialoghi internazionali 1931-1984*. Bologna: Dehoniane (EDB), 1986, pp. 100-101.

Gemeenschappelijke verklaring 1966.

– *Katholiek Archief* 21 (1966) 523-538; *Archief der Kerken* 37 (1982) 583-584.

Gemeinsame Erklärung 1966.

– *Dokumente wachsender Übereinstimmung. Sämtliche Berichte und Konsenstexte interkonfessioneller Gespräche auf Weltebene.* Bd. 1. *1931-1982.* Hrsg. und eingeleitet von Harding MEYER, Hans Jörg URBAN, Lukas VISCHER, Paderborn: Bonifacius-Druckerei/ Frankfurt a/M: Otto Lembeck, 1983, pp. 190-191. GAßMANN, G. (ed.), *Vom Dialog zur Gemeinschaft: Dokumente zum anglikanisch-lutherischen und anglikanisch-katholischen Gespräch.* (Ökumeni-sche Dokumentation 2). Frankfurt am Main: O. Lembeck/J. Knecht, 1975, pp. 115-117.

Reflections/Reflections with Text:

BECKER, W., Rom und Canterbury: die Begegnung zwischen Papst Paul VI und Erzbischof A.M. Ramsey in Rom. – *Begegnung: Beiträge zu einer Hermeneutik des theologischen Gesprächs.* Graz/Wien/ Köln: Styria, 1972, pp. 791-804.

Inaugurating a Serious Dialogue. – *Catholic International* 2 (1991) 14, 669.

1977 Declaration (Rome, 29 April)

Text:

Common Declaration by Pope Paul VI and the Archbishop of Canter-bury, Dr. F.D. Coggan.

– *Acta Apostolicae Sedis* 69 (1977) 286-289 (English). *Doctrine and Life* 28 (1977) 8, 43-45. *Documents on Anglican/Roman Catholic Relations IV.* Washington, DC: USCC Publications Office, 1979, pp. 95-97. *Ecumenical Trends* 6 (1977) 7, 108-110. MUL-LALY, L. and OSGOOD, J. (eds.), *A Call to Communion: Documents of the International Anglican-Roman Catholic Dialogue, 1966-1977.* [with study guides]. Garrison, NY: Graymoor Ecumenical Institute, 1979, pp. 32-33. *Origins* 7 (1977) 2, 25-26. WITMER, J.W. and WRIGHT, J.R. (eds.), *Called to Full Unity: Documents on Anglican-Roman Catholic Relations, 1966-1983.* Washington, DC: USCC Office of Publishing and Promotion Services, 1986, pp. 154-159.

Declaración conjunta 1977.

– *Renovación ecuménica* 10 (1977) 57, 11-12.

Déclaration cummune 1977.

– Commission Internationale anglicane-catholique romaine, *Rapport Final. Windsor, septembre 1981*, Paris: Cerf, 1982, pp. 128-131. *Documentation Catholique* (1977) 458.

Dichiarazione comune 1977.
> – VOICU, S.J. and CERETI, G. (eds.), *Enchiridion œcumenicum: documenti del dialogo teologico interconfessionale (1): dialoghi internazionali 1931-1984*. Bologna: Dehoniane (EDB), 1986, pp. 102-105.

Gemeenschappelijke verklaring 1977.
> – *Archief van de Kerken* 32 (1977) 793-796; 37 (1982) 584-586.

Gemeinsame Erklärung 1977.
> – *Dokumente wachsender Übereinstimmung. Sämtliche Berichte und Konsenstexte interkonfessioneller Gespräche auf Weltebene.* Bd. 1. *1931-1982*. Hrsg. und eingeleitet von Harding MEYER, Hans Jörg URBAN, Lukas VISCHER, Paderborn: Bonifacius-Druckerei/ Frankfurt a/M: Otto Lembeck, 1983, pp. 192-194.

Reflections/Reflections with Text:
CAPRILE, G., Visita ufficiale del primate anglicano al papa. – *La Civiltà cattolica* 128/2 (1977) 3046, 380-386.

Catholiques et autres chrétiens. – *Irénikon* 50 (1977) 2, 222-229.

La dichiarazione di Canterbury: un commento. – *Unitas* 32 (1977) 4, 283-292.

DUPREY, P., Roma e Canterbury. – *Unitas* 32 (1977) 4, 286-289.

HILL, C., An Analysis of the Common Declaration of Pope Paul VI and the Archbishop of Canterbury. – *Faith and Unity* 22 (1978) 1, 1-5. *One in Christ* 14 (1978) 3, 259-266. *Documents on Anglican/Roman Catholic Relations IV*. Washington, DC: USCC Publications Office, 1979, pp. 98-106.

Visit of the Archbishop of Canterbury to Pope Paul VI, April 27-30, 1977. – *Information Service* (1977) 34/2, 1-5. French Edition: Visite de l'archevêque de Canterbury au pape Paul VI, 27-30 avril 1977. – *Service d'information* (1977) 34/2, 1-5.

1982 Declaration (Canterbury, 29 May)

Text:
Common Declaration by Pope John Paul II and the Archbishop of Canterbury, Dr. R. Runcie, 29 May 1982.
> – *Doctrine and Life* 32 (1982) 6, 391-392. *Ecumenical Bulletin* (1982) 54, 13-14. *Ecumenical Trends* 11 (1982) 10, 163-164. *Information Service* (1982) 49,2-3, 46-47. *One in Christ* 18 (1982) 3, 260-261. *Origins* 12 (1982) 4, 49, 51. WITMER, J.W. and WRIGHT, J.R. (eds.), *Called to Full Unity: Documents on Anglican-Roman Catholic*

Relations, 1966-1983. Washington, DC: USCC Office of Publishing and Promotion Services, 1986, pp. 300-302.

Déclaration commune 1982.

– *Istina* 27 (1982) 3, 322-324. *Unité des chrétiens* (1982) 48, 37.

Dichiarazione comune 1982.

– *Il Regno documenti* 27 (1982) 13/466, 393-394. *Studi ecumenici* 1 (1983) 1/2, 151-153. *Unitas* 37 (1982) 3, 186-188. VOICU, S.J. and CERETI, G. (eds.), *Enchiridion œcumenicum: documenti del dialogo teologico interconfessionale (1): dialoghi internazionali 1931-1984.* Bologna: Dehoniane (EDB), 1986, pp. 106-109.

Gemeinsame Erklärung 1982.

– *Dokumente wachsender Übereinstimmung. Sämtliche Berichte und Konsenstexte interkonfessioneller Gespräche auf Weltebene.* Bd. 1. *1931-1982.* Hrsg. und eingeleitet von Harding MEYER, Hans Jörg URBAN, Lukas VISCHER, Paderborn: Bonifacius-Druckerei/ Frankfurt a/M: Otto Lembeck, 1983, pp. 194-196.

Katolsk-anglikanskt statement om enheten. Gemensam deklaration av påven och ärkebiskopen av Canterbury. – *Signum* 8 (1982) 6, 171-172.

Reflections/Reflections with Text:

ALLEN, J., Pope, Anglican Primate Sign Joint Declaration for New Steps to Unity. – *Lutheran World Information* (1982) 22, 12.

CAPRILE, G., Giovanni Paolo II in Gran Bretagna. – *La Civiltà cattolica* 133 (1982) 3, 58-73.

A Common Pilgrimage in Faith. – *Catholic International* 2 (1991) 14, 670-671. *Origins* 12 (1982) 4, 49-50.

CORBISHLEY, D., The Common Declaration. – *The Tablet* 236 (1982) 7407, 637-638.

Grande-Bretagne. – *Irénikon* 55 (1982) 2, 255-268.

The Papal Visit to Britain, 28 May to 2 June 1982. – *The Tablet* 236 (1982) 7404, 560-578.

The Papal Visit to England, Scotland and Wales. – *News from the English Churches* 2 (1982) 2, 31-60.

Le pape Jean-Paul II à Cantorbéry. – *Unité des chrétiens* (1982) 47, 46-48.

Pope John Paul II and Ecumenism. – *Information Service* (1982) 49,2-3, 35-55, spec. 42-54.

Pope John Paul II Visits Britain. – *Chrysostom* 6 (1982) 4, 101-105.

SEED, M., Pope John Paul II visits Great Britain: the Ecumenical Aspects. – *Ecumenical Trends* 11 (1982) 11, 175-178.

La visite à Cantorbéry. – *La Documentation catholique* 79 (1982) 12/1832, 587-591.

1989 Declaration (Rome, 2 October)

Text:

Common Declaration of Pope John Paul II and the Archbishop of Canterbury, Dr. R. Runcie.
  – *Acta Apostolicae Sedis* 82 (1990) 323-326. *Ecumenical Trends* 18 (1989) 11, 161-163. *Ecumenism* 24 (1989) 96, 40-41.
Dichiarazione commune 1989.
  – CERETI, G. and J.F. PUGLISI (eds.), *Enchiridion œcumenicum: documenti del dialogo teologico interconfessionale (3): dialoghi internazionali 1985-1994*. Bologna: Dehoniane (EDB), 1995, pp. 134-137.
Gemeinsame Erklärung 1989.
  – *Dokumente wachsender Übereinstimmung. Sämtliche Berichte und Konsenstexte interkonfessioneller Gespräche auf Weltebene. Bd. 2.1982-1990*. Hrsg. und eingeleitet von Harding MEYER, Hans Jörg URBAN, Lukas VISCHER, Damaskinos PAPANDREOU, Paderborn: Bonifacius-Druckerei/Frankfurt a/M: Otto Lembeck, 1992, pp. 348-351.

Reflections/Reflections with Text:

Documentos: Los firmes pilares del diálogo católico-anglicano. – *Renovación ecuménica* 22 (1990) 99, 1-10.
Giovanni Paolo II e Robert Runcie. – *Il Regno documenti* 34 (1989) 19/626, 578-581.
A Meeting of the Pope and Canterbury's Archbishop. – *Origins* 19 (1989) 19, 316-320.
Rome and Canterbury. – *Doctrine and Life* 39 (1989) 9, 483-488.
Runcie and Pope: Ordination of Women 'Prevents Reconciliation'. – *Ecumenical Press Service* 56 (1989) 35, 10.22.
Solemn Recommitment to Restoring Visible Unity. – *Catholic International* 2 (1991) 14, 671-672. *AAS-Acta Apostolicae Sedis* 82 (1990) 323ff.
Vatican: la visite de l'archevêque de Cantorbéry suscite des controverses. – *SOEPI-Service œcuménique de presse et d'information* 56 (1989) 36, 5.
Visit to Rome of the Archbishop of Canterbury. – *Information Service* (1989) 71,3-4, 111-123. French Edition: La visite à Rome de l'Archevêque de Cantorbéry. 29 septembre – 2 octobre 1989. – *Service d'Information* (1989) 71,3-4, 117-129.

1996 Declaration (Rome, 5 December)

Text:

Common Declaration by Pope John Paul II and the Archbishop of Canterbury, Dr. G. Carey. – *Osservatore Romano*, 7 dec. 1996, 1.5.

Reflections / Reflections with Text:

GALLIGAN, T., La visita dell'Arcivescovo di Canterbury. – *Osservatore Romano*, 4 dec. 1996, 6.

3. A-RC: General

ADOLPHUS, L., Dialog der Kirchen: Strittige Punkte. – *Ut omnes unum* 43 (1980) 2, 53-54.

ALLCHIN, A.M., Approaches to Eastern Orthodoxy and to Rome. – C. MARTIN (ed.), *The Great Christian Centuries to Come. FS A.M. Ramsay*, London/Oxford: Mowbray, 1974, p. 67-93.

Anglican Chief Suggests Unity by Stages with Roman Catholic Church. – *Lutheran World Information* (1981) 18, 12-13.

Anglicans et autres chrétiens. – *Irénikon* 52 (1979) 1, 82-85.

Anglicans et catholiques: le dialogue avance. – *SOEPI-Service œcuménique de presse et d'information* 46 (1979) 7, 9.

Anglican-Roman Catholic Relations. – *Information Service* 33 (1977) 1, 19-20. French Edition: Relations anglicanes-catholiques romaines. – *Service d'information* 33 (1977) 1, 19-20.

Anglican/Roman Catholic Relations: a Sermon Given at Malines Cathedral on 13 February 1993. – *Unity Digest* (1993) 7, 11-13.

Archbishop Carey to visit Pope John Paul II in December. – *ENI-Ecumenical News International* (1996) 12, 0318.

Archbishop and Pope Meet at the Vatican. – *The Compasrose* (1992) 67, 1-2.

Archbishop of Canterbury Sends Greetings to Synod of Bishops. – *L'Osservatore Romano* (Weekly English Edition) 27 (1994) 47/1367, 13.

Archbishop of Canterbury Sets Out Some Hard Questions for Rome. – *Star of the East* 3 (1981) 2, 33-34.

BARKING, W., Understanding Each Other in Dialogue. – *Faith and Unity* 19 (1975) 1, 7-8.

BIRMELÉ, A., Le dialogue anglican-catholique romain: ARCIC. – *Le salut en Jésus Christ dans les dialogues œcuméniques*. (Cogitatio fidei 141). Paris/Genève: Cerf/Labor et Fides, 1986, pp. 361-388.

BLÄSER, P., Zum anglikanisch/römisch-katholischen Gespräch. – *Catholica* 27 (1973) 1, 31-44.

Bridges across the Tiber. – *The Tablet* 250 (1996) 8133, 811.

BRIVA, A., El diálogo Roma-Canterbury. – *Boletín informativo (Madrid)* (1982) 18, 11-12.

BUCHIU, S., Contributii ale dialogului teologic dintre romano-catolici si anglicani la ecumenismul crestin. – *Studii Teologice* 32 (1980) 3/6, 351-564.

BULLOCK, M., Preparing for the Year 2000. – *ACR Centro: News from the Anglican Centre in Rome* 4 (1996) 1, 5-6.

BUTLER, B.C., The Nature of Schism: How Complete Can It Ever Be? What Does It do? How Can It Be Healed? – *One in Christ* 10 (1974) 3, 228-236.

—, CHADWICK, H., CLARK, A., KNAPP-FISHER, E. and RUNCIE, R.A.K. *Towards Unity in Truth.* Leominster: Church Literature Association/Fowler Wright, 1981.

Canterbury's Visit and Anglican-Roman Catholic Rapprochement. – *Ecumenical Press Service* 52 (1985) 14, 4.71.

Carey Challenges Rome for Clarification of Intent. – *The Tablet* 248 (1994) 8026, 718.

CAREY, G., Avoiding Defeat by Ecumenism's Perplexing Issues. – *Origins* 22 (1992) 4, 52-4.

Carey in Italia. – *Il Regno attualità* 37 (1992) 12/685, p. 379; 14/687, pp. 406-408.

Cattolici-anglicani. – *Il Regno attualità* 37 (1992) 8/681, 246.

CERETI, G., I ministeri rinnovati dal dialogo ecumenico. – *Il Regno attualità* 25 (1980) 415/6, 133-143.

—, L'ecclesialità delle altre chiese secondo l'ecclesiologia cattolica: le chiese della comunione anglicana. – *Studi ecumenici* 11 (1993) 2, 215-220.

CHADWICK, H., Lambeth Conference 1978: Roman Catholic Relationships. – *One in Christ* 14 (1978) 4, 376-380.

—, An Anglican View of Rome: an Interview. – *The Tablet* 236 (1982) 7391, 238-239.

—, On Anglicans and the Crown. – *The Tablet* 236 (1982) 7392, 246.

—, *BEM* and the Anglican/Roman Catholic Agreements. – *Mid-Stream* 23 (1984) 3, 262-269.

La chiesa cattolica romana in dialogo. – *Unitas* 37 (1982) 1, 65-70.

Church of England Synod Considers Relations with Roman Catholics. – *Ecumenical Press Service* 46 (1979) 6, 4-5.

Church of England Synod Endorses Three Anglican-Catholic Statements. – *The Ecumenical Review* 31 (1979) 3, 317-318. *Lutheran
World Information* (1979) 8, 16.

A Church United Not Absorbed. – *The Tablet* 235 (1981) 7341, 275.

CLARK, A.C., *Dialogue in Faith: the Text of an Address to the General
Synod of the Church of England on November 17th 1974.* London:
Catholic Truth Society, 1975.

CLEARY, M., Anglican/Roman Catholic Unity. – *One in Christ* 21 (1985)
1, 40-42.

La commission mixte permanente entre anglicans et catholiques. – *La
Documentation catholique* 67 (1970) 1555, 98.

Common Ground: Anglican Primate's Visit to Italy. – *Catholic International* 3 (1992) 14, 689-95.

CORBISHLEY, D., Ecumenism on Trial. – *The Tablet* 235 (1981) 7333,
78-80.

COULSON, J., De Lord Halifax à ARCIC II: relations entre catholiques et
anglicans (1934-1984). – *Unité des chrétiens* (1984) 54, 13-14.

DESSAIN, J., Le cheminement des églises catholique romaine et anglicane
vers l'union. – *Nouvelle revue théologique* 99 (1977) 4, 481-506.

—, Données nouvelles dans les relations avec les anglicans. – *Nouvelle
revue théologique* 113 (1981) 481-506.

Le dialogue anglican-catholique. – *La Documentation catholique* 75
(1978) 8/1740, 392.

I documenti di dialogo: rassegna 1985-1986. – *Studi ecumenici* 5 (1987)
1, 141-150.

DRAPER, J. (ed.), *Communion and Episcopacy. Essays to Mark the
Centenary of the Chicago-Lambeth Quadilateral.* Oxford: Ripon
College Cuddesdon Publications, 1988.

Dr. Carey's Visit to Rome. – *Briefing* 22 (1992) 11, 14.

Drei anglikanisch/römisch-katholische Erklärungen gebilligt. – *Lutherische Welt-Information* (1979) 10, 8.

DUDLEY, M., Anglican-Roman Catholic Dialogue: the Search for Understanding. – *Insight* 1 (1983) 3, 27-29.

DUPREY, P., Anglican/Roman Catholic Dialogue: Some Reflections. –
One in Christ 10 (1974) 4, 358-368.

—, Développement actuel des relations entre l'église catholique et la
communion anglicane. – *Unité des chrétiens* (1976) 23, 29-30.

—, Rome et Cantorbéry. – *La Documentation catholique* 74 (1977)
11/1721, 524-525.

—, Vers la restauration de l'unité chrétienne: les Églises en dialogue. –
Charisteria eis timen tou Metropolitou gerontos Chalkedonos

Melitonos. Thessalonike: Patriarchikon Hidryma Paterikon Meleton, 1977, pp. 257-271.

EDWARDS, D.L., *What is Catholicism? An Anglican Responds to the Official Teaching of the Roman Catholic Church*. London: Mowbray, 1994.

EHRENSTRÖM, N. and GAßMANN, G., Anglican-Roman Catholic. – *Confessions in Dialogue: a Survey of Bilateral Conversations among World Confessional Families 1959-1974*. Third Edition. (Faith and Order Paper 74). Geneva: World Council of Churches, 1975, pp. 22-28.

GALEOTA, G., L'undicesima conferenza di Lambeth: nuovi problemi e motivi di fiducia per il dialogo tra Roma e Canterbury. – *La Civiltà cattolica* 129 (1978) 4/3080, 139-153.

GALLIGAN, T., Il dialogo con la comunione anglicana. – *Unitas* 49 (1994) 3, 128-131. *L'Osservatore Romano* 11-25 gennaio 1994.

—, Across the World Anglicans and Catholics are Working Together and Giving Common Witness. – *L'Osservatore Romano* (Weekly English Edition) 28 (1995) 4/1375, 13-14.

—, La chiesa cattolica in dialogo con la comunione anglicana e con il metodismo mondiale 1987-1994. – *La chiesa cattolica oggi nel dialogo: aggiornamento: 1988-1995*. Roma: Centro Pro Unione, 1995, pp. 60-78.

—, Progressi e ostacoli sulla via dell'unità: rapporti tra anglicani e cattolici. – *Unitas* 50 (1995) 4, 214-218.

GAMBERINI, P., L'Arcivescovo di Canterbury a Roma. – *La Civiltà cattolica* 140 (1989) 3347, 462-470.

GAßMANN, G., Der anglikanisch-lutherische und anglikanisch-katholische Dialog: geschichtlicher Hintergrund, gegenwärtiger Stand und Vergleich. – *Vom Dialog zur Gemeinschaft: Dokumente zum anglikanisch-lutherischen und anglikanisch-katholischen Gespräch*. (Ökumenische Dokumentation, 2). Frankfurt am Main: O. Lembeck/ J. Knecht, 1975, pp. 9-42.

—, Erwägungen zu zwei bilateralen Dialogen über das Papstamt. – *Catholica* 30 (1976) 3/4, 246-258.

—, Das ökumenische Engagement der Anglikanischen Gemeinschaft: Zur Lambeth-Konferenz 1978. – *Ökumenische Rundschau* 28 (1979) 1, 24-32.

GEISSLER, H. and JUPP, R., *Newman on Mary: Two Studies in Development*. (ESBVM papers). Wallington: Ecumenical Society of the Blessed Virgin Mary, 1996.

GIRAULT, R., Un dialogue exemplaire. – *Unité des chrétiens* (1984) 54, 1.

GLEIXNER, C., Das offizielle anglikanisch-katholische Gespräch. – *Öku-mene heute: Eine Orientierungshilfe*. Wien/München: Herold, 1980, pp. 45-46; 147-161.

GONZALEZ G., Anglicanismo y catolicismo: contribución de la teología a la unidad. – *Renovación ecuménica* 9 (1976) 55, 17-19.

Grande-Bretagne. – *Irénikon* 54 (1981) 1, 116-123.

GREENACRE, R.T., Rome et Canterbury: contradiction ou complémen-tarité? Conférence donnée par le Chanoine Roger T. Greenacre, le lundi 2 décembre 1985 au Grand Séminaire de Namur. – *La Foi et le Temps* 16 (1986) 140-155.

—, Le Dialogue anglican-catholique. – *Unité chrétienne* (1990) 97-98, 7-43.

HAASE, W. (ed.), *Rome and the Anglicans. Historical and Doctrinal Aspects of Anglican-Roman Catholic Relations*. Berlin/New York, 1982.

HALE, R., *Canterbury and Rome: Sister Churches: a Roman Catholic Monk Reflects upon Reunion in Diversity*. London: Darton/Long-man & Todd Limited, 1982.

HALIFAX, L., DAVIDSON, R. and MERCIER, Cardinal D., Malines: 1921-1996: extraits des écrits. – *Chrétiens en marche* 33 (1996) 51, 4-5.

Harte Fragen des Erzbischofs von Canterbury an Rom. – *Lutherische Welt-Information* (1981) 14, 7.

HASTINGS, A., Anglican-Roman Catholic Relations Today and Growth in Intercommunion. – *One in Christ* 9 (1973) 1, 24-34.

—, Malta Ten Years Later. – *One in Christ* 14 (1978) 1, 20-29.

HEBBLETHWAITE, P., Rome and Canterbury through the Ages. – *ACR Centro: News from the Anglican Centre in Rome* 3 (1995) 1, 1-6. *Unity Digest* (1995) 12, 12-17.

HILL, C., Report on Anglican-Roman Catholic Relations and National Anglican-Roman Catholic Dialogues, 1975-76. – *Renovación ecu-ménica* 9 (1976) 54, 15-16.

—, Informe de las relaciones ecuménicas anglicano-católicas: 1975-1976. – *Renovación ecuménica* 9 (1976) 54, 17-18.

—, Report on Anglican/Roman Catholic Relations and National Angli-can/Roman Catholic Dialogues, 1977-78. – *One in Christ* 15 (1979) 2, 170-189.

—, Verso l'unità: questioni dottrinali, ministeri, strutture. – *Il Regno attualità* 29 (1984) 12/509, 268-269.

—, Récents documents romains et œcuménisme de Vatican II: perspec-tive anglicane. – *Irénikon* 66 (1993) 1, 52-68.

HUFFMAN, B.L., Anglican-Roman Catholic Dialogues: Mutual Recog-nition of Ministries. – *Journal of Ecumenical Studies* 30 (1993) 2, 157-181.

HUME, G.B., La voie commune vers l'unité. – *La Documentation catholique* 75 (1978) 5/1737, 224-228.

La iglesia de Inglaterra aprueba los acuerdos anglicano-católicos sobre la eucaristía, el ministerio y la autoridad en la iglesia. – *Renovación ecuménica* 11 (1979) 64, 12.

JANEZIC, S., Anglikansko-katoliski dialog. – *V Edinosti* 48 (1993) 51-52.

Katholiken und Anglikaner Englands kommen sich näher. – *Lutherische Welt-Information* (1986) 43, 10.

Katholisch/anglikanische Kommuniongemeinschaft in Aussicht? – *Lutherische Welt-Information* (1978) 24, 12.

KEETON, B., *Some Observations on Anglican/Roman Catholic Relations.* (The Dolphin Papers 5). London: Church Literature Association, 1976.

KEVERN, J.R., A Future for Anglican Catholic Theology. – *Anglican Theological Review* 76 (1994) 2, 246-261.

Kirchenunion zwischen Anglikanern und Katholiken gilt als möglich. – *Lutherische Welt-Information* (1975) 51, 7.

KNAPP-FISHER, E.G., Anglican/Roman Catholic International Commission: Historical Introduction 1970/71. – *One in Christ* 9 (1973) 2, 107-110.

—, *Anglican-Roman Catholic Dialogue and Three Archiepiscopal Visits to Rome.* London: SPCK, 1978.

—, Rome and Canterbury, 1960-1981. – *Towards Unity in Truth.* Leominster: Church Literature Association/Fowler Wright, 1981, pp. 7-11.

LESCRAUWAET, J.F., *Oecumenische ervaring van het Book of Common Prayer.* Brugge/Boxtel: Emmaüs/K.B.S., 1975.

LIESSENS, Ph., Vers la pleine communion entre anglicans et catholiques romains. – *Unité des chrétiens* (1972) 5, 21-22.

MARTINEAU, S., Accords et divergences: le dialogue anglicans-catholiques. – *Informations catholiques internationales* (1982) 574, 21-24.

—, Dossier sur les documents de l'ARCIC: introduction générale au dossier. – *Unité des chrétiens* (1982) 48, 20.

MCADOO, H.R., Les anglicans à l'heure du dialogue. – *Unité des chrétiens* (1975) 18, 7-15.

MCDONALD, K., Catholic-Anglican and Catholic-Methodist Relations. – *One in Christ* 24 (1988) 1, 63-71.

—, Relaciones anglicano-católicas. – *Boletín informativo (Madrid)* 25 (1988) 3-7.

—, Relazioni cattolico-anglicane. – *Unitas* 45 (1990) 1, 78-80.

—, L'ecclesiologia cattolica nel dialogo con gli anglicani: evoluzione e prospettive. – *Studi ecumenici* 10 (1992) 2/3, 167-81.

—, Rapporti tra cattolici e anglicani. – *Unitas* 48 (1993) 4, 145-148.

—, Chiesa e mondo: coinvolgimento e autonomia nel Vaticano II e nei dialoghi con gli anglicani. – *Studi ecumenici* 12 (1994) 1, 61-75.

MCNEIL, B., Catholic and Orthodox Dialogue in Vienna, 1978: Some Lessons for England. – *Clergy Review* 64 (1979) 8, 298-300.

A Meeting of the Pope and Canterbury's Archbishop. – *Origins* 22 (1992) 4, 49-51.

MERCER, R., The Ecumenical Implications of the Eleventh Lambeth Conference. – *Ecumenical Trends* 7 (1978) 10, 148-151; 11, 165-168.

—, London Conference on Anglican-Roman Catholic Dialogues. – *Journal of Ecumenical Studies* 15 (1978) 2, 406-409.

MILLER, A., Dr. Carey Takes Pilgrimage of Hope to Rome. – *The Tablet* 250 (1996) 8133, 835.

MOELLER, C., Paths towards Unity: Sections I and II of a Report to the Vatican Secretariat for Promoting Christian Unity, November 1973. – *Faith and Unity* 18 (1974) 4, 63-67.

MOORMAN, J.R.H., Intercommunion. – *One in Christ* 15 (1979) 4, 305-309.

MURPHY, P.L., Anglican-Catholic Dialogue. – *Australian Catholic Record* 53 (1976) 4, 357-369.

Pontificium Consilium ad Unitatem Christianorum fovendam. Presentation of the Work of the Council: Relations with the Churches and Ecclesial Communities of the West. Anglican-Catholic Relations. – *Information Service* (1996) 91/1-2, 28-30.

Un obstacle aux relations anglicanes-catholiques. – *La Documentation catholique* 75 (1978) 12/1744, 592.

O'CONNELL, G. and CASSIDY, E.I., Dialogue Must Go On. – *The Tablet* 250 (1996) 8124, 506-507.

Ökumene: das Papsttum und die Anglikaner. – *Lutherische Welt-Information* (1981) 21, 7.

Organische Union?. – *MD-Materialdienst des Konfessionskundlichen Instituts Bensheim* 22 (1971) 2, 22-23.

PARRÉ, P., Une étape du dialogue anglican-catholique. – *Lumen Vitae* 39 (1984) 453-464; Engl.: Anglican Roman-Catholic Dialogue. – *Lumen Vitae* 40 (1985) 215-227.

— and FRANCIS, P., *Rapprochements anglicans-catholiques romains aux XIXe et XXe siècles*. Malines: Archevêché de Malines. Service Press Malines, 1996.

PAWLEY, B.C. and PAWLEY, M., *Rome and Canterbury through Four Centuries: a Study of the Relations between the Church of Rome and the Anglican Churches, 1530-1973*. New York: Seabury, 1975.

PAWLEY, B.C., Canterbury and Rome: Where Do We Stand? – *Faith and Unity* 21 (1977) 3, 47-48.

PERKO, F., Anglikansko-katoliski dialog. – *V Edinosti* 37 (1982) 31-33.

PICAZO, J.V., El Misterio de la eucaristía en el diálogo teológico anglicano-católico. – *Diálogo ecuménico* 28 (1993) 91, pp. 187-225; 92, pp. 329-365.

PIERCE, J.M., The Eucharist as Sacrifice: Some Contemporary Roman Catholic Reflections. – *Worship* 69 (1995) 5, 394-405.

PLATTEN, S., Anglicanism and Roman Catholicism: the Continuing Story of Two Communions. – *One in Christ* 30 (1994) 3, 245-255.

PRIDEAUX, B., Anglican-Roman Catholic Dialogue: Some Outstanding Questions. – *Ecumenism* 22 (1987) 88, 30-32. French: Le dialogue anglican/catholique romain: quelques questions en suspens. – *Œcuménisme* 22 (1987) 88, 32-34.

The Problems of Unity: an Anglican View. – *Origins* 10 (1980-81) 44, 694-697.

The Problems of Unity: Cardinal Willebrands on Anglican-Roman Catholic Unity. – *Ecumenical Bulletin* (1981) 49, 8-10.

PURDY, W.A., Il dialogo tra cattolici ed anglicani: panorama e prospettive. – *La chiesa cattolica oggi nel dialogo*. (Corso breve di ecumenismo 4). Roma: Centro Pro Unione, 1982, pp. 27-40.

—, Dialogue with the Anglican Communion. – *One in Christ* 18 (1982) 3, 211-222.

—, *The Search for Unity: Relations between the Anglican and Roman Catholic Churches from the 1950s to the 1970s with an Appreciation by Professor Sir Henry Chadwick*. London: Geoffrey Chapman (a Cassell Imprint), 1996.

RAMSEY, A.M., Le bilan des relations entre catholiques et anglicans depuis 1966. – *La Documentation catholique* 69 (1972) 11/1610, 534.

—, De Malines 1926 à Cantorbéry 1982. – *Unité des chrétiens* (1984) 54, 11-12.

Rapprochement entre l'Église anglicane et l'Église catholique romaine? – *SOEPI-Service œcuménique de presse et d'information* 53 (1986) 41, 8-9.

REAR, M., *One Step More Between Rome and Canterbury*. London: Catholic League/Church Literature Association, 1982.

Rencontre de Jean-Paul II et de l'archevêque de Cantorbéry, Dr. Carey. – *La Documentation catholique* 89 (1992) 13/2053, 633-634.

ROOT, H., Alcuni aspetti dell'ecclesiologia anglicana alla luce del dialogo anglicano-cattolico romano. – *Studi ecumenici* 10 (1992) 2/3, 147-65.

RUNCIE, R.A.K., The Problems of Unity: an Anglican View. – *Ecumenical Bulletin* (1981) 48, 13-18. *Ecumenical Trends* 10 (1981) 9, 134-139.

—, Rome and Canterbury: Lenten Address... Given in Westminster Abbey, 11 March 1981. – WITMER, J.W. and WRIGHT, J.R. (eds.), *Called to Full Unity: Documents on Anglican-Roman Catholic Relations, 1966-1983*. Washington, DC: USCC Office of Publishing and Promotion Services, 1986, pp. 214-222.

—, Rome and Canterbury: Unity, Diversity and Comprehensiveness. – *Towards Unity in Truth*. Leominster: Church Literature Association/Fowler Wright, 1981, pp. 39-46.

—, The Papal Visit to Canterbury. – *The Tablet* 236 (1982) 7390, 213-215.

—, Unity without Absorption: Lecture on Anglican-Roman Catholic Relations... Given at Croydon, England, 11 March 1982. – WITMER, J.W. and WRIGHT, J.R. (eds.), *Called to Full Unity: Documents on Anglican-Roman Catholic Relations, 1966-1983*. Washington, DC: USCC Office of Publishing and Promotion Services, 1986, pp. 289-293.

—, The Nature of the Unity We Seek (and responses). – *Ecumenism* 24 (1989) 93, 5-30.

—, Anglican-Roman Catholic Relations Today. – *The Month* 23 (1990) 1, 4-11.

Runcie Sets Out Some Hard Questions for Rome. – *The Ecumenical Review* 33 (1981) 3, 295-296. *Ecumenical Press Service* 48 (1981) 8, 5-6.

RUSCONI, A., Carey in Vaticano. – *Mondo e missione* (1992) agosto/settembre, 458-459.

SALVI, G. (ed.), *Roma e Canterbury: puntuali al dialogo*. Riano: Oikoumenikon, 1977. – *Oikoumenikon* (1977) febbraio-marzo.

SCHMIDT, M., Die anglikanische Gemeinschaft und Rom. – *MD-Materialdienst des Konfessionskundlichen Instituts Bensheim* 26 (1975) 2, 26-31.

SCHÜTTE, H., Zur anglikanisch-katholischen Ökumene: Weitgehende Gemeinsamkeiten zwischen der katholischen und der anglikanischen Kirche. – *Ziel: Kirchengemeinschaft; zur ökumenischen Orientierung*. Paderborn: Bonifatius, 1986, pp. 18, 70-71.

Setbacks to Unity Quest are Challenges Not Blockages. – *The Tablet* 248 (1994) 8050, 1528-1529.

STACPOOLE, A., Catholicism, the Agreed Statements and Covenanting for Unity. – *Clergy Review* 67 (1982) 5, 155-161.

—, Ecumenism on the Eve of the Council. – *The Month* 17 (1984) 9, 300-306; 10, 333-338.

—, Anglican/Roman Catholic Relations after the Council, 1965-1970. – *The Month* 18 (1985) 2, 55-61; 3, 91-98.

—, Anglican/Roman Catholic Relations in the Early Seventies, 1970-75. – *The Month* 20 (1987) 6, 211-219.

STAPLES, P., The Roman Catholic Church. – *The Church of England 1961-1980*. (IIMO Research Pamphlet 3). Utrecht/Leiden: Interuniversitair Instituut voor Missiologie en Oecumenica, 1981, pp. 100-103.

STEIGER, P., In Zukunft Einheit zwischen Anglikanern und Katholiken?. – *Ut omnes unum* 45 (1982) 2, 55-57.

STEWART, R.L., *Anglicans and Roman Catholics*. London: Catholic Truth Society, 1977.

STRAZZARI, F., Carey a Roma. – *Il Regno attualità* 37 (1992) 8/681, 208-209.

SUTTOR, T., The Anglican-Roman Talks. – *Australian Catholic Record* 55 (1978) 2, 126-134.

TAVARD, G.H., The Bilateral Dialogues: Searching for Language. – *One in Christ* 16 (1980) 1/2, 19-30.

TILLARD, J.-M.R., The Deeper Implications of the Anglican-Roman Catholic Dialogue. – *One in Christ* 8 (1972) 3, 242-263.

—, L'horizon de la 'primauté' de l'évêque de Rome. – *Proche-Orient chrétien* 25 (1975) 3/4, 217-244.

—, Sensus fidelium. – *One in Christ* 11 (1975) 1, 2-29.

—, Anglicans et catholiques. – *Unité des chrétiens* (1990) 79, 9-11.

—, The Lesson for Ecumenism of Lambeth 1988. – *Priests & People* 3 (1990) 10, 383-386.

—, Roman Catholics and Anglicans: is There a Future for Ecumenism? – *One in Christ* 32 (1996) 2, 106-117.

—, Rome and Canterbury Must Not Give Up on Unity, Tillard says. – *The Tablet* 250 (1996) 8109, 29-30.

VAN DE POL, W.H., *Het Anglikanisme in oecumenisch perspectief*. Roermond en Maaseik: Romen en Zonen, 1962. Cf. above, p. 87.

VAN DYCK, M.J., *Worden Rome en Canterbury één? Over een evangelisch gezag in de Kerk van Christus*. Tielt: Lannoo, 1990. English edition: *Growing Closer Together. Rome and Canterbury: A Relationship of Hope*. Middlegreen: St. Paul Publications, 1992.

Visite de l'Archevêque de Cantorbéry à Rome. 24-25 mai 1992. – *Service d'Information* (1993) 1,29-30.

Le voyage du Dr. Runcie au Vatican. – *Unité des chrétiens* (1990) 77, 39-41.

212 ARCIC BIBLIOGRAPHY: GENERAL

WELSBY, P.A., The Roman Catholic Church Rome and Canterbury. – *A History of the Church of England, 1945-1980.* Oxford: Oxford University, 1984, pp. 177-181, 268-272.

WILLEBRANDS, J., Les perspectives d'avenir dans les relations entre catholiques et anglicans. – *La Documentation catholique* 69 (1972) 22/1621, 1061-1066.

—, Prospects for Anglican-Roman Catholic Relations. – WITMER, J.W. and WRIGHT, J.R. (eds.), *Called to Full Unity: Documents on Anglican-Roman Catholic Relations, 1966-1983.* Washington, DC: USCC Office of Publishing and Promotion Services, 1986, pp. 61-72. *One in Christ* 9 (1973) 1, 11-23.

—, Ökumenischer Situationsbericht aus der Sicht des Einheitssekretariates 1973. – *Catholica* 29 (1975) 1, 61-81.

—, Überlegungen zum ökumenischen Dialog: Vortrag bei der Sitzung des wissenschaftlichen Beirats des Johann-Adam-Möhler Instituts, Paderborn 13 März 1975. – *Catholica* 29 (1975) 4, 341-359.

—, Anglican-Roman Catholic Dialogue. – *One in Christ* 15 (1979) 4, 290-304.

—, Le dialogue entre catholiques et anglicans. – *Irénikon* 52 (1979) 3, 323-343.

—, Some Aspects of the Activity of the Secretariat for Promoting Christian Unity from 1977 to 1980. – *Information Service* 44 (1980) 3/4, 118-120. French edition: Aspects de l'activité du Secrétariat pour l'unité des chrétiens de 1977 à 1980. – *Service d'information* 44 (1980) 3/4, 129-131.

—, Die Bedeutung der Verhandlungen der römisch-katholischen Kirche mit den orthodoxen Kirchen und der anglikanischen Gemeinschaft für die Lehre von der sakramentalen Struktur der Kirche. – *Die Sakramentalität der Kirche in der ökumenischen Diskussion: Referate und Diskussion eines Symposions anlässlich des 25 jährigen Bestehens des Johann-Adam-Möhler Instituts.* (Konfessionskundliche Schriften des Johann-Adam-Möhler Instituts 15). Paderborn: Bonifacius, 1983, pp. 13-19.

—, Ecumenical Dialogue Today: an Overview. – *Origins* 17 (1988) 33, 565-573.

WITMER, J.W. and WRIGHT, J.R. (eds.), *Called to Full Unity: Documents on Anglican-Roman Catholic Relations, 1966-1983.* Washington, DC: USCC Office of Publishing and Promotion Services, 1986.

WRIGHT, J.R., Anglicans and the Papacy. – *Journal of Ecumenical Studies* 13 (1976) 3, 379-404.

—, Anglicans and the Papacy. – McCord, P.J. (ed.), *A Pope for All Christians? An Inquiry into the Role of Peter in the Modern Church*. New York/Toronto: Paulist, 1976, pp. 176-209.

Yarnold, E.J., The Ecumenical Drama in Three Acts. – *The Tablet* 250 (1996) 8145, 1192-1193.

Zobel, P., Une étape du dialogue entre anglicans et catholiques. – *Études* 357 (1982) 5, 529-542.

—, Anglicans et catholiques: Après la visite à Rome du Docteur Runcie. – *Études* 372 (1990) 1, 111-116.

4. ARCIC and ARCIC I: General

Agreement in the Faith: Talks between Anglicans and Roman Catholics: the Oxford Conference 1975. London: Church Book Room, 1975.

The Anglican-Roman Catholic International Commission (ARCIC I). – *Anglicans in Dialogue: the Contribution of Theological Dialogues to the Search for the Visible Unity of the Churches in the 1980s*. London: Board for Mission and Unity, 1984, pp. 7-11.

Anglican-Roman Catholic International Commission (ARCIC I). – *The Three Agreed Statements: Eucharistic Doctrine 1971, Ministry and Ordination 1973, Authority in the Church 1976*. London: CTS Publications/SPCK, 1978.

Anglikanisch/Römisch-katholische Dialoge. – Meyer, H., Urban, H.J. and Vischer, L. (eds.), *Dokumente wachsender Übereinstimmung (1): sämtliche Berichte und Konsenstexte interkonfessioneller Gespräche auf Weltebene, 1931-1982*. Paderborn/Frankfurt am Main: Bonifatius/O. Lembeck, 1983, pp. 125-232.

ARCIC Winds Up. – *The Tablet* 235 (1981) 7366, 898-899.

Brunelli, G., L'unità tra impegno e tradimento: Runcie a Roma. – *Il Regno attualità* 34 (1989) 18/625, 485-486.

Charley, J.W., The Work of the Anglican/Roman Catholic International Commission. – *Agreement in the Faith: Talks between Anglicans and Roman Catholics: the Oxford Conference 1975*. London: Church Book Room, 1975, pp. 31-48.

Clark, A., ARCIC: Method in New Credal Forms. – *One in Christ* 11 (1975) 2, 182-193. *Theology* 78 (1975) 656, 59-68.

Commission mixte internationale entre l'Église catholique et la Communion anglicane. *Anglicans et catholiques: déclarations de la commission mixte internationale entre l'Église catholique et la Communion anglicane*. French Edition of *The Three Agreed Statements: Eucharis-*

tic Doctrine 1971, Ministry and Ordination 1973, Authority in the Church 1976. Montréal: Fides, 1977.

DENAUX, A., J.-M. Tillard et les travaux de l'ARCIC. Réflexions à l'occasion des Mélanges Tillard. – *Ephemerides Theologicae Lovanienses* 72, 1 (1996) 181-205.

Dialoghi anglicani-cattolici. – VOICU, S.J. and CERETI, G. (eds.), *Enchiridion œcumenicum: documenti del dialogo teologico interconfessionale (1): dialoghi internazionali 1931-1984*. Bologna: Dehoniane (EDB), 1986, pp. 1-159.

Dialogo anglicano-catolico. – GONZALES MONTES, A., (ed.), *Enchiridion Oecumenicum. I. Relaciones y Documentos de los Diálogos Interconfesionales de la Iglesia Católica y otras Iglesias Cristianas y Declarationes de sus Autoridaded (1964-1984). Con Anexos de grupos no oficiales del Diálogo Theológic Interconfesional*, Salamanca, 1986, pp. 1-120.

Documents on Anglican/Roman Catholic Relations. I-IV. Washington: USCC Publications Office, 1972-1979.

L'Église d'Angleterre et l'ARCIC. – *Unité des chrétiens* (1979) 35, 38.

Episcopal Diocesan Ecumenical Officers (EDEO) — National Association of Diocesan Ecumenical Officers (NADEO) Standing Committee. *Who in the World? A Study of Ministry*. Dover, NH: EDEO-NADEO Standing Committee, 1986.

EVANS, G.R., The Genesis of the ARCIC Methodology. – EVANS, G.R. and GOURGUES, M. (eds.), *Communion et Réunion. Mélanges Jean-Marie Roger Tillard*. Leuven: University Press/Uitgeverij Peeters, 1995, pp. 125-138.

GALEOTA, G., Roma e Canterbury: luci e ombre sulla via della riconciliazione. – *Rassegna di teologia* 19 (1978) 3, 200-219.

—, L'XI conferenza di Lambeth, nuovi problemi per il dialogo tra Roma e Canterbury. – *Rassegna di teologia* 19 (1978) 6, 469-482.

GREENACRE, R.T., Diversity in Unity: a Problem for Anglicans. – *Centro Pro Unione Bulletin* (1991) 39, 4-10.

HAASE, W. (ed.), *Rome and the Anglicans. Historical and Doctrinal Aspects of Anglican-Roman Catholic Relations*. Berlin/New York, 1982, pp. 211-273.

HILL, C., La metodología de la comisión internacional anglicano-romano católica. – *Diálogo ecuménico* 12 (1977) 44/45, 177-187.

— and YARNOLD, E.J. (eds.), *Anglicans and Roman Catholics: the Search for Unity*. London: SPCK/CTS, 1994.

MCDONALD, K., Lo stato dei rapporti tra anglicani e cattolici. – *Unitas* 43 (1988) 1-2, 92-93.

MONTEFIORE, H., *So Near and Yet So Far. Rome, Canterbury and ARCIC*. London: SCM, 1986.

MULLALY, L. and OSGOOD, J. (eds.), *A Call to Communion: Documents of the International Anglican-Roman Catholic Dialogue, 1966-1977*. [with study guides]. Garrison, NY: Graymoor Ecumenical Institute, 1979.

PATTARO, G., I temi a dialogo ecumenico della chiesa cattolica: il documento ARCIC. – *Corso di teologia dell'ecumenismo* (Strumenti 31). Brescia: Queriniana, 1985, pp. 386-423.

PETER, C.J., Amid Shadows and Delays: Anglican/Roman Catholic Dialogue. – *Ecumenical Trends* 18 (1989) 9, 129-132.

RADANO, J.A., Rapporti con anglicani e metodisti. – *Unitas* 46 (1991) 2/3, 152-154.

RICHARDS, M., Twenty-Five Years of Anglican-Roman Catholic Dialogue: Where Do We Go from Here?. – *One in Christ* 28 (1992) 2, 126-135.

RUNCIE, R.A.K., Anglican-Roman Catholic Relations Today. – *Ecumenical Bulletin* (1990) 98, 8-14.

SANTER, M., The Struggle toward Unity. – *Origins* 21 (1992) 37, 597-600.

Scuse per rompere o motivo di dialogo? Intervista al primate anglicano. – *Il Regno attualità* 34 (1989) 16/623, 428-429.

STACKPOLE, R., The Universal Pastor. – *The Month* 24 (1991) 7, 307-314.

STEWART, R., The Work of the Anglican/Roman Catholic International Commission. – *Agreement in the Faith: Talks between Anglicans and Roman Catholics: the Oxford Conference 1975*. London: Church Book Room, 1975, pp. 49-56.

TANNER, M., Anglicans and Roman Catholics Growing Together. – *Priests & People* 6 (1992) 1, 9-13.

TAVARD, G.H., ARCIC on Authority. – EVANS, G.R. and GOURGUES, M. (eds.), *Communion et Réunion. Mélanges Jean-Marie Roger Tillard*. Leuven: University Press/Uitgeverij Peeters, 1995, pp. 185-198.

TILLARD, J.-M.R., Les accords de la 'commission internationale pour l'union des anglicans et des catholiques romains' (ARCIC). – *Unité des chrétiens* (1982) 48, 21-23.

—, Canterbury and Rome: So Near, So Far. – *One in Christ* 25 (1989) 2, 139-152.

Unidos no diálogo: anglicanos e católicos. São Paulo: Loyola, 1992.

WALSH, L.G., Purification and Illumination on the Way to Union: the ARCIC Experience. – BAUMER, I. and VERGAUWEN, G. (eds.),

Ökumene das eine Ziel: die vielen Wege. Freiburg, Schweiz: Universitätsverlag, 1995, pp. 101-123.

WRIGHT, J.R., Open Letter to the Members of ARCIC II. – *Journal of Ecumenical Studies* 23 (1986) 2, 354.

YARNOLD, E.J., Mary and the Work of ARCIC. – *The Month* 22 (1989) 2, 58- 62.

—, Reunion by Stages. – EVANS, G.R. and GOURGUES, M. (eds.), *Communion et Réunion. Mélanges Jean-Marie Roger Tillard* (BETL, 121). Leuven: University Press/Uitgeverij Peeters, 1995, pp. 231-242.

5. ARCIC I: Preparatory Commission Meetings

Gazzada Meeting 1967

Anglican-Roman Catholic Preparatory Commission. – *One in Christ* 3 (1967) 2, 213-215.

Anglicans. – *Irénikon* 40 (1967) 1, 95-103.

La commission préparatoire conjointe anglicane-catholique. – *La Documentation catholique* 63 (1966) 1483, 2106-2107.

FINDLOW, J., La vitalità dell'ecumenismo non si è attenuata: cattolici e anglicani ricercano l'unità completa. – *Il Regno documenti* 12 (1967) 131/4, 75.

Joint Working Groups. – *Information Service* (1967) 1, 3-8.

Les provinces anglicanes réprésentées dans la commission préparatoire conjointe anglicane-catholique. – *La Documentation catholique* 63 (1966) 1484, 2201.

La rencontre anglicane-catholique de Gazzada. – *La Documentation catholique* 64 (1967) 1488, 383-384.

Huntercombe Manor Meeting 1967

Anglican-Roman Catholic Preparatory Commission: Second Meeting. – *One in Christ* 3 (1967) 4, 513-515.

Anglicans. – *Irénikon* 40 (1967) 3, 411-421.

Catholiques et autres chrétiens. – *Irénikon* 40 (1967) 4, 567-582.

La deuxième réunion de la commission mixte anglicane-catholique. – *La Documentation catholique* 64 (1967) 1503, 1816-1817.

Joint Working Group. – *Information Service* (1967) 3, 3-7. French Edition: Groupe mixte de travail avec la communion anglicane. – *Service d'information* (1967) 3, 3-4.

Malta Meetings 1967-1968; 'Malta Report' 1968

Text:

The Malta Report. – CLARK, A.C. and DAVEY, C. (eds.), *Anglican/Roman Catholic Dialogue: the Work of the Preparatory Commission*. London/New York/Toronto: Oxford University Press, 1974, pp. 107-115.

– *The Final Report*: Windsor, September 1981. London: CTS/SPCK, 1982, pp. 108-116. *One in Christ* 18 (1982) 2, 166-172. WITMER, J.W. and WRIGHT, J.R. (eds.), *Called to Full Unity: Documents on Anglican-Roman Catholic Relations, 1966-1983*. Washington, DC: USCC Office of Publishing and Promotion Services, 1986, pp. 7-14.

Bericht der Gemeinsamen Anglikanisch/Römisch-katholischen Vorbereitungskommission 1968 ("Malta-Bericht").

– MEYER, H. & L. VISCHER (eds.), *Growth in Agreement: Reports and Agreed Statements of Ecumenical Conversations on a World Level*, New York: Paulist Press / Genève: WCC, 1984, pp. 120-125. *Dokumente wachsender Übereinstimmung. Sämtliche Berichte und Konsenstexte interkonfessioneller Gespräche auf Weltebene*. Bd. 2. *1982-1990*. Hrsg. und eingeleitet von Harding MEYER, Hans Jörg URBAN, Lukas VISCHER, Damaskinos PAPANDREOU, Paderborn: Bonifacius-Druckerei/Frankfurt a/M: Otto Lembeck, 1992, pp. 127-133.

Malta-rapport.

– *Archief van de Kerken* 37 (1982) 579-583.

Le Rapport de Malte.

– *Rapport Final. Windsor, septembre 1981*, Paris: Cerf, 1982, pp. 118-125.

Rapporto di Malta 1968.

– VOICU, S.J. and CERETI, G. (ed.), *Enchiridion œcumenicum: documenti del dialogo teologico interconfessionale (1): dialoghi internazionali 1931-1984*. Bologna: Dehoniane (EDB), 1986, pp. 91-99.

Malta Meetings:

Anglican/Roman Catholic Group Outlines 'Faith We Share'. – *Ecumenical Press Service* 35 (1968) 1, 9.

Anglican-Roman Catholic Preparatory Commission: Third Meeting. – *One in Christ* 4 (1968) 2, 208-210.

Anglican-Roman Catholic Relations. – *One in Christ* 5 (1969) 1, 26-44.

Bericht der Gemeinsamen Anglikanisch/Römisch-katholischen Vorbereitungskommission, Malta, 2. Januar 1968. – GAßMANN, G. (eds.),

*Vom Dialog zur Gemeinschaft: Dokumente zum anglikanisch-luthe-
rischen und anglikanisch-katholischen Gespräch.* (Ökumenische
Dokumentation 2). Frankfurt am Main: O. Lembeck/J. Knecht, 1975,
pp. 118-128.

Catholiques et autres chrétiens. – *Irénikon* 41 (1968) 1, 77-85; 2, 249-
250; 42 (1969) 3, 343-347.

Documents sur les relations 'anglicans-catholiques romains'. – *Irénikon*
42 (1969) 1, 87-98.

Joint Working Groups. – *Information Service* (1968) 4, 3-6. French Edition: Groupes mixtes de travail. – *Service d'information* (1968) 4,
3-6.

La 3e réunion de la commission anglicane-catholique. – *La Documentation catholique* 65 (1968) 1512, 476-477.

WILLEBRANDS, J., Ökumenischer Situationsbericht 1969-1970 aus
der Sicht des Einheitssekretariates. – *Catholica* 25 (1971) 3, 224-
239.

6. ARCIC I: Annual Commission meetings

Gazzada Meeting 1972

Anglican-Roman Catholic International Commission. – *One in Christ* 9
(1973) 1, 71-73.

La IVe réunion de la commission mixte anglicane-catholique. – *La Documentation catholique* 69 (1972) 18/1617, 886-887.

Relations with the Other Churches. – *Information Service* (1973) 19/1,
7-12. French Edition: Relations avec les autres églises. – *Service
d'information* (1973) 19/1, 7-12.

Roman Catholic Relations with Other Churches. – *Faith and Unity* 17
(1973) 2, 17-20.

TILLARD, J.-M.R., What Priesthood has the Ministry? – *One in Christ* 9
(1973) 3, 237-269.

WILLEBRANDS, J., Ökumenischer Situationsbericht 1972 aus der Sicht
des Einheitssekretariates. – *Catholica* 28 (1974) 1, 57-70.

Chichester Meeting 1977

Anglican-Roman Catholic Commission Full of Hope for Future. – *Ecumenical Press Service* 44 (1977) 27, 6.

Catholiques et autres chrétiens. – *Irénikon* 50 (1977) 4, 533-535.

La commission catholique-anglicane confiante dans l'avenir. – *Unité des
chrétiens* (1978) 29, 41-42.

Venice Meeting 1979

Relations with other churches. – *Information Service* (1980) 43/2, 49-54 (49). French Edition: Relations avec les autres églises. – *Service d'information* (1980) 43/2, 56-62 (56).

Anglican/RC Commission Members Meet with Pope. – *Ecumenical Press Service* 47 (1980) 24, 5.

The Anglican/Roman Catholic International Commission. – *News from the English Churches* 9 (1980) 4, 39.

ARCIC, Papal Audience, 4 September, 1980. – *One in Christ* 16 (1980) 4, 341-345.

ARCIC Progress. – *The Tablet* 234 (1980) 7315, 931.

Catholiques et autres chrétiens. – *Irénikon* 53 (1980) 4, 513-514.

HILL, C., Report on Anglican/Roman Catholic Relations and National Anglican/Roman Catholic Dialogues, 1979-80. – *One in Christ* 16 (1980) 4, 351-364.

Réunion de l'ARCIC et sa visite au pape. – *Unité des chrétiens* (1980) 41, 37.

7. ARCIC I: *Final Report* 1981

Text:

Anglican-Roman Catholic International Commission, *The Final Report. Windsor 1981*, London: CTS/SPCK, 1982.

– *Ecumenism* (1982) 68, 1-26. HILL, C. & E. YARNOLD, *Anglicans and Roman Catholics: The Search for Unity*, London, 1995, pp. 12-76. *Information Service* 49 (1982) 2/3, 74-106. MEYER, H. and VISCHER, L. (eds.), *Growth in Agreement: Reports and Agreed Statements of Ecumenical Conversations on a World Level.* (Ecumenical Documents 2; Faith and Order Paper 108). New York/Ramsey/Geneva: Paulist/World Council of Churches, 1984, pp. 61-129. *One in Christ* 18 (1982) 2, 141-166. WITMER, J.W. and WRIGHT, J.R. (eds.), *Called to Full Unity: Documents on Anglican-Roman Catholic Relations, 1966-1983.* Washington, DC: USCC Office of Publishing and Promotion Services, 1986, pp. 228-288.

Abschlussbericht.

– *Dokumente wachsender Übereinstimmung. Sämtliche Berichte und Konsenstexte interkonfessioneller Gespräche auf Weltebene.* Bd. 1. *1931-1982.* Hrsg. und eingeleitet von Harding MEYER, Hans Jörg URBAN, Lukas VISCHER, Paderborn: Bonifacius-Druckerei/ Frankfurt a/M: Otto Lembeck, 1983, pp. 133-190.

Eindrapport.
   – *Archief van de Kerken* 37 (1982) 525-574.
Rapport final.
   – Commission internationale anglicane-catholique romaine (ARCIC
   I). *Rapport final: Windsor, septembre 1981.* Paris: Cerf, 1982. *Œcuménisme* (1982) 68, 1-27. *Service d'information* 49 (1982) 2/3, 80-
   114.
Rapporto finale.
   – *Unitas* 37 (1982) 3, 201-224. VOICU, S.J. and CERETI, G. (eds.),
   Enchiridion œcumenicum: documenti del dialogo teologico interconfessionale (1): dialoghi internazionali 1931-1984. Bologna:
   Dehoniane (EDB), 1986, pp. 3-88.

Reflections/Reflections with Text:

Anglican Consultative Council. The Anglican-Roman Catholic International Commission: the *Final Report*. – *The Emmaus Report: a
   Report of the Anglican Ecumenical Consultation* (...West Wickham,
   Kent, England, 27 January-2 February 1987, in preparation for
   ACC-7, Singapore, 1987, and the Lambeth Conference 1988). London: Church House, 1987, pp. 42-77.
Anglican-Evangelical. – *Ecumenical Press Service* 50 (1983) 2, 1.57.
Anglican-RC Report Officially Released. – *Ecumenical Press Service* 49
   (1982) 11, 4.49.
Anglican-Roman Catholic International Commission Completes Works.
   – *Lutheran World Information* (1981) 34, 12.
Anglican-Roman Catholic International Commission's Report Released for Study and Response. – *Ecumenical Bulletin* (1982) 53,
   2-3.
Anglicans et autres chrétiens. – *Irénikon* 54 (1981) 3, 377-378; 4, 511-514;
   55 (1982) 1, 63-70; 56 (1983) 1, 61-64; 61 (1988) 2, 254-256; 3,
   366-382.
Anglikaner bereit zur Anerkennung Roms. – *Lutherische Welt-Information* (1985) 9, 15-16.
Anglikaner: vor erheblichen Belastungsproben. – *Herder-Korrespondenz* 41 (1987) 1, 11-13.
Anglikanische Gemeinschaft: die zwölfte Lambeth-Konferenz. – *Herder-
   Korrespondenz* 42 (1988) 9, 407-408.
Anglikanisch/römisch-katholischer Dialog: eine ökumenische Symphonie mit unerwartetem Paukenschlag. – *Lutherische Welt-Information* (1982) 17, 10-11.
ARCIC Catechism. – *Ecumenical Press Service* 51 (1984) 4, 1.98.

The ARCIC *Final Report*. – *Chrysostom* 6 (1982) 4, 105-108.

ARCIC *Final Report*: Evaluation Process Begins. – *Ecumenical Bulletin* (1982) 54, 8-9.

ARCIC *Final Report*. – *The Tablet* 236 (1982) 7392, 248; 7395, 354.

Australian Study Guide Committee of the ARCIC *Final Report*, 1984. Travelling Together: Australian Study Guide for the ARCIC *Final Report*; a Six-Session Programme. Eastwood, NSW: Australian Study Guide Committee of the ARCIC *Final Report*, 1984.

AVIS, P., *Truth Beyond Words: Problems and Prospects for Anglican-Roman Catholic Unity*. Cambridge, MA: Cowley, 1985.

—, *Ecumenical Theology and the Elusiveness of Doctrine*. London: SPCK, 1986.

BAYCROFT, J.A., The ARCIC *Final Report*: How Is It Being Received? An Anglican Assessment. – *Ecumenism* (1982) 68, 20-22. French edition: Le Rapport de l'ARCIC: quelle réception? Une opinion anglicane. – *Œcuménisme* (1982) 68, 21-23.

Bishops' Conference to Study ARCIC *Final Report*. – *The Tablet* 236 (1982) 7399, 438-439.

British Roman Catholic Bishops Give General Approval to ARCIC *Final Report*. – *Ecumenical Bulletin* 72 (1985) 7-8.

BROWN, M., What Next, after the *Final Report*? Reception, Reconciliation, Reunion. – *Ecumenism* (1982) 68, 23-25. French Edition: Après le *Rapport final*, quoi? Réception, réconciliation, réunion. – *Œcuménisme* (1982) 68, 22-24.

BRUNELLI, G. and PACCHIN, L., 16 anni di dialogo contro 450 di divisione. – *Il Regno attualità* 27 (1982) 8/461, 159-162.

BURGESS, J.A., A Lutheran Response. – *Ecumenical Trends* 11 (1982) 10, 157-159.

BUTLER, B.C., Rome and Canterbury: the *Final Report*. – *The Tablet* 236 (1982) 7395, 332-334.

CADDICK, L., A Prescription for Change: ARCIC on Authority. – *One in Christ* 21 (1985) 4, 293-311.

Cardinal Ratzinger Comments on ARCIC. – *The Tablet* 236 (1982) 7399, 434-435.

Cardinal Willebrands on Ecumenism. – *Ecumenical Trends* 12 (1983) 4, 54- 59.

Catholiques et autres chrétiens. – *Irénikon* 55 (1982) 2, 214-224; 56 (1983) 2, 228-237; 58 (1985) 3, 351-360.

CHADWICK, H., La commission internationale anglicane-catholique (ARCIC I) et son *Rapport final*. – *Unité des chrétiens* (1984) 54, 15-17.

—, Justification by Faith: a Perspective. – *One in Christ* 20 (1984) 3, 191-225.

CHARLEY, J.W., *Rome, Canterbury and the Future*. Bramcote: Grove, 1982.

Chronique des Églises. Grande-Bretagne. – *Irénikon* 59 (1986) 4, 557-562.

Church of England Draft Response to *BEM*, ARCIC *Final Report* Calls for New Commitment to Unity. – *Ecumenical Bulletin* (1985) 70, 3-4.

Conference of Bishops of England and Wales. Respuesta a la relación final de la ARCIC I. – *Diálogo ecuménico* 21 (1986) 70-71, 275-291.

Conference of Bishops of England and Wales. Risposta all'ARCIC I. – *Il Regno documenti* 30 (1985) 17/536, 524-529.

Conferenza episcopale francese. Risposta alle domande sull'ARCIC I. – *Il Regno documenti* 30 (1985) 21/540, 642-649.

Contrastanti reazioni all'ARCIC. – *Il Regno attualità* 27 (1982) 10/463, 223.

DALY, G., The *Final Report*: a Challenge to the Churches. – *Doctrine and Life* 32 (1982) 6, 360-371.

DAVEY, C., The Doctrine of the Church in International Bilateral Dialogues. – *One in Christ* 22 (1986) 2, 134-145.

DAVIES, N.A., The Report from a Wider Ecumenical Perspective. – *Insight* 1 (1983) 3, 23-26.

La déclaration de l'ARCIC sur l'Église. – *La Documentation catholique* 81 (1984) 16/1880, 852-853.

Déclaration de la commission internationale anglicane-catholique romaine. – *La Documentation catholique* 79 (1982) 2/1822, 126-127.

DELMOTTE, M., Le dialogue entre anglicans et catholiques: Le *Rapport final* de la commission internationale de dialogue entre anglicans et catholiques (ARCIC). – *Istina* 27 (1982) 3, 278-292.

DESSAIN, J.A., A Centenary: ARCIC's *Final Report*. – *Insight* 1 (1983) 3, 12-16.

Dialog: Übereinstimmung zwischen Anglikanern und Katholiken. – *Lutherische Welt-Information* (1981) 39, 3.

Different Wavelength on Anglican-RC Report? – *Ecumenical Press Service* 49 (1982) 16, 5.52.

DUDLEY, M., Waiting on the Common Mind: Authority in Anglicanism. – *One in Christ* 20 (1984) 1, 62-77.

Episcopal Diocesan Ecumenical Officers (EDEO) — National Association of Diocesan Ecumenical Officers (NADEO) Standing Committee. *Whither the Wind: A Telltale of Authority*. Dover, NH: EDEO-NADEO Standing Committee, 1988.

L'Église anglicane en dialogue avec l'Église catholique. – *Unité des chrétiens* (1987) 66, 30-31.

Église catholique. – *Irénikon* 56 (1983) 1, 76-90.

Eindrucksvolle Ergebnisse der anglikanischen/römisch-katholischen Lehrgespräche. – *Lutherische Welt-Information* (1983) 8, 11-12.

England: Anglican Evangelical Assembly Offers Critique. – *Ecumenical Press Service* 54 (1987) 5, 2.14,

English Anglicans: *BEM* OK, ARCIC Maybe. – *Ecumenical Press Service* 53 (1986) 34, 11.34.

English Anglican/Roman Catholic Committee. *Study Guide to the Final Report of the Anglican-Roman Catholic International Commission.* London: Catholic Truth Society/SPCK, 1982.

Der Erzbischof von Canterbury warnt Rom vor übereilter Kritik. – *Lutherische Welt-Information* (1982) 41, 3.

Evaluation of the ARCIC *Final Report.* – *Ecumenical Bulletin* (1985) 69, 18-23. *Origins* 14 (1985) 25, 409-413.

FAHEY, M.A., Consensus on the Eucharist. – *The Month* 18 (1985) 10, 334- 340.

FALARDEAU, E.R., Five Years of EDEO-NADEO Studies (1983-1988). – *Ecumenical Trends* 17 (1988) 11, 167-168.

The *Final Report* of ARCIC. – *Ecumenical Trends* 11 (1982) 10, 145-149.

FRIES, H., Anglicans and the Pope. – *The Tablet* 236 (1982) 7426, 1124-1127.

FUERTH, P.W., Advance Report. – *Ecumenism* (1982) 68, 16-19. French edition: Rapport préliminaire. – *Œcuménisme* (1982) 68, 17-20.

GABMANN, G., Ein neuer methodischer Schritt. Können Anglikaner und Katholiken näher zueinander?. – *Lutherische Monatshefte* 21 (1982) 2, 63- 66.

—, Zum bilateralen Dialog zwischen Rom-Canterbury und Canterbury-Wittenberg. – *Kerygma und Dogma* 29 (1983) 2, 149-165.

GELDBACH, E., Wiedervereinigung? Die Ecclesia anglicana und Rom. – *MD-Materialdienst des Konfessionskundlichen Instituts Bensheim* 33 (1982) 2, 21-22.

—, Rom-Canterbury: Zwischenergebnis; zum anglikanisch-römischen Dialog. – *MD-Materialdienst des Konfessionskundlichen Instituts Bensheim* 33 (1982) 5, 94-96.

General Convention Sets Ecumenical Tasks, Provides Mission Context. – *Ecumenical Bulletin* (1982) 56, 2-14.

General Synod of the Church of England. *Towards a Church of England Response to BEM & ARCIC: the Final Report of the Anglican-Roman Catholic International Commission.* London: CIO, 1985.

GEORGE, A.R., Growth Points in Ecumenism: the ARCIC Report. – *Epworth Review* 10 (1983) 1, 49-55.

GONZALEZ MONTES, A., El ministerio del papa en el diálogo ecuménico actual. – *Diálogo ecuménico* 18 (1983) 60, 149-168.

GOODALL, J. and SHELDRAKE, P., After ARCIC: Creating Contexts for Growth. – *The Month* 15 (1982) 11, 373-377.

Grande-Bretagne. – *Irénikon* 55 (1982) 2, 255-268; 58 (1985) 1, 119-125; 2, 248-253.

Grande-Bretagne: nouvelle étape vers l'union. – *L'Actualité religieuse dans le monde* (1985) 24, 15.

Grande-Bretagne. Point de vue de l'archevêque de Cantorbéry sur le travail de la commission anglicane-catholique. – *La Documentation catholique* 79 (1982) 10/1830, 530.

Grande-Bretagne: le synode anglican approuve deux textes œcuméniques. – *L'Actualité religieuse dans le monde* (1985) 21, 15.

GREENACRE, R.T., La réception des textes des dialogues et la réception de la doctrine: deux problèmes pour les anglicans. – *Irénikon* 58 (1985) 4, 471-491.

HANNEN, P., The ARCIC Statement: An Anglican Reaction. – *Ecumenism* (1982) 68, 14-15. French Edition: Aux déclarations ARCIC, une réaction anglicane. – *Œcuménisme* (1982) 68, 15-16.

HARRIES, R., *The Authority of Divine Love*. Oxford: B. Blackwell, 1983.

HARRIOT, J.F.X., Testing ARCIC's Findings. – *The Tablet* 236 (1982) 7403, 534.

HEBBLETHWAITE, P., Anglikanisch-katholischer *Schlussbericht*. – *Orientierung* 46 (1982) 5, 50-53.

—, The ARCIC *Final Report*. – *The Tablet* 236 (1982) 7401, 474-475.

HEFT, J.L., Papal Infallibility and the Marian Dogmas: an Introduction. – *One in Christ* 18 (1982) 4, 309-340.

HURLEY, M., George Tyrrell: Some Post-ARCIC Impressions. – *One in Christ* 19 (1983) 3, 250-254.

L'intervention du p. J.-M. Tillard, o.p., au débat sur l'ARCIC. – *Unité des chrétiens* (1985) 58, 35-36.

Kehren die Anglikaner nach Rom zurück? – *Lutherische Welt-Information* (1982) 12, 8.

Laylines: after ARCIC/Oisín. – *Doctrine and Life* 32 (1982) 5, 311-317.

LESCRAUWAET, J.F., Het 'Final Report' van de Internationale Commissie van Anglicanen en Rooms Katholieken (ARCIC) – *Collationes* 12 (1982) 469-483.

Lutheran Faults ARCIC. – *Ecumenical Trends* 12 (1983) 6, 96.

Lutheran Observer Critiques Anglican-Roman Catholic Dialogue. – *Lutheran World Information* (1983) 6, 4-5.

LÜTTICKEN, J., Anatomie eines ökumenischen Dialogs. Zum Abschlussbericht der anglikanisch-katholischen Kommission. – *Herder-Korrespondenz* 36 (1982) 6, 297-301.

—, Zum Abschlussbericht der anglikanisch-katholischen Kommission. – *Una Sancta* 38 (1983) 1, 74-80.

MACBEATH BROWN, W. and PRIDEAUX, B., *Building Bridges: a Study Guide to the Final Report of ARCIC I.* Toronto/Montréal: Anglican Book Centre/Canadian Centre for Ecumenism, 1984. French: *Construire des ponts: guide pour l'étude de Jalons pour l'unité, le Rapport final de la Commission anglicane-catholique romaine.* Montréal/Toronto: Centre Canadien d'Œcuménisme/Anglican Book Centre, 1984.

MACDONALD, T., Models of Ecclesial Unity. – *Ecumenical Trends* 12 (1983) 3, 33-37.

MARR, P., Denominational Schools: Some Implications from ARCIC I. – *One in Christ* 25 (1989) 4, 333-346.

MARTINEAU, S., Réactions anglicanes au *Rapport final* de l'ARCIC. – *Unité des chrétiens* (1982) 48, 24-26.

MCADOO, H.R., Déclaration du coprésident anglican sur le *Rapport final*. – *La Documentation catholique* 79 (1982) 10/1830, 512-514.

—, Le *Rapport final* de l'ARCIC. – *Istina* 27 (1982) 3, 305-310.

—, Signs of Hope and Stumbling Blocks in Interchurch Dialogue. – *Doctrine and Life* 34 (1984) 5, 236-251.

MILLER, J.M., *What are They Saying about Papal Primacy?* New York/Ramsey: Paulist, 1983.

Ministry and Message. – *Clergy Review* 67 (1982) 9, 306-307.

MONTEFIORE, H., *So Near and Yet So Far: Rome, Canterbury and ARCIC.* London: SCM, 1986.

MURPHY, M., Responding to ARCIC I's *Final Report*. – *Origins* 16 (1986) 12, 229-232.

National Conference of Catholic Bishops (USA). Evaluation of the *Final Report*. – *Ecumenical Trends* 14 (1985) 2, 17-24. *One in Christ* 21 (1985) 4, 320-329.

NORGREN, W.A., Episcopal Church Ecumenical Relations in Review: 1982. – *Ecumenical Bulletin* (1983) 58, 13-25.

Nouveaux jalons pour l'unité. Guide pour l'étude du Rapport final *de la Commission internationale anglicane-catholique romaine.*

Paris: Cerf, 1984. French translation of *Study Guide to the Final Report of the Anglican-Roman Catholic International Commission*.

Observer Assesses Anglican/RC Report. – *Ecumenical Press Service* 50 (1983) 6, 2.53.

O'GARA, M., Infallibility in the Ecumenical Crucible. – *One in Christ* 20 (1984) 4, 325-345.

OUSLEY, J.D., Può il papa essere il primate universale? Alcuni appunti anglicani sul papato di oggi. – *Protestantesimo* 30 (1984) 3, 163-166.

Plenary Meeting of the Secretariat, November 1981. – *Information Service* (1981) 47/3-4, 112-141. French edition: Plénaria du Secrétariat pour l'unité des chrétiens. – *Service d'information* (1981) 47/3-4, 116-147.

PURDY, W.A., The Ecumenical Voyage. – *The Tablet* 236 (1982) 7425, 1082, 1084-1085.

RAMSEY, A.M., Rome and Canterbury. – *Theology* 85 (1982) 705, 164-168.

Le *Rapport final* de l'ARCIC. – *Unité des chrétiens* (1982) 47, 43.

Rapport final de l'ARCIC: le point de vue d'un observateur. – *Unité des chrétiens* (1982) 51, 45.

RATZINGER, J., Probleme und Hoffnungen des anglikanisch-katholischen Dialogs. – *Internationale Katholische Zeitschrift* 12 (1983) 244-259. ID., *Kirche, Ökumene und Politik. Neue Versuche zur Ekklesiologie*, Einsiedeln: Johannes Verlag, 1987, pp. 67-86; *Nachwort 1986*, pp. 87-96.
English: Anglican-Catholic Dialogue: Its Problems and Hopes. – *Insight. A Journal for Church and Community* 1 (1983) 2-11. ID., *Church, Ecumenism and Politics. New Essays in Ecclesiology*. Slough: St. Paul, 1988, pp. 65-98. HILL, C. and YARNOLD, E., *Anglicans and Roman Catholics: The Search for Unity*, London, 1995, pp. 251-282.
French: Le dialogue anglican-catholique: problèmes et espoirs. – *La Documentation catholique* 81 (1984) 16/1880, 854-862.
Italian: Problemi e speranze del dialogo anglicano-cattolico. – *Chiesa, ecumenismo e politica. Nuovi saggi di ecclesiologia.* (Saggi teologici 1). Cinisello Balsamo: Paoline, 1987, pp. 67-98.

RC-Anglican Report on Papacy Emerges. – *Ecumenical Press Service* 49 (1982) 8, 3.50.

RC Bishops' Conference of England and Wales. Response to the *Final Report* of ARCIC I. – *One in Christ* 21 (1985) 2, 167-180.

Réactions anglicanes au *Rapport final* de l'ARCIC. – *Unité des chrétiens* (1982) 47, 43-44.

La relance du dialogue anglican-catholique. – *Unité des chrétiens* (1985) 57, 39.

Réponse de la conférence épiscopale d'Angleterre et du Pays de Galles aux questions du Secrétariat pour l'unité des chrétiens. – *La Documentation catholique* 82 (1985) 16/1902, 876-882.

Réponse de la conférence épiscopale française aux questions du Secrétariat pour l'unité des chrétiens. – *La Documentation catholique* 82 (1985) 16/1902, 867-876.

La réponse officielle de l'épiscopat catholique au *Rapport final* d'ARCIC I. – *Unité des chrétiens* (1985) 60, 34. English translation: Response of the French Episcopal Conference to the ARCIC *Final Report*. – *One in Christ* 21 (1985) 4, 329-348.

Report of the Preparatory Group on Ecumenical Affairs, Woking, England, February 1984. – *Steps towards Unity: Documents on Ecumenical Relations Presented to ACC-6*. London: Anglican Consultative Council, 1984, pp. 1-24.

Report of the Standing Commission on Ecumenical Relations to the General Convention of the Episcopal Church. – *Ecumenical Bulletin* (1982) 53, 6- 31.

Réunion finale de la commission internationale anglicans-catholiques. – *Unité des chrétiens* (1982) 45, 38.

RICHARDS, M., An Evangelical Faith. – *Clergy Review* 67 (1982) 8, 268-269.

Riconciliazione tra cattolici e anglicani? – *Unitas* 37 (1982) 2, 141-142.

Rom: noch einmal mit Canterbury über das Papstamt reden. – *Lutherische Welt-Information* (1982) 19, 15.

Roman Catholic-Anglican Report on Papacy Emerges. – *Lutheran World Information* (1982) 11, 8.

Roman Catholics, Anglicans Conclude Dialogue Series. – *Ecumenical Press Service* 48 (1981) 25, 2.

Rome & Canterbury: the *Final ARCIC Report*, a Study Guide. Oxford: Latimer House, 1982.

RUNCIE, R.A.K., The Anglican Communion in the Light of *BEM* and ARCIC. – *Ecumenism* 22 (1987) 88, 21-23. French Edition: La Communion anglicane à la lumière de *BEM* et d'ARCIC. – *Œcuménisme* 22 (1987) 88, 21-24.

RYAN, H.J., A Roman Catholic View. – *Ecumenical Trends* 11 (1982) 10, 159-161.

SANTER, M., *A Receptive Church: the Challenge of BEM & ARCIC*. London: Diocese of London. Education & Community Division, 1985.

SCER Proposes Convention Action on ARCIC *Final Report, BEM, Filioque*, Three-Year National Ecumenical Emphasis. – *Ecumenical Bulletin* (1985) 70, 2-3.

SCHÜTTE, H., Das Petrusamt im anglikanisch-katholischen Dialog. – *Ziel: Kirchengemeinschaft*; zur ökumenischen Orientierung. Paderborn: Bonifatius, 1986, pp. 168-170.

STACPOOLE, A., ARCIC: an Evangelical Comment. – *The Month* 15 (1982) 11, 365-372.

—, The Fourth Agreed Statement. – *The Tablet* 236 (1982) 7395, 334-336.

—, Papal Visit and the Anglican Dilemma. – *The Month* 15 (1982) 5, 149-154.

STAPLES, P., Het eindrapport van de ARCIC. – *Kosmos + Oekumene* 16 (1982) 5, 179-183.

STOTT, J. (ed.), *Evangelical Anglicans and the ARCIC Final Report: an Assessment and Critique*. Bramcote: Grove, 1982.

Study of the ARCIC *Final Report* Sections on Authority in the Church in Diocesan Ecumenical Commissions and Committees. – *Ecumenical Bulletin* (1983) 60, 16-21.

Le synode général anglican affirme sa convergence avec Rome. – *L'Actualité religieuse dans le monde* 40 (1986) 12.

TAVARD, G.H., Quali elementi determinano la dimensione ecumenica di un concilio?. – *Concilium* 19 (1983) 7, 77-85.

—, The *Final Report,* Witness to Tradition. – *One in Christ* 32 (1996) 2, 106-117. French: Le *rapport final* de l'ARCIC, témoin de la tradition. – *Science et Esprit* 48 (1996) 1, 33-44.

TILLARD, J.-M.R., Accordo tra anglicani e cattolici: l'ecumenismo obbliga al sì o al no. – *Il Regno attualità* 26 (1981) 8/439, 158-160.

—, The ARCIC Report. – *Ecumenism* (1982) 68, 10-13. French: Le Rapport et l'ARCIC. – *Œcuménisme* (1982) 68, 11-14.

—, Tradition and Authority: Dialogue with Cardinal Ratzinger (1). – *The Tablet* 238 (1984) 7487, 15-17.

—, Christian Communion: Dialogue with Cardinal Ratzinger (2). – *The Tablet* 238 (1984) 7488, 39-40.

—, Tradition, autorité et communion universelle. – *La Documentation catholique* 81 (1984) 16/1880, 862-867.

—, Tradizione e autorità nella chiesa. – *Il Regno documenti* 29 (1984) 7/504, 224-229.

Die universalkirchliche Stellung des Papstamtes: der Bericht *Die Autorität in der Kirche II* der Anglikanisch-Katholischen Kommission. – *Herder-Korrespondenz* 36 (1982) 5, 226-232.

US Roman Catholic and Episcopal Evaluations of *Final Report* Shared. – *Ecumenical Bulletin* (1984) 68, 7.

VALENTINI, D., Commissione internazionale anglicana/romano-cattolica: *Il Rapporto finale* (1981). – *Il nuovo Popolo di Dio in cammino: punti nodali per una ecclesiologia attuale.* (Biblioteca di Scienze Religiose 65). Roma: LAS, 1984, pp. 137-141.

VALIQUETTE, S., Anglican/Roman Catholic International Commission: Its Genesis – Its Functioning. – *Ecumenism* (1982) 68, 7-9. French edition: Commission internationale anglicans-catholiques romains: ses antécédents – son fonctionnement. – *Œcuménisme* (1982) 68, 8-10.

VERCRUYSSE, J.E., Ministry and the Future of Ecumenism. – *The Month* 18 (1985) 10, 341-347.

I vescovi rispondono a Roma sull'ARCIC I. – *Il Regno attualità* 30 (1985) 16/535, 416-418.

VOGEL, A.A., What Can Be Expected Now?. – *Ecumenical Trends* 11 (1982) 10, 161-163.

WILLEBRANDS, J., Called to Unity and Wholeness (Peter Ainslie Memorial Lecture on Christian Unity Inaugural). – *Mid-Stream* 22 (1983) 1, 1-9.

—, New Point in the Ecumenical Movement. – *Origins* 12 (1983) 31, 499-504.

—, Vers un nouvel âge de l'œcuménisme. – *La Documentation catholique* 80 (1983) 6/1848, 325-329.

WRIGHT, J.R., An Anglican Commentary. – *Ecumenical Trends* 11 (1982) 10, 149-157.

—, Responses to the ARCIC *Final Report*: a Comparison of Methodologies. – *Ecumenical Trends* 15 (1986) 5, 74-76.

YARNOLD, E.J., Papal Supremacy and Its Exercise: Commentary on the Final ARCIC Report. – *The Month* 15 (1982) 4, 113-119.

—, Anglicans, Roman Catholics and the Blessed Virgin Mary. – *One in Christ* 19 (1983) 3, 274-280.

—, La pluralité des formulations de la doctrine. – *La Documentation catholique* 81 (1984) 16/1880, 867-869.

—, Mary in the ARCIC I *Final Report*. – *One in Christ* 21 (1985) 1, 70-72.

—, What ARCIC I Has Achieved. – *The Month* 18 (1985) 5, 160-163.

— and CHADWICK, H., *An ARCIC Catechism*: Questions and Answers on the *Final Report* of the Anglican-Roman Catholic International Commission. London: Catholic Truth Society, 1983.

ZINNHOBLER, R., The Petrine Office and Ecumenism: the State of the Question. – *Theology Digest* 34 (1987) 1, 43-47.

Responses to the *Final Report* and Reflections on the Responses

CLIFFORD, C.E., Reception of the *Final Report*: Beyond Strengthened Agreement. – *One in Christ* 32 (1996) 2, 106-117.

The *Final Report* of the Anglican-Roman Catholic International Commission. – *The Church of England's Response to BEM & ARCIC: Supplementary Report to GS 661*. London: Board for Mission and Unity, 1986, pp. 13-20.

The *Final Report* of the Anglican-Roman Catholic International Commission. – *Towards a Church of England Response to BEM & ARCIC: the* Final Report *of the Anglican-Roman Catholic International Commission*. London: CIO, 1985, pp. 63-102 (= HILL, C. and YARNOLD, E., *Anglicans and Roman Catholics: The Search for Unity*, London, 1995, pp. 111-152).

HOWE, J., How the Anglican Communion Receives and responds to the *Final Report* of ARCIC. – *Insight* 1 (1983) 3, 21-22.

The 1988 Lambeth Conference: Resolution 8 and Explanatory Note Regarding ARCIC I. – HILL, C. and YARNOLD, E., *Anglicans and Roman Catholics: The Search for Unity*, London, 1995, pp. 153-155.

PRIDEAUX, B. (ed.), Anglican Diocesan and Synodical Responses to ARCIC I's *Final Report*. – *Ecumenism* 22 (1987) 88, 3-7.

RC Bishops' Conference of England and Wales. *Response to the* Final Report *of ARCIC I*. London: Catholic Truth Society, 1985 (= HILL, C. and YARNOLD, E., *Anglicans and Roman Catholics: The Search for Unity*, London, 1995, pp. 94-110).

Réponses diocésaines et synodales de l'Église anglicane du Canada au *Rapport final* d'ARCIC I. – *Œcuménisme* 22 (1987) 88, 3-7.

Response of the Canadian Conference of Catholic Bishops to the ARCIC I *Final Report*. – *Ecumenism* 22 (1987) 88, 8-20. French Edition: Réponse de la conférence des évêques catholiques du Canada au *Rapport final* d'ARCIC I. – *Œcuménisme* 22 (1987) 88, 8-20.

Risposta al Rapporto finale del dialogo anglicano-cattolico (ARCIC I). – *Studi ecumenici* 5 (1987) 2, 271-289.

US Roman Catholic Bishops Respond to the ARCIC *Final Report*. – *Ecumenical Bulletin* (1985) 69, 8.

WRIGHT, J.R., The Reception of ARCIC I in the USA: Latest Developments. – EVANS, G.R. and GOURGUES, M. (eds.), *Communion et*

Réunion. Mélanges Jean-Marie Roger Tillard. Leuven: University Press/Uitgeverij Peeters, 1995, pp. 217-230.

Observations of the Congregation for the Doctrine of the Faith (1982)

Text:

Observations on the *Final Report* of ARCIC by the Congregation for the Doctrine of the Faith. – *Acta Apostolicae Sedis* 74 (1982) 1060-1074.

– *Ecumenical Bulletin* (1982) 54, 15-18. *Ecumenical Trends* 11 (1982) 11, 165-171. HILL, C. and YARNOLD, E., *Anglicans and Roman Catholics: The Search for Unity*, London, 1995, pp. 79-91. Sacred Congregation for the Doctrine of the Faith. Observations on the *Final Report* of the Anglican-Roman Catholic International Commission. London/Abbots Langley: Catholic Truth Society/Catholic Information Services, 1982. *Origins* 11 (1982) 47, 752-756. *The Tablet* 236 (1982) 7395, 350; 7401, 492-495.

Observaciones al informe final de la comisión internacional anglicano-católica romana (ARCIC).

– *Diálogo ecuménico* 17 (1982) 59, 403-413.

Observations de la congrégation pour la doctrine de la foi sur le *Rapport final* de l'ARCIC (5 mai 1982).

– *Istina* 27 (1982) 3, 311-322. *Unité des chrétiens* (1982) 47, 44-45.

Opmerkingen van de Congregatie voor de geloofsleer over het eindrapport van de Anglikaans/Rooms-Katholieke Internationale Commissie (ARCIC).

– *Archief van de Kerken* 37 (1982) 587-597.

Osservazioni sul *Rapporto finale* dell'ARCIC.

– *Il Regno documenti* 27 (1982) 11/464,- 328-332.

Reflections/Reflections with Text:

The ARCIC *Final Report*. – *Chrysostom* 6 (1982) 4, 105-108.

BERMEJO, L.M., The *Final Report* of the Anglican/Roman Catholic International Commission and the First Official Roman Reaction. – *Towards Christian Reunion. Vatican I: Obstacles and Opportunities*. Anand: Gujarat Sahitya Prakash, 1984, pp. 229-271.

BIRMELÉ, A., Une différence 'fondamentale'? – *Le salut en Jésus Christ dans les dialogues œcuméniques*. (Cogitatio fidei, 141). Paris/Genève: Cerf/Labor et Fides, 1986, pp. 381-388.

BRAVO, C., The Dialogue with Authority. – *The Month* 18 (1985) 10, 359- 362.

BUTTERWORTH, R., Reception and Pluriformity. – *The Month* 18 (1985) 10, 348-358.

Catholiques et autres chrétiens. – *Irénikon* 55 (1982) 2, 214-224.

Le commentaire du père Yves Congar dans *La Croix*. – *Unité des chrétiens* (1982) 47, 45.

DUDLEY, M., Is Ordination a Sacrament? An Answer to Anthony Hanson. – *Heythrop Journal* 24 (1983) 2, 149-158.

Glaubenskongregation Vorbehalte zum anglikanisch-katholischen Schlussbericht. – *Herder-Korrespondenz* 36 (1982) 5, 214-215.

Grande-Bretagne. – *Irénikon* 55 (1982) 2, 255-268.

HEBBLETHWAITE, P., The Vatican and ARCIC. – *The Tablet* 236 (1982) 7396, 372-373.

Kalte Dusche des Vatikans für die Anglikaner. – *Lutherische Welt-Information* (1982) 17, 12-13.

Keine 'substantielle Übereinstimmung'. Erklärung der vatikanischen Glaubenskongregation zum anglikanisch/römisch-katholischen Dialog. – *MD-Materialdienst des Konfessionskundlichen Instituts Bensheim* 33 (1982) 4, 76-79.

Letter by Cardinal J. Ratzinger (Prefect of the Congregation for the Doctrine of the Faith) to Bishop Alan Clark (Roman Catholic Co-Chairman of ARCIC I). – *Acta Apostolicae Sedis* 74 (1982) 1060-1061. HILL, C. and YARNOLD, E., *Anglicans and Roman Catholics: The Search for Unity*, London, 1995, pp. 92-93; *The Tablet*, 3 April 1982, 350.

Lettre du cardinal Ratzinger sur le *Rapport final* de l'ARCIC. – *Unité des chrétiens* (1982) 47, 44.

MANIGNE, J.P., Les péripéties du dialogue théologique. – *Informations Catholiques Internationales* (1982) 575, 11-12.

PANNENBERG, W., Der Schlussbericht der anglikanisch-römisch-katholischen internationalen Kommission und seine Beurteilung durch die römische Glaubenskongregation. – *Kerygma und Dogma* 29 (1983) 2, 166-173.

Remarks on the Congregation for the Doctrine of the Faith's 'Observations on the *Final Report* of ARCIC'. – April 1983. – *One in Christ* 20 (1984) 3, 257-286.

La sacrée congrégation pour la doctrine de la foi et le *Rapport final* de l'ARCIC. – *La Documentation catholique* 79 (1982) 10/1830, 507-512.

STACPOOLE, A., Observations on the ARCIC Report: Reactions to the Vatican Response. – *The Month* 15 (1982) 8, 273-279.

VALENTINI, D., Orientamenti metodologici nuovi sul papato rilevabili nei dialoghi ecumenici ufficiali. – SARTORI, L. (ed.), *Papato e istanze ecumeniche*. Bologna: Centro Editoriale Dehoniano, 1984, pp. 180-181.

The Weight of a Roman Document. – *The Tablet* 236 (1982) 7401, 471.

Wo steht der anglikanisch-katholische Dialog? Eine Stellungnahme der Glaubenskongregation. – *Herder-Korrespondenz* 36 (1982) 6, 228-293.

Vatican Response to the *Final Report* (1991)

Text:

Response of the Holy See to *the Final Report* of the Anglican-Roman Catholic International Commission, 1982: with a Statement from The Bishops' Conference of England and Wales. London: CTS Publications, 1991.

    – *Briefing* 21 (1991) 23, 2-7. *Ecumenical Trends* 20 (1991) 11, 176. *Ecumenism* 26 (1991) 102, 44. HILL, C. and YARNOLD, E., *Anglicans and Roman Catholics: The Search for Unity*, London, 1995, pp. 156-166. *Information Service* (1993) I/82, 47-51. *One in Christ* 28 (1992) 1, 38-46. *Origins* 21 (1991) 28, 441-447. [errata: p. 446 'sacraments' should read 'statements'; 'bishops and apostles' should read 'bishops by the apostles']. *L'Osservatore Romano* (Weekly English Edition) (1991) 50, 21-22.

Réponse catholique au *Rapport final* d'ARCIC I.

    – *La Documentation catholique* 89 (1992) 3/2043, 111-115. *Service d'information* (1993) I/82, 49-54. *SOEPI-Service œcuménique de presse et d'information* 58 (1991) 32, 6. *Unité des chrétiens* (1992) 86, 34-35.

Respuesta a la relación final de la ARCIC I.

    – *Diálogo ecuménico* 27 (1992) 86, 231-241.

Risposta cattolica all'ARCIC I.

    – *Il Regno documenti* 37 (1992) 5/678, 129-133. *Studi ecumenici* 10 (1992) 2/3, 309. CERETI, G. and PUGLISI, J.F. (eds.), *Enchiridion œcumenicum: documenti del dialogo teologico interconfessionale (3): dialoghi internazionali 1985-1994*. Bologna: Dehoniane (EDB), 1995, pp. 142-154.

Reflections/Reflections with Text:

Anglican Bishops Statement on Catholic Response to ARCIC I *Final Report*.

    – *Briefing* 22 (1992) 6, 14. *Catholic International* 3 (1992) 9, 446.

Anglican-Catholic Dialogue: Warmth and Doubts. – *One World* (1992) 173, 7.

Anglican-Roman Catholic Consultation in the United States: Agreed Statement on the Lambeth and Vatican Responses to ARCIC I. –

HILL, C. and YARNOLD, E., *Anglicans and Roman Catholics: The Search for Unity*, London, 1995, pp. 186-197.

Archbishop Canterbury on Vatican Response. – *The Compasrose* (1992) 66, 4. *Origins* 21 (1991) 28, 447.

British Bishops: The Convergence and Agreement Achieved. – *Origins* 21 (1991) 28, 448.

BROWN, D., The Response to ARCIC I: the Big Questions. – *Centro Pro Unione Bulletin* (1992) 40/41, 41-44. *One in Christ* 28 (1992) 2, 148-154.

CAREY, G., ARCIC I. – *Briefing* 22 (1992) 1, 34-35.

—, Comments of the Archbishop of Canterbury on the Response. – *One in Christ* 28 (1992) 1, 47-48. HILL, C. and YARNOLD, E., *Anglicans and Roman Catholics: The Search for Unity*, London, 1995, pp. 168-170.

—, Dichiarazione dell'arcivescovo di Canterbury. – *Il Regno documenti* 37 (1992) 5/678, 134.

—, 'Identity' or 'Consonance'? – *Catholic International* 3 (1992) 3, 133.

CERETI, G., Chiesa cattolica e Comunione anglicana: la situazione attuale del dialogo ecumenico dopo la risposta di Roma ai documenti di ARCIC I. – *Studi ecumenici* 11 (1993) 1, 43-66.

CHADWICK, H., Blocked Approaches. – *The Tablet* 246 (1992) 7904, 136-138. *Pro Ecclesia* 2 (1993) 1, 5-11.

—, Unfinished Business. – *The Tablet* 246 (1992) 7905, 166-167. HILL, C. and YARNOLD, E., *Anglicans and Roman Catholics: The Search for Unity*, London, 1995, pp. 211-221.

La chiesa come comunione. – *Studi ecumenici* 10 (1992) 1, 107-135.

Conference of Bishops of England and Wales. Response to the ARCIC I *Final Report*. – *Briefing* 21 (1991) 23, 4.

Consonanze non identità. – *Il Regno attualità* 37 (1992) 2/675, 15-16.

Ecumenism: ARCIC. – *Briefing* 21 (1991) 21, 11-12.

EVANS, G.R., Rome's Response to ARCIC and the Problem of Confessional Identity. – *One in Christ* 28 (1992) 2, 155-167.

French Roman Catholic Episcopal Commission for Christian Unity: Concerning the Holy See's Response to the Final Report of ARCIC I. – HILL, C. and YARNOLD, E., *Anglicans and Roman Catholics: The Search for Unity*, London, 1995, pp. 171-184.

GARIJO-GUEMBE, M.M., Die Antwort der Glaubenskongregation auf die Dokumente der anglikanisch/römisch-katholischen internationalen Kommission: eine Bewertung. Frankfurt am Main: O. Lembeck, 1993. – *Ökumenische Rundschau* 42 (1993) 1, 5-10, 32-51.

GELDBACH, E., Wichtige Unterschiede bleiben. Rom antwortet auf den anglikanisch/römisch-katholischen Abschlußbericht von ARCIC I. – *MD-Materialdienst des Konfessionskundlichen Instituts Bensheim* 43 (1992) 4, 72-4.

A Heartening Response to the Vatican's Questions. – *The Tablet* 248 (1994) 8032, 903.

HILL, C., The Fundamental Question of Ecumenical Method. – *Catholic International* 3 (1992) 3, 134-140. HILL, C. and YARNOLD, E., *Anglicans and Roman Catholics: The Search for Unity*, London, 1995, pp. 222-236. One in Christ 28 (1992) 2, 136-147.

JACKSON, M., The Vatican Response to the *Final Report* of ARCIC I. – *Priests & People* 6 (1992) 1, 14-15.

Kein Durchbruch. Offizielle vatikanische Stellungnahme zum anglikanisch-katholischen Dialog. – *Herder-Korrespondenz* 46 (1992) 1, 5.

McDONALD, K., Catholic Relations with the Anglican Communion. – *L'Osservatore Romano* (Weekly English Edition) (1992) 7, 10. *L'Osservatore Romano* (1992) 19 gennaio, 4.

—, Clarifying Objectives and Methodology, Presentation of the Holy See's Response to ARCIC I's *Final Report*. – *Catholic International* 3 (1992) 3, 130-132.

—, Development of Response to ARCIC I: Background Information on Holy See's Reply which was Published in December [1991]. – *L'Osservatore Romano* (Weekly English Edition) (1992) 4, 5-6.

—, Rapporti con la comunione anglicana. – *L'Osservatore Romano* 11-25 gennaio 1992. *Unitas* 47 (1992) 2/3, 71-73.

McDONNEL, K., A year Afterwards: The Vatican Response to ARCIC, a Slammed Door? – *One in Christ* 29 (1993) 2, 113-117.

McHUGH, J., Marginal Notes on the Response to ARCIC I (1992). – HILL, C. and YARNOLD, E.J. (eds.), *Anglicans and Roman Catholics: the Search for Unity*, London, 1994, pp. 324-331.

NICHOLS, A., Canterbury and Rome. – *The Month* 25 (1992) 8, 306-310.

NOWELL, R., Carey Unhappy with Vatican Response to ARCIC I. – *Ecumenical Press Service* 60 (1993) 5, 2.39.

RAUSCH, T., Present State of Aglican-Roman Catholic Relations: An Assessment. – *One in Christ* 29 (1993) 2, 118-125.

Roman Catholic Response to ARCIC I Released. – *Ecumenical Press Service* 58 (1991) 37, 12.76.

Rome and Canterbury: the Vatican Response to ARCIC. – *The Tablet* 245 (1991) 7897, 1521-1524.

ROOT, H., Some Remarks on the Response to ARCIC I. – EVANS, G.R. and GOURGUES, M. (eds.), *Communion et Réunion. Mélanges Jean-Marie Roger Tillard.* Leuven: University Press/Uitgeverij Peeters, 1995, pp. 165-176.

'A Significant Milestone' and 'Further Clarification Required': Official Response of the Holy See to the *Final Report* of the First Anglican-Roman Catholic International Commission. – *Catholic International* 3 (1992) 3, 125-130. *La Documentation catholique* 89 (1992) 3/2043, 111-115.

STRAZZARI, F. (ed.), Roma non accetta la verità degli altri: intervista a mons. A. Clark, vescovo di Norwich. – *Il Regno attualità* 37 (1992) 6/679, 136-138.

SULLIVAN, F.A., The Vatican Response to ARCIC I. – *Centro Pro Unione Bulletin* (1991/92) 40/41, 36-41.

—, The Vatican Response to ARCIC I. – *Gregorianum* 73 (1992) 3, 489-98. HILL, C. and YARNOLD, E., *Anglicans and Roman Catholics: The Search for Unity*, London, 1995, pp. 298-308. *One in Christ* 28 (1992) 3, 223-231.

TILLARD, J.-M.R., Catholic-Anglican Approaches. – *The Tablet* 245 (1991) 7886, 1162.

Vatican Cautions on RC-Anglicans Report. – *Ecumenical Press Service* 49 (1982) 12, 4.87.

VERCRUYSSE, J.E., Ordained Ministry in the Catholic Response to ARCIC. – *Ecumenical Trends* 21 (1992) 10, 1, 8-14. HILL, C. and YARNOLD, E., *Anglicans and Roman Catholics: The Search for Unity*, London, 1995, pp. 308-323.

WALSH, L.G., Anglican/Roman Catholic Dialogue: Where We Stand Now. – *Doctrine and Life* 43 (1993) 1, 3-12.

WRIGHT, J.R., Vatican Turns from Lion to Mouse in Dialogue. – *The Episcopal News Service* (1992) January 24, 30-32. *Episcopal Life* (1992) February.

YARNOLD, E., Roman Catholic Responses to ARCIC I and ARCIC II. – *Reconciliation: Essays in Honour of Michael Hurley*, ed. O. RAFFERTY, Dublin: Columba Press, 1993, pp. 32-52. HILL, C. and YARNOLD, E., *Anglicans and Roman Catholics: The Search for Unity*, London, 1995, pp. 237-248.

— and HILL, C., Response to the Response: 1 & 2. – *The Tablet* 245 (1991) 7897, 1524-1527.

ARCIC II's Clarifications of the Vatican Response (1994)

Text:

Anglican-Roman Catholic International Commission/Pontifical Council for Promoting Christian Unity, *Clarifications of Certain Aspects of the Agreed Statements on Eucharist and Ministry of the First Anglican-Roman Catholic International Commission Together with a Letter from Cardinal Edward Idris Cassidy, President Pontifical Council for Promoting Christian Unity*, London: CHP/CTS, 1994.
   – *Information Service* (1994) 4/87, 237-242.

Chiarificazioni su eucaristia e ministero.
   – *Il Regno documenti* 39 (1994) 17/734, 557-562. CERETI, G. and PUGLISI, J.F. (eds.), *Enchiridion œcumenicum: documenti del dialogo teologico interconfessionale (3): dialoghi internazionali 1985-1994*. Bologna: Dehoniane (EDB), 1995, pp. 54-64, 155-162.

Clarifications à propos de certains aspects des déclarations communes sur l'eucharistie et le ministère.
   – *Service d'information* (1994) 4/87, 243-248.

Klarstellungen der anglikanisch/römisch-katholischen internationalen Kommission (ARCIC) zu ihren Erklärungen über die Eucharistie und das Amt.
   – *Una Sancta* 50 (1995) 2, 166-176.

Reflections/Reflections with Text:

BROWN, D., Clarifications. – *ACR Centro: News from the Anglican Centre in Rome* 2 (1994) 4, 4-5.

BUCHANAN, C., Editorial. – *News of Liturgy* 244, April 1995, pp. 1-4 [concluded in 245, pp. 4-5].

CASSIDY, E.I., ARCIC's Clarification of Certain Aspects of the Agreed Statements on Eucharist and Ministry. – *One in Christ* 30 (1994) 3, 276-287.

—, Le dialogue théologique entre anglicans et catholiques. – *La Documentation catholique* 91 (1994) 16/2100, 768-773.

—, Aclaraciones de ciertos aspectos de las declaraciones de acuerdo sobre la eucaristía y el ministerio de la ARCIC I. – *Diálogo ecuménico* 30 (1995) 98, 409-423.

—, Catholics and Anglicans Discuss the Eucharist: the Anglican-Roman Catholic International Commission – a Progress Report. – *Catholic International* 6 (1995) 1, 30-37.

Catholiques: ARCIC II. – *Irénikon* 67 (1994) 2, 211-213.

Le dialogue catholiques-anglicans: clarifications de l'ARCIC. – *Unité des chrétiens* (1995) 97, 48.

GONZALEZ MONTES, A., A propósito de las nuevas 'Aclaraciones de la
    ARCIC sobre la eucaristía y el ministerio': una nueva referencia
    a la cuestión de la ordenación de mujeres. – *Diálogo ecuménico* 30
    (1995) 98, 379-390.
KENNEDY, M., Clarifications. – *Search* 18/1 (Spring 1995) 56-64.
MONTEFIORE, H., Masses for the dead: a 'dangerous deceit'?. – *Church
    Times*, March 1995.
SHERLOCK, C., Eucharist, Sacrifice and Atonement: the ARCIC-2 Clari-
    fications document. Paper peresented to the International Anglican
    Liturgical Consulation, Dublin 1995. – *Renewing the Eucharist*
    (Grow Series), 1997.
Vatican Says Clarifications Strengthen Agreement. – *Origins* 24 (1994)
    17, 299-304.

8. ARCIC II: General

Anglicans et autres chrétiens. – *Irénikon* 56 (1983) 2, 241-242; 57
    (1984) 2, 225 [Verulam House meeting 1984].
Anglikaner: Kircheneinheit nur mit reformierten Papsttum. – *Lutheri-
    sche Welt-Information* (1988) 20, 7.
Anglikanisch/Römisch-katholische Dialoge. – *Dokumente wachsen-
    der Übereinstimmung. Sämtliche Berichte und Konsenstexte
    interkonfessioneller Gespräche auf Weltebene*. Bd. 2. *1982-1990*.
    Hrsg. und eingeleitet von Harding MEYER, Hans Jörg URBAN,
    Lukas VISCHER, Damaskinos PAPANDREOU, Paderborn: Boni-
    facius-Druckerei/Frankfurt a/M: Otto Lembeck, 1992, pp. 333-
    373.
ARCIC II. – *One in Christ* 19 (1983) 3, 302-304.
AVIS, P., Reflections on ARCIC II. – *Theology* 90 (1987) 451-459.
Canterbury und Rom setzen ihre Lehrgespräche fort. – *Lutherische Welt-
    Information* (1982) 53, 9-10.
CHADWICK, H., Canterbury and Rome: Progress and Problems. – *The
    Month* 16 (1983) 5, 149-154.
Constitution d'une nouvelle commission pour le dialogue anglican-
    catholique. Répercussions œcuméniques. – *Episkepsis* 14 (1983) 287,
    6-7.
DEROUSSEAUX, L., Le dialogue anglican-catholique depuis ARCIC I. –
    Unité des chrétiens (1996) 103, 17-21.
Dialoghi anglicani – cattolici. – CERETI, G. and PUGLISI, J.F. (eds.),
    Enchiridion œcumenicum: documenti del dialogo teologico inter-

confessionale (3): dialoghi internazionali 1985-1994. Bologna: Dehoniane (EDB), 1995, pp. 1-162.

Dialogo anglicano-catolico. – GONZALES MONTES, A., (ed.), *Enchiridion Oecumenicum. II. Relaciones y Documentos de los Diálogos Interconfesionales de la Iglesia Católica y otras Iglesias Cristianas y Declarationes de sus Autoridaded 1975/84-1991. Con Anexos de Diálogos locales y Documentación complementaria del Diálogo Teológico Interconfesional,* Salamanca, 1993, pp. 1-46.

GELDBACH, E., Anglikaner und Katholiken im Gespräch. – *MD-Materialdienst des Konfessionskundlichen Instituts Bensheim* 37 (1986) 2, 25-28.

General Theological Seminary (New York, USA) Dean and Faculty. Open Letter to the Members of ARCIC II. – *Ecumenical Bulletin* 78 (1986) 22-23.

HULSHOF, I., De leek in Canterbury en Rome. – *Kosmos + Oekumene* 21 (1987) 1/2, 49-50.

In the Steps of Pope and Archbishop. – *The Tablet* 237 (1983) 7467, 792.

MCGRATH, A.E., The Emergence of the Anglican Tradition on Justification. – *Churchman* 98 (1984) 25-43.

Neue Dialogkommission Rom-Canterbury beschlossen. – *Lutherische Welt-Information* (1982) 26, 13.

Rom: 'Bischöfinnen erschweren den Dialog'. – *Lutherische Welt-Information* (1988) 31, 10.

Rome and Canterbury Search for Unity. – *The Tablet* 237 (1983) 7458, 575.

STAPLES, P., Bath-ARCIC plechtig gedoopt. – *Kosmos + Oekumene* 17 (1983) 7, 235-236.

STEWART, R., Struggling towards Unity. – *The Tablet* 237 (1983) 7467, 796-798.

TILLARD, J.-M.R., Faith, the Believer and the Church. – *One in Christ* 30 (1994) 3, 216-228.

9. ARCIC II: Annual Commission Meetings

Rome Meeting 1982

ARCIC II. – *One in Christ* 19 (1983) 2, 203.

Catholiques et autres chrétiens. – *Irénikon* 55 (1982) 4, 519-521.

La commission internationale anglicane-catholique. – *Unité des chrétiens* (1983) 50, 33.

La commission internationale anglicane-catholique. Communiqué du Secrétariat pour l'unité des chrétiens. – *La Documentation catholique* 80 (1983) 1/1843, 36.

Planning Underway for New Anglican-Roman Catholic International Commission. – *Ecumenical Bulletin* (1983) 57, 7-8.

Preparation for ARCIC II, Nov. 9-10. – *Information Service* (1982) 50/4, 128-129. French Edition: La préparation de ARCIC II. – *Service d'information* (1982) 50/4, 136-137.

Venice Meeting 1983

Anglicans-catholiques: première rencontre de la nouvelle commission. – *Unité des chrétiens* (1984) 53, 40-41.

ARCIC II at Venice Venue. – *Ecumenical Press Service* 50 (1983/II) 33, 9. 30.

ARCIC II Begins Work. – *Ecumenical Bulletin* (1983) 62, 5-6.

ARCIC II: 'individuare tappe pratiche'. – *Il Regno attualità* 28 (1984) 14/489, 326.

Authority in the Church. – *The Tablet* 237 (1983) 7466, 767-768.

Catholiques et autres chrétiens. – *Irénikon* 56 (1983) 3, 378-379.

New ARCIC. – *Ecumenical Press Service* 50 (1983) 24, 6.100.

Relations with the Anglican Communion. – *Information Service* (1983) 52/3, 82. French edition: Les rapports avec la communion anglicane. – *Service d'information* (1983) 52/3, 93-94.

Towards Full Communion: the Second Anglican-Roman Catholic International Commission. – *The Tablet* 237 (1983) 7458, 594-595.

YARNOLD, E.J., On the Road to Unity. – *The Tablet* 237 (1983) 7471, 893.

Durham Meeting 1984

Anglicans et autres chrétiens. – *Irénikon* 57 (1984) 3, 357-359.

Anglican Roman Catholic International Commission, Durham, August 22-31 1984. – *Information Service* 55 (1984) 2/3, 68. French edition: Commission internationale anglicane/catholique romaine, Durham, 22-31 août 1984. – *Service d'information* 55 (1984) 2/3, 74.

ARCIC Continues Discussion of Church and Salvation. – *Ecumenical Bulletin* (1984) 67, 8-9.

Réunion de la commission mixte internationale ARCIC II. – *Unité des chrétiens* (1985) 57, 37.

Graymoor Meeting 1985

Anglicans et autres chrétiens. – *Irénikon* 58 (1985) 4, 506-508.

ARCIC II Meets at Graymoor Ecumenical Institute, Will Produce Agreed Statement Next Year. – *Ecumenical Bulletin* 74 (1985) 3.

ARCIC II, August 26 – September 4, 1985. – *Information Service* 59 (1985) 3/4, 40-41. French edition: Réunion du dialogue avec les anglicans, ARCIC II, Graymoor, NY, 26 août – 4 septembre. – *Service d'information* 59 (1985) 3/4, 42.

États-Unis: troisième rencontre catholiques-anglicans aux USA. – *La Documentation catholique* 82 (1985) 15/1901, 848.

International Anglican-RC Dialogue Continues. – *Ecumenical Press Service* 52 (1985) 35, 9.81.

THORNHILL, J., The Way to Reunion. – *One in Christ* 22 (1986) 3, 220-227.

La troisième réunion de l'ARCIC II. – *Unité des chrétiens* (1986) 61, 34.

Llandaff Meeting 1986

Anglican/Roman Catholic International Commission (ARCIC II), August 26 – September 4, 1986. – *Information Service* 62 (1986) 4, 202.

Anglicans and Roman Catholics: 'Progress towards Closer Unity'. – *One in Christ* 22 (1986) 2, 199-204.

Anglicans et autres chrétiens. – *Irénikon* 59 (1986) 3, 384-387.

Anglikaner und Katholiken einigten sich. – *Lutherische Welt-Information* (1986) 33, 7. *Lutherische Welt-Information – Monatsausgabe* (1986) 10, 9.

Commission internationale anglicane/catholique romaine (ARCIC II), Llandaff, 26 août – 4 septembre 1986. – *Service d'information* 62 (1986) 4, 219.

Exchange of Letters between Cardinal Willebrands and Co-Presidents of ARCIC II. – *Information Service* 60 (1986) 1-2, 23-25. French edition: Échange de lettres entre le Cardinal Willebrands et les co-présidents de l'ARCIC II. – *Service d'information* 60 (1986) 1-2, 26-29.

I dialoghi tra la chiesa cattolica romana e.... – *Studi ecumenici* 4 (1986) 3-4, 447-455.

New Context for Discussing Anglican Orders: Cardinal Willebrands' Letter. – *Ecumenical Bulletin* 77 (1986) 21-22.

Un nouveau progrès dans les relations catholiques-anglicans. – *Unité des chrétiens* (1986) 63, 47-48.

Presiding Bishop's Statement about the Exchange of Correspondence on Anglican Orders. – *Ecumenical Bulletin* 77 (1986) 24.

Prospettive del dialogo tra cattolici e anglicani. Lettere del card. Willebrands e dell'ARCIC II. – *Il Regno documenti* 31 (1986) 7/548, 209-
211.

La IVème session plénière de l'ARCIC II. – *Unité des chrétiens* (1987)
65, 31-32.

A Response to Cardinal Willebrands. – *Ecumenical Bulletin* 77 (1986)
22- 23.

RYAN, T., Reflections on 'a New Context for Discussing Anglican
Orders'. – *One in Christ* 22 (1986) 3, 228-233.

Second Anglican-Roman Catholic International Commission Meets for
Fourth Time. – *Ecumenical Bulletin* 80 (1986) 7-8.

VOICU, S.J., Due lettere e un progresso incerto. – *Il Regno attualità* 31
(1986) 8/549, 203-204.

Willebrands-ARCIC Chairmen Exchange of Letters Viewed as Positive
Development. – *Ecumenical Bulletin* 77 (1986) 3-4.

Edinburgh Meeting 1988

Anglican-Roman Catholic International Commission (ARCIC II),
August 24 – September 2, 1988. – *Information Service* 68 (1988) 3-
4, 163. French edition: Dialogue international anglican/catholique
romain (ARCIC II): 24 août au 2 septembre 1988. – *Service d'information* 68 (1988) 3-4, 184.

Anglican-Roman Catholic International Commission Discusses Theology of Communion. – *Ecumenical Bulletin* 93 (1989) 6.

Anglicans et autres chrétiens. – *Irénikon* 61 (1988) 3, 366-382.

RC Dialogues Continue with Anglicans and Pentecostals. – *Ecumenical
Press Service* 55 (1988) 38, 9.51.

Windsor Meeting 1992

Anglican-Catholic International Dialogue, Windsor Castle, England,
August 28 – September 6, 1992. – *Information Service* (1993) II/83,
88. French edition: Dialogue international anglican-catholique,
Windsor Castle, Angleterre, 28 août – 6 september 1992. – *Service
d'information* (1993) II/83, 92.

ARCIC Meets. – *The Compasrose* (1992) 69, 13.

Ecumenical Dialogue: ARCIC II. – *Briefing* 22 (1992) 18, 14.

Meeting of ARCIC II, September 1992. – *One in Christ* 28 (1992) 4,
386.

TILLARD, J.-M.R., Reception – Communion. – *One in Christ* 28 (1992)
4, 307-322.

II. ISSUES: TEXTS, REFLECTIONS, RESPONSES

1. Authority

ARCIC I Grottaferrata Meeting 1974

Anglican-Roman Catholic International Commission. – *One in Christ* 10 (1974) 4, 418.

Catholiques et autres chrétiens. – *Irénikon* 47 (1974) 4, 503-510.

Meeting of Anglican/Roman Catholic International Commission (ARCIC): Grottaferrata, August 27 – September 5, 1974. – *Documents on Anglican/Roman Catholic Relations III.* Washington: USCC Publications Office, 1976, pp. 71-73.

Meeting of Anglican/Roman Catholic International Commission (ARCIC). – *Information Service* (1974) 25/3, 21. French edition: Réunion de la commission internationale anglicane-catholique (ARCIC). – *Service d'information* (1974) 25/3, 22-23.

ARCIC I Oxford Meeting 1975

Anglican/Roman Catholic International Commission (ARCIC). – *Information Service* (1975) 28/3, 15. French edition: Commission mixte internationale entre la communion anglicane et l'église catholique (ARCIC). – *Service d'information* (1975) 28/3, 16.

Catholiques et autres chrétiens. – *Irénikon* 48 (1975) 4, 503-508.

Roman Catholic-Anglican Commission Cites Progress in Study of Authority. – *Ecumenical Trends* 4 (1975) 10, 156.

TILLARD, J.-M.R., The Horizon of the 'Primacy' of the Bishop of Rome. – *One in Christ* 12 (1976) 1, 5-33.

ARCIC I Venice Meeting 1976; *Authority in the Church I* (Venice Statement 1976)

Text:

Anglican-Roman Catholic International Commission (ARCIC I). *Authority in the Church: a Statement on the Question of Authority, Its Nature, Exercise and Implications.* Graymoor, NY: Graymoor Ecumenical Institute, 1976. London: SPCK, 1977.

– *Australian Catholic Record* 54 (1977) 3, 209-218. *Authority in the Church, The Three Agreed Statements.* London: CTS Publications/SPCK, 1978, pp. 25-29. Doctrine and Life 27 (1977) 2, 127-138. *Documents on Anglican/Roman Catholic Relations IV.* Washington, pp. 1-15. *Ecumenical Trends* 6 (1977) 3, 33-43. *The Final Report*: Windsor, September 1981. London: CTS/SPCK, 1982, pp. 49-67. HILL, C. and YARNOLD, E., *Anglicans and Roman Catholics: The Search for Unity*, London, 1995, pp. 41-54. *Information Service* (1976) 32/3, 1-6. *Mid-Stream* 16 (1977) 3, 340-353. *One in Christ* 13 (1977) 1/2, 147-160; 3, 185-200. *Origins* 6 (1977) 32, 501, 503-508. *Worship* 51 (1977) 2, 90-102.

La autoridad en la iglesia.
– *Diálogo ecuménico* 12 (1977) 43, 137-152.

L'autorità nella chiesa: dichiarazione di Venezia 1976.
– *La Civiltà cattolica* 128/1 (1977) 3039, 258-280. *Il Regno documenti* 22 (1977) 346, 61-66. *Il servizio di Pietro: appunti per una riflessione interconfessionale*. Leumann (Torino): Elle Di Ci, 1978, pp. 29-48. VOICU, S.J. and CERETI, G. (eds.), *Enchiridion œcumenicum: documenti del dialogo teologico interconfessionale (1): dialoghi internazionali 1931-1984*. Bologna: Dehoniane (EDB), 1986, pp. 42-58.

Autorität in der Kirche.
– *Dokumente wachsender Übereinstimmung. Sämtliche Berichte und Konsenstexte interkonfessioneller Gespräche auf Weltebene*. Bd. 1. *1931-1982*. Hrsg. und eingeleitet von Harding MEYER, Hans Jörg URBAN, Lukas VISCHER, Paderborn: Bonifacius-Druckerei/ Frankfurt a/M: Otto Lembeck, 1983, pp. 159-170. GAßMANN, G. and MEYER, H. (eds.), *Das kirchenleitende Amt: Dokumente zum interkonfessionellen Dialog über Bischofsamt und Papstamt*. (Ökumenische Dokumentation 5). Frankfurt am Main: O. Lembeck/ J. Knecht, 1980, pp. 174-192.

L'autorité dans l'église.
– *L'autorité dans l'Église. – Anglicans et catholiques: déclarations de la commission mixte internationale entre l'Église catholique et la Communion anglicane*. Montréal: Fides, 1977, pp. 23-37. *La Documentation catholique* 74 (1977) 3/1713, 118-124. *Service d'information* (1976) 32/3, 1-7. *Unité des chrétiens* (1977) 27, 36.

Gezag in de Kerk.
– *Archief van de Kerken* 32 (1977) 330-343; 37 (1982) 547-557.

Reflections/Reflections with Text:

Anglican-Roman Catholic Dialogue. – *Ecumenical Trends* 5 (1976) 5, 87-88.

Anglikanisch/katholische Kommission einig über Hirtenamt des Papstes.
– *Lutherische Welt-Information* (1977) 6, 9.

APPIA, G., Authority in the Church: a Protestant Comment. – *Faith and Unity* 21 (1977) 2, 32-33.

ARNAU, R., Realidad e historia como supuestos ecuménicos: reflexión metodológica sobre los documentos de la ARCIC la autoridad en la iglesia I y II. – *Diálogo ecuménico* 17 (1982) 59, 375-390.

L'autorité dans l'Église: déclaration de la commission de dialogue anglican-catholique sur le service pétrinien dans l'Église. – *Episkepsis* 13 (1982) 273, 6-14.

Authority: Consensus, No; Convergence, Yes. – *Clergy Review* 62 (1977) 3, 85-88.

Authority in the Church: a Criticism of the Anglican-Roman Catholic Agreed Statement. Grimsby: Reformation Society, 1977.

L'autorità nella chiesa. – *Il Regno attualità* 22 (1977) 345, 22.

BECKWITH, R.T., Papal Authority in a Reunited Church? – *Faith and Unity* 20 (1976) 3, 49-50.

BEINERT, W., Der Papst: Hilfe oder Hindernis für die Einheit? – *Theologische Revue* 76 (1980) 1, 1-12.

BERMEJO, L.M., The Venice Statement and Vatican I. – *Bijdragen* 39 (1978) 3, 244-269.

BLÄSER, P., Das Ende der Spaltung zwischen römisch-katholischer Kirche und anglikanischer Gemeinschaft in Sicht?. – *Una Sancta* 33 (1978) 1, 2-5.

BRIVA, A., Comunión y autoridad en el documento de Venecia. – *Diálogo ecuménico* 12 (1977) 44/45, 367-376.

BUTLER, B.C., A Witness to Papal Authority. – *The Tablet* 229 (1975) 7062, 1076-1078.

Catholiques et autres chrétiens. – *Irénikon* 49 (1976) 3, 350-364 (355); 4, 497-503; 51 (1978) 1, 83-93; 54 (1981) 2, 234.

CHADWICK, H., A Brief Apology for *Authority in the Church* [Venice 1976]. – *Theology* 80 (1977) 677, 324-331.

—, Truth and Authority. – BUTLER, C., CHADWICK, H., CLARK, A., KNAPP-FISHER, E. and RUNCIE, R.A.K., *Towards Unity in Truth*. Leominster: Church Literature Association/Fowler Wright, 1981, pp. 32-38.

CHARLEY, J.W. (ed.), *Agreement on Authority: the Anglican-Roman Catholic Statement with Commentary*. (Grove Booklet on Ministry and Worship 48). Bramcote: Grove, 1977.

Dopo l'accordo le obiezioni. – *Il Regno attualità* 22 (1977) 353, 213-214.

DUMONT, C.-J., Critical Analysis of the ARCIC Statement on Authority in the Church. – *Information Service* (1976) 32/3, 7-12. French edition: Analyse critique de la déclaration de la commission internationale anglicane/catholique romaine. – *Service d'information* (1976) 32/3, 8-13.

—, Analisi critica della dichiarazione. – *Il Regno documenti* 22 (1977) 346, 66-70.

—, Analyse critique de la déclaration de la commission internationale anglicane-catholique romaine. – *La Documentation catholique* 74 (1977) 3/1713, 124-130.

—, *Authority in the Church:* Comment on the Document. – *Doctrine and Life* 27 (1977) 2, 117-126.

—, *L'autorità nella chiesa:* documento della commissione anglicano-cattolica. – *Unitas* 32 (1977) 1, 23-48.

—, In Context/Agreed Statement: a Critique & Analysis. – *Origins* 6 (1977) 32, 509-515.

—, Analisi critica della dichiarazione della commissione internazionale anglicana cattolico-romana sull'autorità nella chiesa (Venezia, 1976). – *Il servizio di Pietro: appunti per una riflessione interconfessionale.* Leumann (Torino): Elle Di Ci, 1978, pp. 49-67.

Free Church Criticism of 1976 ARCIC Report. – *Ecumenical Press Service* 45 (1978) 5, 5-6.

FRIELING, R., Konvergenzen und Kontroversen über Papst-Primat. – *MD-Materialdienst des Konfessionskundlichen Instituts Bensheim* 28 (1977) 1, 2-3.

—, Mit, nicht unter dem Papst: eine Problemskizze über Papstamt und Ökumene. – *MD-Materialdienst des Konfessionskundlichen Instituts Bensheim* 28 (1977) 3, 52-60.

GARIJO-GUEMBE, M. M., Estructura eclesiológica del documento *La autoridad en la iglesia* (Venecia 1976). Perspectivas y problemas. – *Diálogo ecuménico* 12 (1977) 44/45, 207-266.

GAßMANN, G., Annäherung in der Papstfrage? – *Herder-Korrespondenz* 31 (1977) 2, 98-101.

—, Erwägungen zu zwei bilateralen Dialogen über das Papstamt. – BRANDENBURG, A. and URBAN, H.J. (eds.), *Petrus und Papst: Evangelium, Einheit der Kirche, Papstdienst I.* Münster/Westfalen: Aschendorff, 1977, pp. 170-182.

GEORGIADIS, H., The Question of Papal Primacy. Anglican-RC Statement on Authority. – *Chrysostom* 5 (1977) 2, 29-36.

—, Sacramental and Charismatic Ministries: Papal Authority and Christian Unity. – *Clergy Review* 64 (1979) 5, 155-161.

HANSON, A.T., The Agreed Statement on Authority: an Anglican Note. – *One in Christ* 13 (1977) 3, 185-186.

HARDT, M., Papsttum und Ökumene. Über die Möglichkeiten eines universalen Petrusdienstes. – *Catholica* 42 (1988) 4, 304-321.

HARKER, A., *Commentary on an Agreed Statement on Authority in the Church 1976*. London: Church Literature Association, 1977.

HILL, C., Report on Anglican/Roman Catholic Relations and National Anglican/Roman Catholic Dialogues, 1975-76. – *One in Christ* 13 (1977) 1/2, 161-172.

—, Report on Anglican/Roman Catholic Relations and National Anglican/Roman Catholic Dialogues, 1976-77. – *One in Christ* 14 (1978) 1, 74-88.

KNAPP-FISHER, E.G., *Autoridad en la iglesia:* declaración sobre la cuestión de la autoridad, su naturaleza, ejercicio e implicaciones acordada por la comisión internacional anglicano-romano católica (Venecia 1976). – *Diálogo ecuménico* 12 (1977) 44/45, 189-206.

LA FONTAINE, C., Reactions to the Venice Statement. – *Ecumenical Trends* 6 (1977) 7, 103-108.

LAMPE, G., Authority in the Church: a Speech in Synod in February 1977. – *Theology* 80 (1977) 677, 362-364.

LERA, J.M., Comunión de las iglesias e iglesia universal: el documento de la comisión mixta anglicano-católico romana, *La autoridad en la iglesia,* visto desde la teologia católica. – *Diálogo ecuménico* 12 (1977) 44/45, 267-296.

—, La autoridad doctrinal en la iglesia desde una óptica católica. – *Diálogo ecuménico* 14 (1979) 50/51, 161-194.

LOUTH, A., Anglican Reflections on the Venice Statement. – *Faith and Unity* 21 (1977) 2, 26-29.

MAROT, H., *L'autorité dans l'Église*. Document anglican-catholique romain. – *Irénikon* 50 (1977) 1, 59-68.

MILLER, J.M., Anglican-Catholic Dialogue. – *The Divine Right of the Papacy in Recent Ecumenical Theology*. Roma: Pontificia Università Gregoriana, 1980, pp. 233-264.

MONTEFIORE, H., Authority in the Church. – *Theology* 80 (1977) 675, 163-170.

MULLALY, L. and OSGOOD, J. (eds.), Study Guide for the Venice Statement. – *A Call to Communion: Documents of the International Anglican-Roman Catholic Dialogue, 1966-1977*. [with study guides]. Garrison, NY: Graymoor Ecumenical Institute, 1979, pp. 29-31.

MUNCHHEIMER, K.H., A Reformed Critique of the Venice Statement. – *Ecumenical Trends* 6 (1977) 8, 113-118.

Ökumene und Papstamt: das neue anglikanisch-katholische Konsensdokument über Autorität in der Kirche, *Herder-Korrespondenz* 31 (1977) 4, 191-195.

OSUNA FERNANDEZ-LARGO, A., Anotaciones sobre la autoridad del romano pontifíce en materias de fe. – *Diálogo ecuménico* 12 (1977) 44/45, 333-365.

PORTMAN, J.R., A Roman Catholic Pastor Reacts to the Venice Statement. – *Ecumenical Trends* 7 (1978) 7, 106-108.

RAND, C., The Agreed Statement on Authority: a Catholic Comment. – *One in Christ* 13 (1977) 3, 186-195.

RICCA, P., La comunione anglicana 'unita ma non assorbita' nella chiesa romana?. – *Protestantesimo* 32 (1977) 4, 215-227. SARTORI, L. et al., *Il servizio di Pietro: appunti per una riflessione interconfessionale.* Leumann (Torino): Elle Di Ci, 1978, pp. 69-89.

—, Il papato come problema ecumenico. – CORSANI, B. and RICCA, P., *Pietro e il papato nel dibattito ecumenico odierno.* (Piccola collana moderna 35). Torino: Claudiana, 1978, pp. 39-76, 85-90.

RODRIGUEZ, P., La naturaleza de la autoridad del papa según el acuerdo de Venecia. – *Diálogo ecuménico* 12 (1977) 44/45, 297-331.

—, La autoridad del papa en la iglesia según el documento católico/ anglicano de Venecia (1976). – *Iglesia y ecumenismo.* (Naturaleza e historia 46). Madrid: Rialp S.A., 1979, pp. 249-297.

RUPERT, E.D., Authority in the Church. – *Free Church Chronicle* 33 (1978) 3, 18-21.

RYAN, H.J., The Venice Statement: an American Preface. – *Worship* 51 (1977) 2, 103-106.

SARTORI, L., et al. (eds.), *Il servizio di Pietro: appunti per una riflessione interconfessionale.* Leumann (Torino): Elle Di Ci, 1978.

SCHMIED, A., Das Papsttum im ökumenischen Gespräch. – *Theologie der Gegenwart* 21 (1978) 3, 161-171.

Der Stand des anglikanisch/römisch-katholischen Dialogs. – *Lutherische Welt-Information* (1977) 9, 8.

TAVARD, G.H., Is the Papacy an Object of Faith? – *One in Christ* 13 (1977) 3, 220-228.

TILLARD, J.-M.R., La primauté romaine: ...jamais pour éroder les structures des Églises locales (déclaration anglicane-catholique, Venise 1976). – *Irénikon* 50 (1977) 3, 291-325.

—, The Roman Catholic Church: Growing towards Unity. – *One in Christ* 14 (1978) 3, 217-230.

VALENTINI, D., Dichiarazione della commissione internazionale anglicana/cattolico-romana: *L'autorità nella chiesa* (1976). – *Il nuovo Popolo di Dio in cammino. Punti nodali per una ecclesiologia attuale.* (Biblioteca di Scienze Religiose, 65). Roma: LAS, 1984, pp. 132-134.

—, Orientamenti metodologici nuovi sul papato rilevabili nei dialoghi ecumenici ufficiali. – SARTORI, L. (ed.), *Papato e istanze ecumeniche: atti del convegno tenuto a Trento il 19-20 maggio 1982*. Bologna: Centro Editoriale Dehoniano, 1984, pp. 170-171.

VOGEL, A.A., Christ's Authority and Ours. – *Ecumenical Trends* 9 (1980) 10, 149-156.

WAINWRIGHT, G., The Agreed Statement on Authority: a Methodist Comment. – *One in Christ* 13 (1977) 3, 195-200.

WARE, K., The ARCIC Agreed Statement on Authority: an Orthodox Comment. – *One in Christ* 14 (1978) 3, 198-206.

Wilson, G. *A Critique of Authority in the Church, Statement Agreed by the Anglican-Roman Catholic International Commission*. Belfast: The Northern Whig Ltd., 1977.

YARNOLD, E.J., Primacy and Conciliarity: the Agreed Statement of the Anglican-Roman Catholic International Commission on Authority in the Church. – *The Month* 10 (1977) 3, 78-81.

— and CHADWICK, H., *Truth and Authority: a Commentary on the Agreed Statement of the Anglican-Roman Catholic International Commission*, Authority in the Church. London: SPCK/Catholic Truth Society, 1977.

ARCIC I Windsor Meeting 1981; *Authority in the Church: Elucidation* (Windsor Report 1981)

Text:

Anglican-Roman Catholic International Commission (ARCIC I). *Authority in the Church: Elucidation*. – *The Final Report*: Windsor, September 1981. London: CTS/SPCK, 1982, pp. 68-78.

– HILL, C. and YARNOLD, E., *Anglicans and Roman Catholics: The Search for Unity*, London, 1995, pp. 54-62. MEYER, H. & L. VISCHER (eds.), *Growth in Agreement: Reports and Agreed Statements of Ecumenical Conversations on a World Level*, New York: Paulist Press / Genève: WCC, 1984, pp. 99-105.

L'autorité dans l'Église: Élucidation (1981).

– *Rapport Final. Windsor, septembre 1981*, Paris: Cerf, 1982, pp. 76-86.

Chiarimento di Windsor 1981.

– VOICU, S.J. and CERETI, G. (eds.), *Enchiridion œcumenicum: documenti del dialogo teologico interconfessionale (1): dialoghi internazionali 1931-1984*. Bologna: Dehoniane (EDB), 1986, pp. 59-68.

Comisión internacional anglicano-romano católica. *Aclaración (1981) al documento La autoridad en la iglesia I (Venecia 1976).*
– *Diálogo ecuménico* 17 (1982) 58, 241-248.
Gezag in de Kerk: Verheldering 1981.
– *Archief van de Kerken* 37 (1982) 557-563.

Reflections/Reflections with Text:
KLAUSNITZER, W., Ein Seitenblick auf andere Gesprächsrunden. – *Das Papstamt im Disput zwischen Lutheranern und Katholiken: Schwerpunkte von der Reformation bis zur Gegenwart.* (Innsbrucker theologische Studien 20). Innsbruck/Wien: Tyrolia, 1987, pp. 487-488.

ARCIC I Windsor Meeting 1981; *Authority in the Church II* (Windsor Statement 1981)

Text:
Anglican-Roman Catholic International Commission (ARCIC I). *Authority in the Church II.* – *The Final Report*: Windsor, September 1981. London: CTS/SPCK, 1982, pp. 79-98.
– HILL, C. and YARNOLD, E., *Anglicans and Roman Catholics: The Search for Unity*, London, 1995, pp. 62-75. MEYER, H. & L. VISCHER (eds.), *Growth in Agreement: Reports and Agreed Statements of Ecumenical Conversations on a World Level*, New York: Paulist Press / Genève: WCC, 1984, pp. 106-115.
La autoridad en la iglesia II (1981).
– *Diálogo ecuménico* 17 (1982) 58, 249-262.
L'autorità nella chiesa II.
– *Il Regno documenti* 27 (1982) 9/462, 279-288. *Studi ecumenici* 1 (1983) 1/2, 129-150. VOICU, S.J. and CERETI, G. (eds.), *Enchiridion œcumenicum: documenti del dialogo teologico interconfessionale (1): dialoghi internazionali 1931-1984.* Bologna: Dehoniane (EDB), 1986, pp. 68-85.
L'autorité dans l'Église.
– *La Documentation catholique* 79 (1982) 10/1830, 497-507. *Rapport Final. Windsor, septembre 1981*, Paris: Cerf, 1982, pp. 87-106.
Avtoriteta v cerkvi.
– *V Edinosti* (1982) 37, 34-53.

Reflections/Reflections with Text:
MONTEFIORE, H., Authority in the Church. – *Theology* 86 (1983) 714, 412-416.

ARCIC II Jerusalem Meeting 1994

Anglicans et autres chrétiens. – *Irénikon* 67 (1994) 3, 356-357.

ARCIC II August 31 – September 9, 1994. – *Information Service* (1994) 4/87, 227. French Edition: ARCIC II 31 août – 9 septembre 1994. – *Service d'information* (1994) 4/87, 233.

The Second Anglican-Roman Catholic International Commission met in Jerusalem. – *Catholic International* 5 (1994) 12, 561. *Ecumenism* 29 (1994) 116, 37.

ARCIC II Venice Meeting 1995

Anglican-Roman Catholic International Commission. – *Information Service* (1995) 89/II-III, 95. French edition: Commission anglicane-catholique internationale. – *Service d'information* (1995) 89/II-III, 95.

Anglican-Roman Catholic International Commission, Venice, 1995. – *One in Christ* 32 (1996) 1, 84.

ARCIC II. – *Anglican World* (1995) 80, 33.

Catholiques. – *Irénikon* 68 (1995) 3, 380-381.

GALLIGAN, T., Anglicans and Catholics Continue Dialogue on Authority: Interrelationship of Communion, Authority and Disagreement is Controversial Issue for Anglican Communion. – *L'Osservatore Romano* (Weekly English Edition) 29 (1996) 5/1426, 4, 11.

General/Other Meetings, Statements

Cardinal Ratzinger Challenges Anglicans to Clarify Views on Authority. – *Ecumenical Bulletin* (1983) 62, 6-7.

Catholiques [Storrington Meeting 1995]. – *Irénikon* 67 (1994) 4, 494.

EVANS, G.R., *Authority in the Church: A Challenge for Anglicans*. Norwich, 1990.

GALLIGAN, T., Rapporti fra la chiesa cattolica e la comunione anglicana: autorità e comunione. – *Unitas* 51 (1996) 2, 75-78. *L'Osservatore Romano* 11-25 gennaio 1995.

Authority, Eucharist and Ministry: ARCIC I Venice Meeting 1970

Anglican/Roman Catholic International Commission. – *Clergy Review* 56 (1971) 2, 126-145.

Anglican-Roman Catholic International Commission: Second Meeting. – *One in Christ* 7 (1971) 2/3, 256-276.

Anglican-Roman Catholic Relations. – *Information Service* (1970) 12/4, 19. French edition: Relations entre anglicans et catholiques romains. – *Service d'information* (1971) 13/1, 19.

CARTER, D., A First Look at the Venice Conversations. – *Faith and Unity* 15 (1971) 2, 30-32.

COVENTRY, J., The Venice Documents. – *One in Christ* 7 (1971) 2/3, 144-151.

Déclaration des deux coprésidents de la commission internationale entre anglicans et catholiques. – *La Documentation catholique* 68 (1971) 2/1578, 79-80.

The Venice Conversations. – *Theology* 74 (1971) 608, 50-67.

2. Communion

ARCIC II Dublin Meeting 1990; *The Church as Communion* (Dublin Statement 1990)

Text:

Church as Communion: an Agreed Statement by the Second Anglican-Roman Catholic International Commission (ARCIC II). London: Church House/Catholic Truth Society, 1991.
   – *Catholic International* 2 (1991) 7, 327-338. *Information Service* (1991) II/77, 87-97. *One in Christ* 27 (1991) 1, 77-97. *Origins* 20 (1991) 44, 719-727.

La chiesa come comunione.
   – *Il Regno documenti* 36 (1991) 13/664, 425-432. CERETI, G. and PUGLISI, J.F. (eds.), *Enchiridion œcumenicum: documenti del dialogo teologico interconfessionale (3): dialoghi internazionali 1985-1994*. Bologna: Dehoniane (EDB), 1995, pp. 24-53.

L'Église comme Communion.
   – *La Documentation catholique* 88 (1991) 8/2026, 381-391. *Service d'information* (1991) II/77, 93-104.

Kirche als Gemeinschaft.
   – *Herder-Korrespondenz* 45 (1991) 7, 317-325. *Dokumente wachsender Übereinstimmung. Sämtliche Berichte und Konsenstexte interkonfessioneller Gespräche auf Weltebene. Bd. 2. 1982-1990*. Hrsg. und eingeleitet von Harding MEYER, Hans Jörg URBAN, Lukas VISCHER, Damaskinos PAPANDREOU, Paderborn: Bonifacius-Druckerei/Frankfurt a/M: Otto Lembeck, 1992, pp. 351-373.

Reflections/Reflections with Text:

Anglican-RC International Commission Meets in Dublin. – *Ecumenical Press Service* 57 (1990) 31, 9.49.

Anglican-Roman Catholic International Commission ARCIC II. – *Information Service* (1990) IV/75, 168-169. *Service d'information* (1990) IV/75, 170-171.

Anglicans et catholiques. – *Irénikon* 63 (1990) 3, 371-372; 64 (1991) 1, 72-74; 2, 242.

ARCIC II: Intesa sulla comunione. – *Il Regno attualità* 35 (1990) 18/647, 571.

ARCIC II Press Release. – *Ecumenical Bulletin* (1990) 102, 14.

Déclaration de l'ARCIC: *L'Église comme Communion*. – *Unité des chrétiens* (1991) 83, 31.

Un document d'ARCIC II: *L'Église comme Communion*. – *Unité des chrétiens* (1991) 84, 34.

HILL, C., *The Church as Communion:* an Anglican Response. – *Catholic International* 3 (1992) 16, 773-776. *One in Christ* 28 (1992) 4, 323-330.

MCADOO, H.R., Ecumenical Dialogue: Taking the Next Step. – *Doctrine and Life* 40 (1990) 8, 395-399.

The Second Anglican-Roman Catholic International Commission. – *Ecumenism* 25 (1990) 100, 37.

SULLIVAN, F.A., A Valuable, If Not Incisive, Contribution. – *Catholic International* 2 (1991) 7, 339-341. *La Documentation catholique* 88 (1991) 8/2026, 391-394.

—, Comment on *The Church as Communion*. – *Information Service* (1991) II/77, 97-102. French edition: Commentaire sur *L'église comme communion* (ARCIC II). – *Service d'information* (1991) II/77, 104-108.

YARNOLD, E.J., The Church as Communion. – *The Tablet* 244 (1990) 7835, 1177-1178.

Communion, Morals: ARCIC II Paris Meeting 1991

Anglican-Roman Catholic International Commission. – *Information Service* (1991) III-IV/78, 205. French edition: La commission internationale anglicane-catholique. – *Service d'information* (1991) III-IV/78, 214.

Anglicans [et catholiques]. – *Irénikon* 64 (1991) 3, 381-383.

ARCIC II Meets, Discusses Morals and Ecclesial Communion. – *Ecumenical Press Service* 58 (1991) 25, 9.10.

Cattolici-anglicani. – *Il Regno attualità* 36 (1991) 18/669, 597.

Réunion de la commission internationale anglicane-catholique à Paris. – *Unité des chrétiens* (1992) 85, 31.

YARNOLD, E.J., The Church as Communion. – *The Tablet* 245 (1991) 7853, 117-118.

3. Eucharist

ARCIC I Windsor Meeting 1970; *Eucharistic Doctrine* (Windsor Statement 1971)

Text:

Anglican Roman Catholic International Commission. *An Agreed Statement on Eucharistic Doctrine, Windsor 1971.*
  – *Clergy Review* 57 (1972) 1, 62-67. *Doctrine and Life* 22 (1972) 2, 105-109. *Documents on Anglican/Roman Catholic Relations.* Washington: USCC Publications Office, 1972, pp. 45-50. *Ecumenical Trends* 1 (1972) 3, 5-7. *The Final Report: Windsor, September 1981.* London: CTS/SPCK, 1982, pp. 11-16. HILL, C. and YARNOLD, E., *Anglicans and Roman Catholics: The Search for Unity*, London, 1995, pp. 18-22. MEYER, H. & L. VISCHER (eds.), *Growth in Agreement: Reports and Agreed Statements of Ecumenical Conversations on a World Level*, New York: Paulist Press / Genève: WCC, 1984, pp. 68-77. *Modern Eucharistic Agreement.* London: SPCK, 1973, pp. 23-31. *One in Christ* 8 (1972) 1, 69-74. *Theology* 75 (1972) 619, 4-8. *The Three Agreed Statements.* London: CTS Publications/SPCK, 1978, pp. 5-12. *Worship* 46 (1972) 1, 2-5.

Declaración anglicano-católica sobre la doctrina eucarística.
  – *Diálogo ecuménico* 8 (1973) 29, 64-73.

Déclaration commune sur la doctrine eucharistique élaborée par la commission internationale anglicane-catholique.
  – *La Documentation Catholique* (1972) 86-89. *Unité des chrétiens* (1975) 18, 16-17.

Dichiarazione concordata sulla dottrina eucaristica.
  – *La Civiltà cattolica* 123/1 (1972) 2918, 175-179. *Unitas* 27 (1972) 2, 122-132. VOICU, S.J. and CERETI, G. (eds.), *Enchiridion œcumenicum vol. 1: documenti del dialogo teologico interconfessionale (1): dialoghi internazionali 1931-1984.* Bologna: Dehoniane (EDB), 1986, pp. 11-16.

De leer over de eucharistie. Gemeenschappelijke verklaring van internationale anglikaans-rooms-katholieke commissie.
  – *Archief van de Kerken* 27 (1972) 63-77; 37 (1982) 530-533. *Collationes* 2 (1974) 1, 122-125.

Die Lehre von der Eucharistie. Gemeinsame Erklärung über die Lehre von der Eucharistie der anglikanisch/römisch-katholischen Internationalen Kommission Windsor 1971.

– *Dokumente wachsender Übereinstimmung. Sämtliche Berichte und Konsenstexte interkonfessioneller Gespräche auf Weltebene.* Bd. 1. *1931-1982.* Hrsg. und eingeleitet von Harding MEYER, Hans Jörg URBAN, Lukas VISCHER, Paderborn: Bonifacius-Druckerei/ Frankfurt a/M: Otto Lembeck, 1983, pp. 139-142.

Reflections/Reflections with Text:

ALLCHIN, A.M., The Agreed Statement on Eucharistic Doctrine: a Comment. – *One in Christ* 8 (1972) 1, 2-5. French translation: L'accord sur la doctrine eucharistique: commentaire. – *Unité des chrétiens* (1975) 18, 17-18.

—, Eucharist and Unity: Homilies Based on the Agreed Statement on Eucharistic Doctrine. – *Eucharist and Unity: Thoughts on the Anglican-Roman Catholic International Commission's Agreed Statement on Eucharistic Doctrine.* (Fairacres Publication 22). Oxford: SLG, 1972, second printing 1976, pp. 1-13.

ANDRÉS, A., Reflexiones pastorales sobre la declaración anglicana-católica de la eucaristía. – *Renovación ecuménica* 5 (1972) 30, 16-17.

Anglican/RC Comment on 'Agreed Statement'. – *Ecumenical Trends* 1 (1972) 1, 1-2, 12.

Anglican/Roman Catholic Commission Gets Agreement on the Eucharist. – *Ecumenical Press Service* 38 (1971) 24, 5-6.

Anglican-Roman Catholic International Commission. – *One in Christ* 6 (1970) 2, 228-230.

Anglican/Roman Catholic Permanent Commission. – *Ecumenical Press Service* 36 (1969) 36, 9.

Anglican-Roman Catholic Permanent Joint Commission. – *One in Christ* 6 (1970) 1, 81.

Anglicans et autres chrétiens. – *Irénikon* 43 (1970) 1, 63-67; 4, 542-548.

Anglikanisch-katholischer Konsens über die Eucharistie. – *Herder-Korrespondenz* 26 (1972) 2, 59-61.

ATHENAGORAS OF THYATEIRA, The Anglican-Roman Catholic Agreement on the Eucharist through Orthodox Eyes. – *Chrysostom* 3 (1972-73) 6, 121-125.

BECKWITH, R.T., An Evangelical Look at the Agreed Statement. – *Faith and Unity* 16 (1972) 3, 49-52.

—, The Doctrine of Holy Communion. – *Agreement in the Faith:Talks between Anglicans and Roman Catholics: the Oxford Conference 1975.* London: Church Book Room, 1975, pp. 73-80.

BÉKÉS, G.J., Dimensioni riscoperte della teologia eucaristica. Riflessioni sugli stimoli provenienti dal dialogo ecumenico. – SARTORI, L. (ed.), *Eucaristia sfida alle chiese divise*. Padova: Messaggero, 1984, pp. 197-221.

Bilateral Dialogues Reach Consensus on Eucharist, Recognition of Ministry. – *Ecumenical Press Service* 39 (1972) 1, 4-5.

BLÄSER, P., Zum anglikanisch/römisch-katholischen Gespräch. – *Catholica* 27 (1973) 1, 31-44.

BUTLER, B.C., Le point sur l'eucharistie. – *Unité des chrétiens* (1972) 5, 33-35.

—, Déclaration commune sur la doctrine eucharistique: Commentaire. – *La Documentation catholique* 69 (1972) 2/1601, 88-89.

BYRON, B., The Anglican/Roman Catholic Statement on the Eucharist: Comment and Discussion II. – *Clergy Review* 57 (1972) 3, 170-173.

—, Recent Ecumenical Statements on the Eucharist and Catholic Theology of the Eucharistic Sacrifice. – *Australian Catholic Record* 49 (1972) 4, 265-273.

—, The Agreed Statement on the Eucharist and Transubstantiation. – *Irish Theological Quarterly* 40 (1973) 1, 63-69.

Catholiques et autres chrétiens. – *Irénikon* 44 (1971) 4, 515-519; 45 (1972) 1, 92-96; 2, 239-245.

Cattolici e anglicani verso un consenso eucaristico. – *Il Regno attualità* 16 (1971) 230, 368.

CHARLEY, J.W., Historical Introduction and Theological Commentary. – *The Anglican-Roman Catholic Agreement on the Eucharist: the 1971 Anglican-Roman Catholic Statement on the Eucharist, with an Historical Introduction and Theological Commentary* (Grove Booklet on Ministry and Worship, 1). Bramcote: Grove, 1972, second printing 1975, pp. 3-8, 14-23.

Christ's Presence and Sacrifice: the Agreed Statement on Eucharistic Doctrine Drawn Up by the Anglican/Roman Catholic International Commission with a Response Drawn Up on Behalf of the Evangelical Anglican Team for Theological Dialogue with Roman Catholics by R.T. Beckwith. London: Church Book Room, 1973.

CLARK, A.C., *Introduction and Commentary: Agreement on the Eucharist — the Windsor Statement of the Anglican/Roman Catholic International Commission, December 31st, 1971*. London: Roman Catholic Ecumenical Commission, 1972, pp. 1-6, 11-20.

Comment on 'Agreed Statement'. – *Ecumenical Trends* 1 (1972) 3, 8-9.

Commission mixte internationale entre l'Église catholique et la Communion anglicane. *La doctrine eucharistique, anglicans et catholiques:*

déclarations de la commission mixte internationale entre l'Église catholique et la Communion anglicane. Montréal: Fides, 1977, pp. 7-11.

La commission théologique de l'épiscopat anglais commente la déclaration commune anglicane-catholique sur la doctrine eucharistique. – *La Documentation catholique* 69 (1972) 2/1606, 346-347.

Communiqué de la commission internationale entre anglicans et catholiques. – *La Documentation catholique* 67 (1970) 1559, 270-271.

Condividere lo stesso pane. Dichiarazione comune anglicano-cattolica sull'eucaristia. – *Il Regno documenti* 17 (1972) 239, 148-149.

Consideramos que hemos conseguido un acuerdo sustancial: declaración anglicano-católica sobre la doctrina eucarística. – *Renovación ecuménica* 5 (1972) 30, 13-15.

CORBISHLEY, T., From Eucharist to Ministry. – *The Month* 5 (1972) 7, 203-206.

COVENTRY, J., The Doctrine of Holy Communion. – *Agreement in the Faith: Talks between Anglicans and Roman Catholics: the Oxford Conference 1975.* London: Church Book Room, 1975, pp. 81-89.

—, The Eucharist and the Sacrifice of Christ. – *One in Christ* 11 (1975) 4, 330-341.

A Critique of Eucharistic Agreement. London: SPCK, 1975. [various writers of sections are listed, but no editor is cited].

CROWLEY, P., Ecumenical Convergence on the Eucharistic Sacrifice. – *Clergy Review* 64 (1979) 11, 385-392.

DANNEELS, G., De akkoorden van Windsor en Canterbury. – *Collationes* 20 (1974) 1, 104-121.

DOYLE, E., The Anglican/Roman Catholic Statement on the Eucharist: Comment and Discussion III. – *Clergy Review* 57 (1972) 4, 250-257.

Ecumenical Study Guide on the Eucharist. Graymoor, NY: Graymoor Ecumenical Institute, 1976.

English and Welsh Theology Commission on the Agreed Statement on the Eucharist. – *Doctrine and Life* 22 (1972) 5, 275-276.

Eucharistie und Amt im Verständnis von Anglikanern und Katholiken. – *Herder-Korrespondenz* 28 (1974) 2, 93-97.

Eucharistische Gastbereitschaft. Stellungnahme des Instituts für Ökumenische Forschung, Strassburg, zur Frage lutherisch-katholischer Abendmahlsgemeinschaft. – *Lutherische Rundschau* 23 (1973) 4, 459-467.

FANNON, P., The Anglican/Roman Catholic Statement on the Eucharist: Comment and Discussion V. – *Clergy Review* 57 (1972) 4, 261-262.

GAßMANN, G., Rom-Canterbury Bilateral. – *Lutherische Monatshefte* 9 (1970) 3, 109-110.

—, Einführung in die Anglikanisch/Römisch-Katholische Erklärung über die Eucharistie. – *Ökumenische Rundschau* 21 (1972) 2, 225-226.

Gemeinsame Erklärung über die Lehre von der Eucharistie. – GAßMANN, G. (ed.), *Vom Dialog zur Gemeinschaft: Dokumente zum anglikanisch-lutherischen und anglikanisch-katholischen Gespräch.* (Ökumenische Dokumentation 2). Frankfurt am Main: O. Lembeck/ J. Knecht, 1975, pp. 129-135.

Guide for Study of the 'Agreed Statement' on Eucharistic Doctrine. – *Ecumenical Trends* 4 (1975) 6, 81-83.

HANSON, R.P.C., Eucharistic Agreement: an Ecumenical and Theological Consensus. – *A Critique of Eucharistic Agreement.* London: SPCK, 1975, pp. 25-36.

HAY, C., Eucharistic Doctrine: a Growing Consensus. – *The Eucharist in the Churches.* Croydon: Spectrum, 1972, pp. 40-64.

HICKLING, C., The Eucharist and Time. – *Theology* 80 (1977) 675, 197-204.

HINTZEN, G., Transsignifikation und Transfinalisation. Überlegungen zur Eignung dieser Begriffe für das ökumenische Gespräch. – *Catholica* 39 (1985) 3, 193-216.

—, Gedanken zu einem personalen Verständnis der eucharistischen Realpräsenz. – *Catholica* 39 (1985) 4, 279-310.

House of Bishops of the Episcopal Church. Response to the 'Agreed Statement on Eucharistic Doctrine'. – *Documents on Anglican/ Roman Catholic Relations II.* Washington: USCC Publications Office, 1973, p. 59.

HUGHES, P.E., Eucharistic Agreement? – *A Critique of Eucharistic Agreement.* London: SPCK, 1975, pp. 51-62.

International Dialogue. – *Information Service* (1970) 11/3, 16-20. French edition: Dialogue international. – *Service d'information* (1970) 11/3, 16-21.

JOURNET, C., Note sur la déclaration commune anglicane-catholique sur la doctrine eucharistique. – *La Documentation catholique* 69 (1972) 7/1606, 347-348.

KAMATH, R.S., A Bibliography of the Published Works on the Windsor Statement. – *One in Christ* 12 (1976) 3, 297-303.

—, *Convergence on the Eucharist*: a Critical Study of the Windsor Statement with Special Reference to Real Presence. (D.Th. Dissertation, Pontificia Universitas Gregoriana, Roma, 1977). Rome: Private Publication, 1977.

KNAPP-FISHER, E., Eucharist and Unity. – BUTLER, C., CHADWICK, H., CLARK, A., KNAPP-FISHER, E. and RUNCIE, R.A.K., *Towards Unity in Truth*. Leominster: Church Literature Association/Fowler Wright, 1981, pp. 17-23.

LANDUCCI, P.C., Dialogo – ecumenismo – eucaristia: alcuni fondamentali aspetti. – *Renovatio* 15 (1980) 2, 231-248.

LAURENTIN, R., Il dialogo tra cattolici, anglicani e protestanti nel corso del 1972. – *Unitas* 28 (1973) 2, 128-136.

LEBEAU, P., Points de vue sur l'actualité œcuménique. – *Nouvelle revue théologique* 93 (1971) 2, 167-179.

LEONARD, G., The Agreed Statements and the Eucharistic Traditions of the Church. – *A Critique of Eucharistic Agreement*. London: SPCK, 1975, pp. 37-50.

DE LLANOS, J.M., Eucaristia y ecumenismo. – *Renovación ecuménica* 5 (1972) 30, 15-16.

LÜTTICKEN, J., Vor einem Durchbruch zur anglikanisch/katholischen Interkommunion? Zur Gemeinsamen Erklärung der Anglikanisch/Römisch-Katholischen Internationalen Kommission über die Eucharistielehre. – *Una Sancta* 27 (1972) 172, 8-10.

DE MARGERIE, B., Questions on the Windsor Declaration on the Eucharist. – *Doctrine and Life* 23 (1973) 6, 295-297.

—, Ecumenical Agreements on the Eucharist. – *Doctrine and Life* 24 (1974) 4, 171-178.

—, Critères catholiques de discernement doctrinal et de réception des accords eucharistiques. – *Vers la plénitude de la communion*. Paris: Téqui, 1978, pp. 39-62.

MAROT, H., Déclaration commune sur la doctrine eucharistique. – *Irénikon* 45 (1972) 1, 84-91.

MASCALL, E.L., Recent Thought on the Theology of the Eucharist. – *A Critique of Eucharistic Agreement*. London: SPCK, 1975, pp. 63-79.

MCADOO, H.R., Documents on Modern Eucharistic Agreement. – *Modern Eucharistic Agreement*. London: SPCK, 1973, pp. 1-21.

MEJIA, J., El acuerdo anglicano-católico sobre la eucaristía. – *Renovación ecuménica* 5 (1972) 33/34, 14-17.

MOLONEY, R., Anglican and Roman Catholic Agreement on the Eucharist. – *Doctrine and Life* 22 (1972) 2, 99-104.

Most Important Statement Since Reformation for Anglicans and Catholics: Agreed Statement on Eucharistic Doctrine. – *Journal of Ecumenical Studies* 9 (1972) 1, 222-226.

MULLALY, L. and OSGOOD, J. (eds.), Study Guide for the Windsor Statement. – *A Call to Communion: Documents of the International*

Anglican-Roman Catholic Dialogue, 1966-1977. [with study guides]. Graymoor, NY: Graymoor Ecumenical Institute, 1979, pp. 9-11.

NCCB Bishops' Committee for Ecumenical and Interreligious Affairs. Response to the 'Agreed Statement' on Eucharistic Doctrine. – *Documents on Anglican/Roman Catholic Relations II.* Washington: USCC Publications Office, 1973, pp. 57-58.

PARRÉ, P., L'eucharistie dans le *Rapport final* d'ARCIC I. – *Irénikon* 57 (1984) 4, 469-489.

PURDY, W.A., Anglican-Roman Catholic Relations. – *Information Service* (1972) 16/1, 13-15.

QUINN, J., Some Roman Catholic Hesitations. – *Faith and Unity* 16 (1972) 3, 46-49.

—, The Agreed Statement on the Eucharist: Some Roman Catholic Hesitations. – *Chrysostom* 3 (1972-73) 6, 126-133.

RC Ecumenical Commission/Board for Mission and Unity, 1975. A Discussion Leaflet on *Eucharistic Doctrine: an Agreed Statement on Eucharistic Doctrine* by the Anglican/Roman Catholic International Commission at Windsor, 1971. London: RC Ecumenical Commission/Board for Mission and Unity, 1975.

A Real Ecumenical Breakthrough. – *The Month* 5 (1972) 2, 38-39.

Relations anglicanes/catholiques-romaines. – *Service d'information* (1972) 16/1, 13-15.

REUMANN, J., Anglican-Roman Catholic Reports. – *The Supper of the Lord: the New Testament, Ecumenical Dialogues, and Faith and Order on Eucharist.* Philadelphia: Fortress, 1985, pp. 108-117.

RICHARDS, M., Eucharistic Agreement: Points for Discussion. – *Clergy Review* 60 (1975) 4, 252-256.

ROSSER, J.C.W., *Agreement on the Mass – Has Rome Changed or Were the Reformers Wrong?: an Address Given.* Barnet: Protestant Reformation Society, 1972.

RYAN, H.J., Anglican/Roman Catholic Doctrinal Agreement on the Eucharist. – *Worship* 46 (1972) 1, 6-14.

—, Commentary on the Anglican-Roman Catholic Agreed Statement on Eucharistic Doctrine. – *Documents on Anglican/Roman Catholic Relations II.* Washington: USCC Publications Office, 1973, pp. 1-48.

—, La dichiarazione di Windsor intorno alla dottrina sull'eucaristia. – *La Civiltà cattolica* 125/4 (1974) 2983, 26-35.

RYDER, A., The Anglican/Roman Catholic Statement on the Eucharist: Comment and Discussion I. – *Clergy Review* 57 (1972) 3, 163-170.

SAYÉS, J.A., Líneas fundamentales de la teología católica sobre la eucaristía en su proyección ecuménica. – *Diálogo ecuménico* 14 (1979) 50/51, 223-248.

SCHOTT, W., Rom und die anglikanische Kirche. – *MD-Materialdienst des Konfessionskundlichen Instituts Bensheim* 23 (1972) 1, 6-7.

SCOTT, D.A., The Eucharist: an Anglican Perspective. – *Journal of Ecumenical Studies* 13 (1976) 2, 224-232.

SYKES, C., *Commentary on an Agreed Statement on Eucharistic Doctrine, 1971*. London: Church Literature Association, 1977.

TILLARD, J.-M.R., Catholiques romains et anglicans: l'eucharistie. – *Nouvelle revue théologique* 93 (1971) 6, 602-656. English translation: Roman Catholics and Anglicans: the Eucharist. – *One in Christ* 9 (1973) 2, 131-193.

TOLHURST, J., ¿Un acuerdo sustancial? Las relacciones al acuerdo anglicano-católico sobre la eucaristía. – *Diálogo ecuménico* 15 (1980) 52, 123-135.

TONIN, G., *L'Eucaristia nel dialogo tra cattolici e protestanti in tre documenti recenti*. (Diploma Thesis in Religious Studies). Roma: Pontificia Università Lateranense, 1974.

VAJTA, V., Das Abendmahl: Gegenwart Christi – Feier der Gemeinschaft – eucharistisches Opfer. – ISERLOH, E. (ed.), *Confessio augustana und confutatio. Der Augsburger Reichstag 1530 und die Einheit der Kirche*. Münster/Westfalen: Aschendorff, 1980, pp. 545-577.

VOGEL, A.A., Church and Eucharist. – *One in Christ* 9 (1973) 2, 111-130.

VOVODOPIVEC, M., L'accordo nella fede eucaristica: Windsor e Dombes. – *Diálogo ecuménico* 8 (1973) 30, 179-196.

WAINWRIGHT, G., The Anglican/Roman Catholic Statement on the Eucharist: Comment and Discussion IV. – *Clergy Review* 57 (1972) 4, 258-260.

WILLEBRANDS, J., Œcuménisme 1980. Rapport. – *La Documentation catholique* 68 (1971) 13/1589, 612-620.

—, Ökumenischer Situationsbericht 1970 aus der Sicht des Einheitssekretariates. – *Catholica* 25 (1971) 4, 304-324.

—, Ökumenischer Situationsbericht 1971 aus der Sicht des Einheitssekretariates. – *Catholica* 26 (1972) 4, 325-344.

WILLIAMS, R.R., Agreements: Their Sources and Frontiers. – *A Critique of Eucharistic Agreement*. London: SPCK, 1975, pp. 9-23.

The Windsor Statement: a Brief Bibliography. – *One in Christ* 9 (1973) 2, 197-198.

General/Other Statements

'The Eucharist': the Norwich Statement. – *One in Christ* 9 (1973) 2, 194-196.

PARRÉ, P., De leer over de eucharistie in de Anglicaans-Rooms-katholieke gesprekken tussen 1960 en 1993. – *Tijdschrift voor liturgie* 80 (1996) 366-373.

RYAN, H.J., Eucharist in Anglican-Roman Catholic Dialogue: a Roman Catholic Viewpoint. – *Journal of Ecumenical Studies* 13 (1976) 2, 233-240.

ARCIC I Salisbury Meeting; *Eucharist: Elucidation; Ministry and Ordination: Elucidation* (Salisbury Elucidations 1979)

Text:

Anglican-Roman Catholic International Commission (ARCIC I). *Eucharistic Doctrine; Ministry and Ordination: Elucidations, Salisbury 1979.* – *Ecumenical Trends* 8 (1979) 10, 147-151; 11, 165-167. *The Final Report. Windsor 1981*, London: CTS/SPCK, 1982, pp. 17-25, 40-45. HILL, C. and YARNOLD, E., *Anglicans and Roman Catholics: The Search for Unity*, London, 1995, pp. 22-29, 36-40. MEYER, H. & L. VISCHER (eds.), *Growth in Agreement: Reports and Agreed Statements of Ecumenical Conversations on a World Level*, New York: Paulist Press / Genève: WCC, 1984, pp. 72-77, 84-87. *One in Christ* 15 (1979) 3, 238-248.

Aclaraciones a los documentos 'doctrina eucarística' y 'ministerio y ordenación' (Salisbury 1979). Comisión internacional anglicano-romano católica.
– *Boletín informativo (Madrid)* (1980) 15, 23-28. *Diálogo ecuménico* 15 (1980) 53, 299-310.

Chiarimenti su eucaristia e su ministero e ordinazione. Documento della Commissione Internazionale Anglicano-cattolica Romana.
– *Il Regno documenti* 24 (1979) 17/404, 398-401. *Unitas* 34 (1979) 4, 272-282. VOICU, S.J. and CERETI, G. (eds.), *Enchiridion œcumenicum: documenti del dialogo teologico interconfessionale (1): dialoghi internazionali 1931-1984*. Bologna: Dehoniane (EDB), 1986, pp. 17-25, 36-41.

Doctrine eucharistique; ministère et ordination: élucidations, Salisbury 1979.
– *La Documentation catholique* 76 (1979) 15/1769, 734-739. *Rapport Final. Windsor, septembre 1981*, Paris: Cerf, 1982, pp. 26-34, 48-53.

Eucharistie-leer; Bediening en wijding: verhelderingen. Salisbury 1979.
  – *Archief van de Kerken* 37 (1982) 533-538, 544-547.
Die Lehre von der Eucharistie; Amt und Ordination: Erläuterungen. Salisbury 1979.
  – *Dokumente wachsender Übereinstimmung. Sämtliche Berichte und Konsenstexte interkonfessioneller Gespräche auf Weltebene.* Bd. 1. *1931-1982.* Hrsg. und eingeleitet von Harding MEYER, Hans Jörg URBAN, Lukas VISCHER, Paderborn: Bonifacius-Druckerei/ Frankfurt a/M: Otto Lembeck, 1983, pp. 143-148, 155-158.

Reflections/Reflections with Text:
Anglican Primate to Discuss Guidelines for Visits by Women Priests. – *Ecumenical Press Service* 46 (1979) 30, 8.
Anglican/Roman Catholic Relations. – *Information Service* (1979) 39/1-2, 20-21. French Edition: Relations avec les anglicans. – *Service d'information* (1979) 39/1-2, 21-22.
Anglicans et catholiques font des progrès dans le consensus doctrinal. – *SOEPI-Service œcuménique de presse et d'information* 46 (1979) 4, 3.
Anglicans to Begin Talks with Reformed Churches. – *Ecumenical Press Service* 46 (1979) 33, 4.
ARCIC Calls for Reappraisal of Anglican Orders. – *Ecumenical Press Service* 46 (1979) 15, 8.
Catholiques et autres chrétiens. – *Irénikon* 52 (1979) 2, 244-246; 3, 374-380,
DESSAIN, J., Données nouvelles dans les relations avec les anglicans. – *Nouvelle revue théologique* (1981) 103, 76-82.
Eucharist and Ministry Pursued in Anglican/RC Talks. – *Ecumenical Press Service* 46 (1979) 4, 6.
GEORGIADIS, H., 'Elucidations': a Race against Time? – *Chrysostom* 5 (1980) 7, 195-204.
HILL, C., Report on Anglican/Roman Catholic Relations and National Anglican/Roman Catholic Dialogues, 1978-79. – *One in Christ* 15 (1979) 4, 354-361.
Progrès dans le dialogue catholiques-anglicans. – *Unité des chrétiens* (1979) 35, 34.
Relations with Other Churches. – *Information Service* (1980) 43/2, 49-54. French edition: Relations avec les autres églises. – *Service d'information* (1980) 43/2, 56-62.
Response of the Belgian Bishops' Conference regarding the Agreements of the "Anglican-Roman Catholic International Commis-

sion" (ARCIC I): "Eucharistic Doctrine" (Windsor 1971) and "Eucharistic Doctrine: Elucidation" (Salisbury 1979), in *Questions liturgiques* 70 (1989) 168-172.

The Rule of Faith and the Recovery of Unity. – *Clergy Review* 64 (1979) 10, 346-347; 11, 384-385.

TAVARD, G.H., The Bilateral Dialogues: Speaking Together. – *One in Christ* 16 (1980) 1/2, 30-42.

4. Marriage

General

Canadian Anglicans, Catholics Approve Interconfessional Marriage Rules. – *Lutheran World Information* (1987) 36, 7.

Canada: RCs, Anglicans Release Mixed Marriage Guidelines. – *Ecumenical Press Service* 54 (1987) 33, 9.92,

Despite Dialogue, Marriage Issues Divide Anglicans, Roman Catholics. – *Lutheran World Information* (1979) 10, 5-6.

Direttive pastorali per i matrimoni interecclesiali tra anglicani e cattolici in Canada. – *Studi ecumenici* 6 (1988) 4, 393-410.

HILL, C., Report on Anglican/Roman Catholic Relations and National Anglican/Roman Catholic Dialogues, 1975-76. – *One in Christ* 13 (1977) 1/2, 161-172.

Marriages between Anglicans and Roman Catholics: a Paper. London: Church Information Office/Catholic Information Office, 1975.

Mixed Marriages. – *The Tablet* 229 (1975) 7025, 186.

Pastoral Guidelines for Interchurch Marriages between Anglicans and Roman Catholics in Canada. Ottawa: CCCB Publications Service 1987. French edition: *Directives pastorales pour les mariages inter-églises entre anglicans et catholiques au Canada.* Ottawa: CECC Service des Éditions, 1987.

Commission on the Theology of Marriage and Its Application to Mixed Marriages

Windsor Meeting 1968

Anglican-Roman Catholic Sub-Commission on Mixed Marriages. – *One in Christ* 4 (1968) 2, 169-170.

First Anglican/Roman Catholic Talks on Mixed Marriages Held. – *Ecumenical Press Service* 35 (1968) 16, 4.

Joint Working Groups. – *Information Service* (1968) 4, 3-6. French Edition: Groupes mixtes de travail. – *Service d'information* (1968) 4, 3-6.

Joint Working Groups. – *Information Service* (1968) 5, 3-8.

Mixed Marriages: Anglican-Roman Catholic Sub-Commission. – *One in Christ* 4 (1968) 3, 309-311.

La sous-commission mixte anglicane-catholique romaine sur la théologie du mariage et ses applications aux mariages mixtes. – *La Documentation catholique* 65 (1968) 1526, 1818-1819.

Rome Meeting 1968

Catholiques et autres chrétiens. – *Irénikon* 42 (1969) 4, 475-477.

Joint Working Groups. – *Information Service* (1969) 7/2, 6-10 (10). French Edition: Groupes mixtes de travail. – *Service d'information* (1969) 7/2, 6-10.

London Meeting 1971

Anglican-Roman Catholic Report on Mixed Marriages. – *Ecumenical Trends* 2 (1973) 4, 3-6.

Catholiques et autres chrétiens. – *Irénikon* 46 (1973) 2, 214-217.

CHAPLIN, D., Anglican-Roman Catholic Relations, 1971-2. – *Faith and Unity* 17 (1973) 1, 13-14.

Mixed Marriages: the Third Report of the Anglican-Roman Catholic Commission. – *Theology* 76 (1973) 634, 195-199.

Third Report of the Anglican/Roman Catholic Commission on the Theology of Marriage and Its Applications to Mixed Marriages. – *One in Christ* 9 (1973) 2, 198-203.

Hayward Heath Meeting 1973

Anglican/Roman Catholic Commission on the Theology of Marriage and Its Applications to Mixed Marriages. – *One in Christ* 9 (1973) 4, 313-314.

Fourth Meeting of the Anglican/Roman Catholic Commission on the Theology of Marriage and Its Applications to Mixed Marriages. – *Information Service* (1973) 22/4, 13. French edition: Quatrième réunion de la commission anglicane-catholique romaine sur la théologie du mariage et son application aux mariages mixtes. – *Service d'information* (1973) 22/4, 14.

Dublin Meeting 1974

Fifth Meeting of the Anglican/Roman Catholic Commission on Marriage: Dublin, April 1-5, 1974. – *Documents on Anglican/Roman Catholic Relations III*. Washington: USCC Publications Office, 1976, p. 70.

Press Releases. – *Information Service* (1974) 25/3, 19-21. French Edition: Communiqué de presse. – *Service d'information* (1974) 25/3, 20-23.

Commission on the Theology of Marriage and Its Application to Mixed Marriages; *Final Report* 1975

Text:

Anglican-Roman Catholic Marriage: the Report of the Anglican-Roman Catholic International Commission on the Theology of Marriage and Its Application to Mixed Marriages. London/Abbots Langley: Church Information Office/Catholic Information Office, 1976.

– *Documents on Anglican/Roman Catholic Relations IV.* Washington, DC: USCC Publications Office, 1979, pp. 27-30 [excerpts]. *Final Report: Commission on the Theology of Marriage and Its Application to Mixed Marriages, June 27, 1975.* Washington: USCC Publications Office, 1976. *Information Service* (1976) 32/3, 12-27. WITMER, J.W. and WRIGHT, J.R. (eds.), *Called to Full Unity: Documents on Anglican-Roman Catholic Relations, 1966-1983.* Washington, DC: USCC Office of Publishing and Promotion Services, 1986, pp. 99-131.

Anglikanisch/römisch-katholische Ehe. Bericht der Anglikanisch/Römisch-Katholischen Internationale Kommission über die Theologie der Ehe und ihre Anwendung auf konfessionsverschiedene Ehen. 1975.

– LELL, J. and MEYER, H. (eds.), *Ehe und Mischehe im ökumenischen Dialog.* Frankfurt am Main: O. Lembeck/J. Knecht, 1979, pp. 17-54. *Dokumente wachsender Übereinstimmung. Sämtliche Berichte und Konsenstexte interkonfessioneller Gespräche auf Weltebene.* Bd. 1. *1931-1982.* Hrsg. und eingeleitet von Harding MEYER, Hans Jörg URBAN, Lukas VISCHER, Paderborn: Bonifacius-Druckerei/Frankfurt a/M: Otto Lembeck, 1983, pp. 196-232.

Anglicaans/Rooms-katholiek huwelijk. Rapport van de Anglicaans/Rooms-Katholieke Internationale Commissie over de theologie van het huwelijk en haar toepassing op gemengde huwelijken.

– *Archief van de Kerken* 32 (1977) 1-34.

Commission de la théologie du mariage et de ses applications aux mariages mixtes, *Rapport final.*

– *Documentation Catholique* (1977) 458-. *Service d'information* (1976) 32/3, 14-28.

El matrimonio anglicano-católico: relación de la comisión internacional anglicano-católica para la teología del matrimonio y su aplicación a los matrimonios mixtos.
- *Diálogo ecuménico* 20 (1985) 67, 181-222.

La teologia del matrimonio e la sua applicazione ai matrimoni misti.
- VOICU, S.J. and CERETI, G. (eds.), *Enchiridion œcumenicum: documenti del dialogo teologico interconfessionale (1): dialoghi internazionali 1931-1984.* Bologna: Dehoniane (EDB), 1986, pp. 110-155.

Reflections/Reflections with Text:

Anglican-Catholic Commission Issues a Report on Mixed Marriage. - *Ecumenical Trends* 5 (1976) 7, 104-106.

Anglican-Roman Catholic *Final Report* on Marriage. - *Ecumenical Trends* 5 (1976) 9, 132-135.

Anglicans et autres chrétiens. - *Irénikon* 48 (1975) 3, 362-363.

Anglikaner und Katholiken über Ehe nicht einig. - *Lutherische Welt-Information* (1979) 13, 11-12.

ARC Marriages. - *Interchurch Families* 2 (1994) 1, 8.

DE BHALDRAITHE, E., Mixed Marriages in the New Code: Can We Now Implement the Anglican-Roman Catholic Recommendations?. - *Jurist* 46 (1986) 2, 419- 451.

Catholiques et autres chrétiens. - *Irénikon* 49 (1976) 3, 350-364.

DEVINE, P., Mixed Marriages and the Report from the RCC/LWF/WARC Dialogue. - *Irish Theological Quarterly* 45 (1978) 1, 47-72.

El matrimonio anglicano-catolico. - GONZALEZ MONTES, A. (ed.), *El matrimonio interconfesional: teología y pastoral de los matrimonios mixtos en perspectiva ecuménica*. Salamanca: Centro de Estudios Orientales y Ecuménicos Juan XXIII de la Universidad Pontificia de Salamanca, 1988, pp. 3-44. *Diálogo ecuménico* 20 (1985) 67, 181-222.

Interchurch Marriages Ten Years On. - *One in Christ* 14 (1978) 1, 3-15.

Key Changes in Anglican/Catholic Mixed Marriage Rules Proposed. - *Ecumenical Press Service* 43 (1976) 17, 8.

LELL, J. and MEYER, H. (eds.), *Ehe und Mischehe im ökumenischen Dialog: Schlussberichte des anglikanisch/katholischen Dialogs, des katholisch/lutherisch/reformierten. Dialogs und des katholisch/lutherischen Dialogs in Schweden*. (Ökumenische Dokumentation 4). Frankfurt am Main: O. Lembeck/J. Knecht, 1979.

LUCAS, J.R., The 'Vinculum coniugale': a Moral Reality. - *Theology* 78 (1975) 659, 226-230.

MACQUARRIE, J., The Nature of the Marriage Bond. – *Theology* 78 (1975) 659, 230-236.

O'HIGGINS, B., Mixed Marriage: the 'Cautiones'. – *Irish Theological Quarterly* 41 (1974) 3, 205-221, 274-288.

OPPENHEIMER, H., Is the Marriage Bond an Indissoluble 'Vinculum'? – *Theology* 78 (1975) 659, 236-244.

REARDON, M., Anglican-Roman Catholic Marriage [Hauterive meeting]. – *One in Christ* 14 (1978) 1, 65-69.

STEWART, R.L., Mixed Marriages: the Revised Directory. – *One in Christ* 14 (1978) 1, 55-65.

TRILLO, J., *Marriages between Anglicans and Roman Catholics: a Commentary.* London: CIO, 1978.

Trois résolutions de la conférence de Lambeth. – *La Documentation catholique* 75 (1978) 18/1750, 891-893.

URBAN, H.-J. and WAGNER, H. (eds.), Bericht der Anglikanisch/Römisch-katholischen Internationalen Kommission über die Theologie der Ehe und ihre Anwendung auf konfessionsverschiedene Ehen. – *Handbuch der Ökumenik III/2.* Paderborn: Bonifatius, 1987, pp. 179-180.

WILLEBRANDS, J., Mixed Marriages and Their Christian Families. – *Information Service* (1980) 44/3-4, 116-118. French edition: Les mariages mixtes et les familles chrétiennes. – *Service d'information* (1980) 44/3-4, 127-129.

—, Mixed Marriages and Their Family Life: Cardinal Willebrands' Address to the Synod of Bishops, October 1980. – *One in Christ* 17 (1981) 1, 78-81.

5. Ministry/Ordination

General

Anglicans-catholiques: un pas vers l'unité. – *L'Actualité religieuse dans le monde* (1986) 33, 32.

Anglicans et autres chrétiens. – *Irénikon* 59 (1986) 2, 233-244.

Commentaires des présidents de l'ARCIC II. – *La Documentation catholique* 83 (1986) 7/1915, 357-358.

COVENTRY, J., Anglican Orders. – *The Tablet* 236 (1982/1983) 7431/2, 1286-1288.

FIOLET, H.A.M., Erkenning van het ambt in Anglicaanse Kerk? – *Kosmos + Oekumene* 20 (1986) 5, 156.

Frauenordination belastet Dialog mit Rom. – *Lutherische Welt-Information* (1988) 27, 7. *Lutherische Welt-Information – Monatsausgabe* (1988) 9B, 8.

GIORDANO, D., Anglicani e sacramento dell'ordine. – *O Odigos la guida* 12 (1993) 1, 13-14.

HULSHOF, J., Weer beweging in de kwestie van de anglicaanse wijdingen. – *Kosmos + Oekumene* 20 (1986) 4, 128-129.

Lettre du cardinal Willebrands aux présidents d'ARCIC II sur les ordinations anglicanes. – *Istina* 34 (1989) 2, 181-186.

La question de la validité des ordinations anglicanes. – *La Documentation catholique* 83 (1986) 7/1915, 354-357.

SANTER, M. and MURPHY-O'CONNOR, C., A Response to Cardinal Willebrands. – *Origins* 15 (1986) 40, 664.

Way to Mutual Recognition of RC & Anglican Ministries Outlined. – *Ecumenical Press Service* 53 (1986) 8, 3.22.

Willebrands-ARCIC Correspondence and Reactions. – *Ecumenical Trends* 15 (1986) 5, 82-84.

WILLEBRANDS, J., New Context for Discussing Anglican Orders. – *Origins* 15 (1986) 40, 662-663.

—, SANTER, M. and MURPHY-O'CONNOR, C., Correspondence between Cardinal Willebrands and the Co-Chairmen of ARCIC II on Reconciliation of Ministries. – *The Church of England's Response to BEM & ARCIC: Supplementary Report to GS 661*. London: Board for Mission and Unity, 1986, pp. 21-27.

YARNOLD, E.J. (ed.), *Anglican Orders, a new context*, London, 1986.

ARCIC I Canterbury Meeting; *Ministry and Ordination* (Canterbury Statement 1973)

Text:

Anglican-Roman Catholic International Commission (ARCIC I). *Ministry and Ordination: a Statement on the Doctrine of the Ministry, Agreed by the Anglican-Roman Catholic Commission, Canterbury 1973*. London: SPCK, 1973.

– *Australian Catholic Record* 51 (1974) 3, 196-202. *Clergy Review* 59 (1974) 1, 57-64. *Doctrine and Life* 24 (1974) 1, 40-46. *Documents on Anglican/Roman Catholic Relations III*. Washington: USCC Publications Office, 1976, pp. 74-81. *Ecumenical Trends* 2 (1974) 10, 1-7. *Information Service* (1974) 23/1, 16-19. *The Final Report: Windsor, September 1981*. London: CTS/SPCK, 1982, pp. 29-39. *Modern Ecumenical Documents on the Ministry*. London: SPCK, 1975, pp. 27-37. *The Month* 7 (1974) 1, 435-438. *One in Christ* 10 (1974) 1, 53-70. *Origins* 3 (1973) 26, 401, 403-409. *The Three Agreed Statements*. London: CTS Publications/SPCK, 1978, pp. 13-24. *Worship* 48 (1974) 1, 2-10.

Ambt en wijding. Gemeenschappelijke verklaring van de internationale anglikaans-rooms-katholieke commissie, Canterbury, 5 September 1973.
– *Archief van de Kerken* 29 (1974) 1-8; 37 (1982) 538-544. *Collationes* 20 (1974) 1, 126-132.

Amt und Ordination. Gemeinsame Erklärung über die Lehre vom Amt der Anglikanisch/Römisch-Katholischen Internationalen Kommission Canterbury 1973.
– *Dokumente wachsender Übereinstimmung. Sämtliche Berichte und Konsenstexte interkonfessioneller Gespräche auf Weltebene.* Bd. 1. *1931-1982.* Hrsg. und eingeleitet von Harding MEYER, Hans Jörg URBAN, Lukas VISCHER, Paderborn: Bonifacius-Druckerei/ Frankfurt a/M: Otto Lembeck, 1983, pp. 148-155. GAßMANN, G. (ed.), *Vom Dialog zur Gemeinschaft: Dokumente zum anglikanischlutherischen und anglikanisch-katholischen Gespräch.* (Ökumenische Dokumentation 2). Frankfurt am Main: O. Lembeck/J. Knecht, 1975, pp. 136-148.

Ministère et ordination. Déclaration commune sur la doctrine du ministère, élaborée par la commission internationale anglicane-catholique romaine, Cantorbéry, 1973.
– *Anglicans et catholiques: déclarations de la commission mixte internationale entre l'Église catholique et la Communion anglicane.* Montréal: Fides, 1977, pp. 13-21. *La Documentation catholique* 70 (1973) 22/1644, 1063-1069. *Service d'information* (1974) 23/1, 16-19. *Unité des chrétiens* (1975) 18, 19-22.

Ministerio y ordenación. Declaración sobre la doctrina del ministerio por la comisión internacional anglicano-romano católica, Canterbury 1973.
– *Diálogo ecuménico* 9 (1974) 33, 97-113. *Renovación ecuménica* 7 (1974) 43, 7-10.

Ministero e ordinazione: dichiarazione comune sulla dottrina del ministero concordata dalla commissione internazionale anglicana-cattolico romana, Canterbury, 1973.
– *La Civiltà cattolica* 124/4 (1973) 2964, 570- 577. *Unitas* 29 (1974) 1, 36-43. VOICU, S.J. and CERETI, G. (eds.), *Enchiridion œcumenicum vol. 1: documenti del dialogo teologico interconfessionale (1): dialoghi internazionali 1931-1984.* Bologna: Dehoniane (EDB), 1986, pp. 26-35.

Reflections/Reflections with Text:

Agreement on Ministry. – *Ecumenical Trends* 2 (1973) 7, 11.

Anglican/Roman Catholic International Commission. – *One in Christ* 10 (1974) 1, 70-71.

ALLEN, D., Agreement on the Ministry. – *Faith and Unity* 18 (1974) 2, 26-27.

ALPHONSE, Fr., *Ministry and Ordination:* a Critical Appraisal of the Canterbury Document. – AMALORPAVADASS, D.S. (ed.), *Ministries in the Church in India.* New Delhi: CBCI, 1976, pp. 325-336.

Amt und Ordination: eine anglikanisch-katholische Erklärung. – *Una Sancta* 29 (1974) 1, 11-15.

Anglican and Roman Catholic Theologians Agree on Priesthood. – *Ecumenical Press Service* 40 (1973) 25, 4.

Anglican/Roman Catholic Commission Agree on Nature of Ministry. – *Ecumenical Press Service* 40 (1973) 35, 3.

Anglican/Roman Catholic Relations. – *Information Service* (1975) 27/2, 20-21. French edition: Les relations entre l'Église catholique et la Communion anglicane. – *Service d'information* (1975) 27/2, 22-23.

Anglican/Roman Catholic Statement on Ministry and Ordination Draws Observations and Criticisms. – *Ecumenical Trends* 3 (1974) 9, 228-229.

Anglicans et autres chrétiens. – *Irénikon* 47 (1974) 4, 514-517.

Anglicans in Dialogue. – *Chrysostom* 3 (1973) 8, 190-191.

À propos de la déclaration de la commission anglicane-catholique sur le 'ministère et l'ordination'. Note de la commission théologique de la conférence épiscopale anglaise. – *La Documentation catholique* 71 (1974) 14/1658, 699.

Auf dem Weg zur Anerkennung der anglikanischen Weihen? – *Herder-Korrespondenz* 28 (1974) 2, 70-71.

BERMEJO, L.M., Rome and Canterbury on the Ministry. – *One in Christ* 11 (1975) 2, 145-181.

—, Rome and Canterbury on the Ministry. – *Towards Christian Reunion. Vatican I: Obstacles and Opportunities.* (Jesuit Theological Forum Studies Series X, 2). Anand: Gujarat Sahitya Prakash, 1984, pp. 189-228.

BOYER, J.P., Canterbury's Scope. – *Origins* 3 (1974) 44, 690-692.

BRADSHAW, P.F., Lay Ministry: Theories. – *Doctrine and Life* 37 (1987) 9, 499-511.

CAREY, G., The Doctrine of the Ministry. – *Agreement in the Faith: Talks between Anglicans and Roman Catholics*: the Oxford Conference 1975. London: Church Book Room, 1975, pp. 57-64.

Catholiques et autres chrétiens. – *Irénikon* 46 (1973) 4, 509-513; 47 (1974) 1, 59-68 (60-66); 3, 364-376.

CHARLEY, J.W. (ed.), *Agreement on the Doctrine of the Ministry: The 1973 Anglican-Roman Catholic Statement on Ministry and Ordi-*

nation (with Historical Appendix, Theological Commentary, Notes on Apostolic Succession). (Grove Booklet on Ministry and Worship 22). Bramcote: Grove, 1973.

CLARK, A., Ministry and Unity. – BUTLER, C., CHADWICK, H., CLARK, A., KNAPP-FISHER, E. and RUNCIE, R.A.K., *Towards Unity in Truth*. Leominster: Church Literature Association/Fowler Wright, 1981, pp. 24-31.

Comment on Anglican/RC Ministry Statement. – *Ecumenical Trends* 2 (1974) 11, 1-3.

Commissione internazionale anglicana-cattolica romana: accordo sulla dottrina del ministero. – *Il Regno documenti* 19 (1974) 1/278, 36-39.

DANNEELS, G., De akkoorden van Windsor en Canterbury. – *Collationes* 20 (1974) 1, 104-121.

DAVEY, C., The Anglican-Roman Catholic International Commission's Discussion of the Doctrine of the Ministry. – *Ecumenical Trends* 2 (1973) 10, 8-15.

—, Appendix: Background to the Document: the Anglican/Roman Catholic International Commission's Discussion of the Doctrine of the Ministry. – *Doctrine and Life* 24 (1974) 1, 47-55.

—, Rapporto. – *Il Regno documenti* 19 (1974) 1/278, 39-41.

El documento más importante sobre el ministerio y la ordenación. – *Renovación ecuménica* 7 (1974) 43, 23.

DUPREY, P., Réflexion sur le dialogue entre l'Église catholique et la Communion anglicane. – *La Documentation catholique* 71 (1974) 12/1656, 586-590.

EAGAN, J.F., Is *BEM's* Call for Mutual Recognition of Ministry Realistic? Review of Ten Post-Vatican II Dialogues on Ordained Ministry. – *Journal of Ecumenical Studies* 21 (1984) 4, 665-666.

Eucharistie und Amt im Verständnis von Anglikanern und Katholiken. – *Herder-Korrespondenz* 28 (1974) 2, 93-97.

FRIELING, R., Anglikanisch/katholische und anglikanisch/lutherische Gespräche. – *MD-Materialdienst des Konfessionskundlichen Instituts Bensheim* 25 (1974) 2, 32-33.

GEORGIADIS, H., The Canterbury Statement, Anglican/RC Agreed Statement on Ministry and Ordination: an Eastern View. – *Chrysostom* 4 (1974) 2, 25-36.

GOUTHRO, A.F., An Overview of the US Church Dialogues on Ministry and Ordination. – *Ecumenical Trends* 7 (1978) 1, 12-16.

Grande-Bretagne: les théologiens anglicans et catholiques romains et la reconnaisance du ministère. – *La Documentation catholique* 70 (1973) 18/1640, 892.

Importante acuerdo ecuménico católico-anglicano. – *Renovación ecuménica* 6 (1973) 40, 28.

JONES, A.W., One Ministry. – *Ecumenical Trends* 1 (1972) 6, 1-4.

LASH, N., Realities of Christian Division. – *The Month* 11 (1978) 7, 235-238, 242.

LAUBENTHAL, A., Theological Implications of a Dialogue on Ministry. – *Origins* 3 (1974) 44, 693-695.

—, Future of the Dialogue. – *Origins* 3 (1974) 44, 696.

LEGRAND, H.-M., Bulletin d'ecclésiologie: le ministère ordonné dans le dialogue œcuménique. – *Revue des sciences philosophiques et théologiques* 60 (1976) 4, 649-697.

LOUTH, A., Anglican-Roman Catholic International Commission (ARCIC I) *Commentary on an Agreed Statement on Ministry and Ordination 1973.* [with text]. London: Church Literature Association, 1977.

DE MARGERIE, B., Sacerdoce et ministères. – *Vers la plénitude de la communion.* Paris: Téqui, 1978, pp. 63-116.

Meeting of the Roman Catholic/Anglican International Commission, Canterbury, August 28 – September 6, 1973. – *Information Service* (1973) 22/4, 15. French edition: Réunion de la commission internationale catholique-romaine/anglicane, Cantorbéry, 28 août – 6 septembre 1973. – *Service d'information* (1973) 22/4, 16.

CLARK, A.C., *Ministry and Ordination: the Statement on the Doctrine of the Ministry Agreed by the Anglican Roman Catholic International Commission, Canterbury 1973.* Pinner: Catholic Information Office, 1973.

Modern Ecumenical Documents on the Ministry. London: SPCK, 1975, pp. 3-25. 38-50. [no editor cited].

More Comment on Ministry Statement. – *Ecumenical Trends* 2 (1973) 12, 1-4.

MULLALY, L. and OSGOOD, J. (eds.), Study Guide for the Canterbury Statement. – *A Call to Communion: Documents of the International Anglican-Roman Catholic Dialogue, 1966-1977.* [with study guides]. Garrison, NY: Graymoor Ecumenical Institute, 1979, pp. 17-18.

MUNRO, J., Comment on this Statement. – *Australian Catholic Record* 51 (1974) 3, 203-207.

OSGOOD, J., Guide for Study of Anglican/Roman Catholic Agreed Statement on Ministry and Ordination. – *Ecumenical Trends* 5 (1976) 8, 119-121.

PURDY, W.A., El diálogo entre la iglesia católica y la comunión anglicana en 1973. – *Renovación ecuménica* 6 (1973) 42, 8.

QUINN, J., *Ministry and Ordination:* Some Roman Catholic Hesitations. – *Faith and Unity* 18 (1974) 2, 22-25.

RAFFERTY, O.P., The Case for Anglican Orders. – *The Month* 18 (1985) 4, 129-137.

RC Ecumenical Commission/Board for Mission and Unity. A Discussion Leaflet on *Ministry and Ordination: the Statement on the Doctrine of the Ministry Agreed by the Anglican/Roman Catholic International Commission at Canterbury, 1973.* London: RC Ecumenical Commission/Board for Mission and Unity, 1973.

RICHARDS, M., The Doctrine of the Ministry. – *Agreement in the Faith: Talks between Anglicans and Roman Catholics: the Oxford Conference 1975.* London: Church Book Room, 1975, pp. 65-72.

RYAN, H.J., Agreement on Ministry. – *The Month* 7 (1974) 2, 474-476.

—, The Canterbury Statement on Ministry and Ordination. – *Worship* 48 (1974) 1, 11-20.

—, La dichiarazione di Canterbury su 'ministero e ordinazione'. – *La Civiltà cattolica* 125/4 (1974) 2985, 241- 253.

STEWART, R.L., Commentaire sur le document de Canterbury. – *Unité des chrétiens* (1975) 18, 22-23.

TAVARD, G.H., For a Theology of Dialogue. – *One in Christ* 15 (1979) 1, 11-20.

TILLARD, J.-M.R., La 'qualité sacerdotale' du ministère chrétien. – *Nouvelle revue théologique* 95 (1973) 5, 481-514.

Una parola comune sui ministeri. – *Il Regno attualità* 19 (1974) 2/279, 31-32.

VERCRUYSSE, J.E., *Ambt en gemeenschap.* Een oecumenische benadering. – *Collationes* 23 (1977) 2, 142-156.

WAINWRIGHT, G., The 1973 Anglican/Roman Catholic Statement on Ministry and Ordination: a Methodist comment. – *Clergy Review* 59 (1974) 3, 205-211.

Was Charley Off-Side? – *Faith and Unity* 18 (1974) 2, 21-22.

WRIGHT, J.R., The Canterbury Statement and Five Priesthoods. – *One in Christ* 11 (1975) 3, 282-293.

YARNOLD, E.J., Les ordinations anglicanes: est-il possible d'avancer? – *Unité des chrétiens* (1984) 54, 18-21.

ARCIC II Venice Meeting 1989

Anglican-Roman Catholic Commission: Serious Differences on Ordination. – *Ecumenical Press Service* 56 (1989) 33, 9.79.

ARCIC II: August 28 – September 6, 1989. – *Information Service* 72 (1990) 1, 1.

Apostolicae Curae 1896

FRANKLIN, R.W., *Apostolicae curae* of 1896 Reconsidered: Cardinal Willebrands' Letter to ARCIC II. – *Ecumenical Trends* 15 (1986) 5, 80-82.

FRANKLIN, R.W. (ed.), Anglican Orders. Essays on the Centenary of *Apostolic Curae* 1896-1996, London: Mowbray, 1996. *Anglican Theological Review* 78 (1996) 1,1-149.

HUGHES, J.J., *Absolutely Null and Utterly Void. The Papal Condemnation of Anglican Orders*, London, 1968.

PINCKERS, G., La validité des ordinations anglicanes dans le dialogue œcuménique. – ID. (ed.), *Le semeur sortit pour semer ... Grand Séminaire de Liège 1592-1992*. Liège, éd. Grand Séminaire, 1992, pp. 223-270.

RAMBALDI, G., La sostanza del sacramento dell'ordine e la validità delle ordinazioni anglicane secondo E. De Augustinis, SJ. – *Gregorianum* 70 (1989) 1, 47-91.

—, Il caso di coscienza di Leone XIII sulle ordinazioni anglicane. – *La Civiltà cattolica* 140 (1989) 3337, 28-42.

—, Come Leone XIII arrivò a pubblicare la bolla *Apostolicae curae*. – *La Civiltà cattolica* 141 (1990) 3366, 462-477.

—, Ordinazioni anglicane e ecclesiologia: I e II. – *Gregorianum* 74 (1993) 2, 277-307 3, 461-497,

—, *Ordinazioni anglicane e sacramento dell'ordine nella chiesa: aspetti storici e teologici a cento anni dalla bolla Apostolicae curae di Leone XIII*. Roma: Università Gregoriana, 1995.

REARDON, R., *Apostolicae Curae* from an Interchurch Family Perspective. – *The Month* 29 (1996) 8, 307-311.

6. Ministry/Ordination of Women

General

Anglicans et autres chrétiens. – *Irénikon* 62 (1989) 2, 217-230.

Anglicans to Discuss Women's Ordination with Catholic and Orthodox Churches. – *Lutheran World Information* (1979) 8, 10.

BROMURI, E., Non chiudere la porta a chi bussa: l'ordinazione delle donne al sacerdozio: una questione che interpella la chiesa anglicana e anche quella cattolica. – *Una Città per il dialogo* (1993) 53, 13-14.

BROWNING, E.L., Statement (on the) Exchange of Correspondence between Pope John Paul II, the Archbishop of Canterbury and Cardinal Willebrands on the Admission of Women to Priestly Ordination, June 30, 1986. – *Ecumenical Bulletin* 79 (1986) 14.

Correspondence between Pope John Paul II, the Archbishop of Canterbury and Cardinal Willebrands on the Ordination of Women. – *The Church of England's Response to BEM & ARCIC: Supplementary Report to GS 661*. London: Board for Mission and Unity, 1986, pp. 29-42.

Correspondance entre l'archevêque de Cantorbéry et le cardinal Willebrands. – *La Documentation catholique* 83 (1986) 16/1924, 802-806.

I dialoghi tra la chiesa cattolica romana e.... – *Studi ecumenici* 4 (1986) 3-4, 447-455.

Dialogo ecumenico e ordinazione delle donne. – *Il Regno documenti* 34 (1989) 15/622, 509-510.

Dibattito sull'ammissione delle donne al ministero ordinato. – *Studi ecumenici* 5 (1987) 1, 164-166.

Dossier epistolar sobre el reconocimiento recíproco de los ministerios ordenados y la cuestión de la ordenación sacerdotal y episcopal de las mujer. – *Diálogo ecuménico* 22 (1987) 74, 473-501.

Échange de lettres entre l'archevêque de Cantorbéry et le cardinal Willebrands. – *Unité des chrétiens* (1986) 64, 45.

Échange de lettres entre le Pape et l'archevêque de Cantorbéry. – *Unité des chrétiens* (1986) 64, 44-45.

Échange de lettres sur l'admission des femmes à l'ordination sacerdotale. – *Service d'information* 61 (1986) 3, 116-122.

Exchange of Letters on the Ordination of Women to the Priesthood. – *Information Service* 61 (1986) 3, 106-111.

HINTZEN, G., The Ordination of Women in the Context of Anglican/Roman Catholic Dialogue. – *The Month* 25 (1992) 1, 6-13.

Letters Exchanged by Pope and Canterbury Archbishop. – *Origins* 19 (1989) 4, 63-64.

Ordination of Women: Letters between Canterbury and Rome. – *One in Christ* 25 (1989) 1, 91-94.

Ordinations in England Are Grave Obstacle to Union. – *L'Osservatore Romano* (Weekly English Edition) 27 (1994) 11, 12.

Pope: Ordination of Women Growing Obstacle to Anglican-RC Reunion. – *Ecumenical Press Service* 53 (1986) 21, 7.20. French Edition: L'ordination des femmes: un obstacle à la réconciliation entre anglicans et catholiques romains, *SOEPI-Service œcuménique de presse et d'information* 53 (1986) 28, 8.

Pope: Ordination of Women Seems to Block Recognition of Anglicans.
   – *Ecumenical Press Service* 56 (1989) 15, 5.02.
Il problema dell'ordinazione delle donne. Carteggio tra chiesa cattolica e
   comunione anglicana. – *Il Regno documenti* 31 (1986) 15/556, 450-454.
Rome et Cantorbéry. Échange de lettres sur l'ordination des femmes. –
   Irénikon 59 (1986) 3, 352-365.
RYAN, H.J., Ordained Ministry in Anglican-Roman Catholic Dialogue. –
   Diakonia 7 (1972) 2, 182-191.
Le sacerdoce des femmes et l'œcuménisme. – *La Documentation
   catholique* 72 (1975) 20/1686, 975-977.
Sackgasse. Die Frauenordination und der katholische Ökumenismus. –
   Herder-Korrespondenz 43 (1989) 6, 247-248.
Steht Canterbury näher bei Rom oder bei Genf? – *Lutherische Welt-
   Information* (1986) 28, 18. *Lutherische Welt-Information – Monats-
   ausgabe* (1986) 8, 8.
VANZAN, P., L'ordinazione sacerdotale delle donne. Riflessioni in mar-
   gine a un recente carteggio tra la chiesa cattolica e la comunione
   anglicana. – *La Civiltà cattolica* 137/3 (1986) 3266, 148-154.
Vatican and Canterbury Exchange Letters on Women's Ordination and
   Ecumenism. – *Ecumenical Bulletin* 79 (1986) 2-3.
Der Vatican bekräftigt Ablehnung von Priesterinnen. – *Lutherische Welt-
   Information* (1986) 24, 12.
Women's Ordination and the Progress of Ecumenism. – *Origins* 16 (1986)
   8, 153; 155-160.
Women's Ordination and the Progress of Ecumenism: the Vatican and
   Canterbury Exchange of Letters. – *Ecumenical Bulletin* 79 (1986)
   7-13.
Women's Ordination: the Correspondence between Rome and Canter-
   bury. – *One in Christ* 22 (1986) 3, 289-299.
YARNOLD, E.J., L'Église d'Angleterre et l'ordination des femmes. –
   Études 379 (1993) 6/3796, 667-673.

ARC Joint Consultation; Versailles Report 1978

Text:

ARC Joint Consultation: Versailles Report. Report of a meeting co-
   sponsered by the Anglican Consultative Concil and the Secretariat
   for Promoting Christian Unity.
   – *Documents on Anglican/Roman Catholic Relations IV*. Washington, DC: USCC Publications Office, 1979, pp. 72-74. WITMER, J.W.
   and WRIGHT, J.R. (eds.), *Called to Full Unity: Documents on Angli-*

can-Roman Catholic Relations, 1966-1983. Washington, DC: USCC
Office of Publishing and Promotion Services, 1986, pp. 179-181.
L'ordinazione delle donne al sacerdozio.
    – VOICU, S.J. and CERETI, G. (eds.), *Enchiridion œcumenicum: docu-
    menti del dialogo teologico interconfessionale (1): dialoghi inter-
    nazionali 1931-1984.* Bologna: Dehoniane (EDB), 1986, pp. 156-159.

Reflections/Reflections with Text:
Anglican-Roman Catholic Consultation on the Ordination of Women to
    the Priesthood. – *One in Christ* 14 (1978) 4, 389-392.
*Anglican-Roman Catholic Consultation on the Ordination of Women to
    the Priesthood.* Saffron Walden: Hart-Talbot, 1978.
Catholiques et autres chrétiens. – *Irénikon* 51 (1978) 3, 374-385.
FRASER, D., BROCKETT, L. and HOWARD, C., The Ordination of Women.
    – *One in Christ* 15 (1979) 1, 40-56.
Women Priests: Ecumenical Obstacle?. – *Origins* 8 (1978) 14, 211-212.

7. Morals

ARCIC II Venice Meeting 1993; *Life in Christ: Morals, Communion
and the Church* **(Agreed Statement 1994)**

Text:
Anglican-Roman Catholic International Commission (ARCIC II). *Life in
    Christ. Morals, Communion and the Church.* An Agreed Statement
    by ARCIC II, Rome/London, 1994.
    – *Information Service* (1994) 1/85, 54-70. *One in Christ* 30 (1994)
    4, 355-387.
La vie en Christ: Morale, Communion et Église.
    – *La Documentation catholique* 93 (1996) 11/2139, 509-528. *Ser-
    vice d'information* (1994) 1/85, 55-72.
Vivere in Cristo: la morale, la communione e la chiesa.
    – *Il Regno documenti* 39 (1994) 17/734, 563-576. CERETI, G. and
    PUGLISI, J.F. (eds.), *Enchiridion œcumenicum: documenti del dia-
    logo teologico interconfessionale (3): dialoghi internazionali 1985-
    1994.* Bologna: Dehoniane (EDB), 1995, pp. 65-115.

Reflections/Reflections with Text:
Anglican-Roman Catholic International Dialogue: Venice, Italy, August
    28 – September 6, 1993. – *Information Service* (1993) III-IV/84,

154. French Edition: Dialogue international anglican-catholique, Venise (Italie), 28 août – 6 septembre 1993. – *Service d'information* (1993) III-IV/84, 160.

BARD, C., BARD, M., IND, B., PARGETER, P., MURPHY-O'CONNOR, C. and SANTER, M. *Life in Christ: Morals, Communion and the Church: Study Pack*. [pamphlet, cassette]. London: Council for Christian Unity/Catholic Truth Society, 1994.

BROWN, D. and HULL, H., *Life in Christ*. – *ACR Centro: News from the Anglican Centre in Rome* 2 (1994) 4, 3-4.

Catholiques et autres chrétiens. – *Irénikon* 66 (1993) 3, 367-370.

CORNÉLIS, J., Le dialogue catholique-anglican: *La vie en Christ*. – *Unité des chrétiens* (1995) 99, 34-35.

The International Anglican/Roman Catholic Commission.... – *Ecumenism* 30 (1995) 120, 38.

International ARCIC Meets. – *Anglican World* (1993) 72, 26-27.

KOPPENSTEINER, T.R., Commentary on *Life in Christ: Morals, Communion and the Church*. – *Information Service* (1994) 1/85, 70-75. French Edition: Commentaire au document *La vie en Christ: la Morale, la Communion et l'Église*. – *Service d'information* (1994) 1/85, 73-78.

Life in Christ: Morals, Communion and the Church. – *Unity Digest* (1995) 11, 15.

MCDONALD, K., ARCIC II Statement: *Life in Christ: Morals, Communion and the Church*. – *Briefing* 24 (1994) 13, 2-4.

Moral Differences 'No Bar to Unity'. – *The Tablet* 248 (1994) 8030, 844-845.

NILSON, J., Must Disagreements Divide?: the Achievements and Challenges of ARCIC II's *Life in Christ*. – *One in Christ* 31 (1995) 3, 222-236.

O'DONOVAN, O., Life in Christ. – *The Tablet* 248 (1994) 8030, 826-828.

Officials of the International Anglican-Roman Catholic Dialogue Commission Have Completed a Statement on Moral Concerns. – *Ecumenism* 28 (1993) 112, 38.

PLATTEN, S., Convergence on Morals?: a Reflection on the ARCIC Agreed Statement *Life in Christ: Morals, Communion and the Church*. – *ACR Centro – News from the Anglican Centre in Rome* 3 (1995) 4, 1-4.

Le rapport d'ARCIC II sur *La vie en Christ: Morale, Communion, Église*. – *Irénikon* 67 (1994) 2, 214-216.

Rapport d'ARCIC II sur *La vie en Christ: Morale, Communion, Église*. – *Unité des chrétiens* (1995) 97, 44-45.

RUH, U., Ökumene: Fortschritte im anglikanisch-katholischen Dialog. – *Herder-Korrespondenz* 48 (1994) 9, 440-442.

8. Salvation, Justification

ARCIC II Llandaff Meeting 1986; *Salvation and the Church* 1987

Text:

Anglican-Roman Catholic International Commission (ARCIC II). *Salvation and the Church: an Agreed Statement*. London: Catholic Truth Society/Church House Publishing, 1987.
   – *Information Service* 63 (1987) 1, 33-41. *One in Christ* 23 (1987) 1-2, 157-172. *Origins* 16 (1986-87) 34, 611-616.

Het heil en de Kerk. Gemeenschappelijke verklaring van de tweede Anglicaans:rooms-katholieke internationale commissie (ARCIC II), 1986.
   – *Archief van de Kerken* 42 (1987) 550-565.

Das Heil und die Kirche. Gemeinsame Erklärung der Zweiten Anglikanisch/Römisch-Katholischen Internationalen Kommission 1986.
   – *Dokumente wachsender Übereinstimmung. Sämtliche Berichte und Konsenstexte interkonfessioneller Gespräche auf Weltebene.* Bd. *2.1982-1990.* Hrsg. und eingeleitet von Harding MEYER, Hans Jörg URBAN, Lukas VISCHER, Damaskinos PAPANDREOU, Paderborn: Bonifacius-Druckerei/Frankfurt a/M: Otto Lembeck, 1992, pp. 333-348.

Le salut et l'Église. Déclaration commune de la Seconde Commission internationale anglicane-catholique (ARCIC II).
   – *La Documentation catholique* 84 (1987) 6/1936, 321-327. *Service d'information* 63 (1987) 1, 33-41.

La salvación y la Iglesia. Declaración de acuerdo de la segunda Comisión internacional Anglicana-Católica (ARCIC II) 1986.
   – *Diálogo ecuménico* 23 (1988) 75-76, 193-211.

La salvezza e la chiesa. Dichiarazione di accordo dell'ARCIC II.
   – *Il Regno documenti* 32 (1987) 9/572, 297-302. *Studi ecumenici* 5 (1987) 3, 409-427. CERETI, G. and PUGLISI, J.F. (eds.), *Enchiridion œcumenicum: documenti del dialogo teologico interconfessionale (3): dialoghi internazionali 1985-1994.* Bologna: Dehoniane (EDB), 1995, pp. 3-23.

Reflections/Reflections with Text:

ALLISON, C.F., The Pastoral and Political Implications of Trent on Justification. – *One in Christ* 24 (1988) 2, 112-127.

Anglican-Catholic Dialogue Agrees on Justification Issue. – *Lutheran World Information* (1986) 38, 14.

Anglicans et autres chrétiens. – *Irénikon* 60 (1987) 1, 65-66.

Anglikaner und Katholiken einigten sich. – *Lutherische Welt-Information* (1986) 33, 7.

Anglikaner und Katholiken erzielen historische Einigung. – *Lutherische Welt-Information* (1987) 6, 10-11. German edition: *Lutherische Welt-Information – Monatsausgabe* (1987) 3, 17.

ARCIC II Begins Work on New Project and Is Visited by the Pope. – *Ecumenical Bulletin* 86 (1987) 6-8.

ARCIC II, September 1-10, 1987. – *Information Service* 64 (1987) II, 68-69.

L'assemblée plénière de la Commission internationale catholique-anglicane. – *Unité des chrétiens* 69 (1988) 32-33.

BIENENTREU, M.-S., *Heil und Kirche:* Zum neuesten Dokument des anglikanisch/römisch-katholischen Dialogs. – *Catholica* 42 (1988) 1, 76-82.

BOULDING, M.C., The ARCIC Agreement on Salvation and the Church. – *Doctrine and Life* 39 (1989) 9, 452-458.

BOULDING, M.C., Grass Roots Ecumenism: The Real Situation. – *Priests & People* 3 (1989) 11, 440-442.

CAREY, G., Agreement on Justification. – *The Tablet* 241 (1987) 7646, 96-97.

Catholiques et autres chrétiens. – *Irénikon* 60 (1987) 3, 378-382.; 61 (1988) 4, 537-543.

'Ci siamo trovati d'accordo'. – *Il Regno attualità* 32 (1987) 10/573, 272.

Commission internationale anglicane-catholique romaine (ARCIC). Palazzola, 1-10 septembre 1987. – *Service d'information* 64 (1987) II, 72.

Le document de l'ARCIC II *Salvation and the Church*. Observations de la Congrégation pour la Doctrine de la foi. – *La Documentation catholique* 86 (1989) 2, 69-73.

FIOLET, H., Verdeeldheid over de rechtvaardiging niet langer gerechtvaardigd. – *Kosmos + Oekumene* 21 (1987) 4/5, 132.

GARCIA HERNANDO, J., Ecumenismo en 1987. – *Pastoral ecuménica* 5 (1988) 14, 192-229.

GELDBACH, E., Einig über die Rechtfertigung? Rechtfertigung in anglikanischer und römisch-katholischer Sicht. – *MD-Materialdienst des Konfessionskundlichen Instituts Bensheim* 38 (1987) 5, 91-92.

Heil und Kirche. Anglikanisch-katholisches Dokument über die Rechtfertigung. – *Herder-Korrespondenz* 41 (1987) 5, 225-232.

Das Heil und die Kirche. Eine gemeinsame Erklärung der Zweiten Anglikanisch/Römisch-katholischen Internationalen Kommission (ARCIC II). – MEYER, H. and GAßMANN, G. (eds.), *Rechtfertigung im ökumenischen Dialog. Dokumente und Einführung.* (Ökumenische Perspektiven 12). Frankfurt am Main: O. Lembeck/J. Knecht, 1987, pp. 258-277.

Katholiken und Anglikaner einig über Rechtfertigungslehre. – *Lutherische Welt-Information* (1987) 5, 4.

MCDONALD, K., ARCIC II's Agreed Statement *Salvation and the Church:* Study Format for the Local Parishes. – *Ecumenism* 22 (1987) 88, 33-35. French edition: Guide pour l'étude au plan paroissial de la Déclaration commune d'ARCIC II *Le salut et l'Église.* – *Œcuménisme* 22 (1987) 88, 35-37.

Observaciones de la congregacion de la fe al documento de la ARCIC II *La Salvacion y la Iglesia* [y correspondencia]. – *Diálogo ecuménico* 24 (1989) 80, 447-459.

Observations de la Congrégation pour la Doctrine de la Foi sur le document de l'ARCIC II *Salvation and the Church.* – *Unité des chrétiens* 74 (1989) 28.

Observations on *Salvation And the Church.* – *Ecumenical Bulletin* 93 (1989) 12-15; *Origins* 18 (1988) 27, 429, 431-434.

'On Salvation and the Church': Report of the Standing Commission Ecumenical Relations to the General Convention of the Episcopal Church, 1988. – *Ecumenical Bulletin* (1988) 88, 11-12.

Osservazioni su *La salvezza e la chiesa:* Congregazione per la dottrina della fede. – *Il Regno documenti* 34 (1989) 1/608, 10-14.

Le premier document publié par ARCIC II: *Le salut et l'Église.* – *Unité des chrétiens* (1987) 67, 39-40.

RC-Anglican Dialogue: Teaching on Justification Not Divisive. – *Ecumenical Press Service* 53 (1986) 27, 9.23.

RC-Anglican Group: No Reason for Separation on Salvation Doctrine. – *Ecumenical Press Service* 54 (1987) 2, 1.22.

Relations with the Churches of the West. – *Information Service* 67 (1988) 2, 77-82. French edition: Relations avec les Églises d'Occident. – *Service d'information* 67 (1988) 2, 78-85.

Roman Catholic-Anglican Group: No Reason for Separation on Salvation Doctrine. – *Lutheran World Information* (1987) 4, 8.

Salvation and the Church: Observations of the Congregation for the Doctrine of the Faith. – *One in Christ* 24 (1988) 4, 377-387.

SCOTT, D.A., Salvation and the Church and Theological Truth-Claims. – *Journal of Ecumenical Studies* 25 (1988) 3, 428-436.

VALENTINI, D., A Contribution to the Reading of the ARCIC II Statement on Salvation and the Church. – *Information Service* 63 (1987)
1, 41-53. French edition: Contribution pour la lecture du rapport de
la Commission internationale anglicane-catholique romaine *Le salut
et l'Église*. – *Service d'information* 63 (1987) 1, 41-54.

Vatican Congregation for the Doctrine of the Faith Issues Response to
Salvation and the Church. – *Ecumenical Bulletin* 93 (1989) 5-6.

Vatican on Anglican-RC Text: Insufficient Clarity, Agreement. – *Ecumenical Press Service* 55 (1988) 48, 12.12.

WRIGHT, J.R., Salvation and the Church: A Response to David Scott. –
Journal of Ecumenical Studies 25 (1988) 3, 437-444.

YARNOLD, E.J., ARCIC on Justification. – *The Month* 20 (1987) 2, 69-
72.

9. Ut unum sint (1995)

BORRAS, A., *Ut unum sint*. Une encyclique pour les chrétiens en voie de
réconciliation. — *Ephemerides Theologicae Lovanienses* 72 (1996)
349-370. See esp. p. 368 (for bibliographical references, cf. p. 349
n. 1).

EVANS, G.R., *Ut unum sint:* Some Thoughts on the Latin. – *One in
Christ* 32 (1996) 1, 64-68.

MACFARLANE, R., An Anglican Response to the Encyclical, *Ut unum
sint*. – *Ecumenical Trends* 25 (1996) 1, 12-14.

QUIN, J.R., The Claims of the Primacy and the Costly Call to Unity. –
Briefing 26 (1996) 8, 18-29.

STRONG, R., An Anglican Response to the Papal Encyclical *Ut unum
sint*. – *Unity Digest* (1995) 13, 7-12.

III. NATIONAL AND REGIONAL DIALOGUES

General[1]

DAVEY, C., Report on the Current Work of National Anglican/Roman Catholic Dialogues and Anglican/Roman Catholic Relations in the Countries Concerned, 1972-73. – *One in Christ* 10 (1974) 1, 71-85. [= DAVEY 1]

—, A Survey of National Anglican/Roman Catholic Dialogues and Anglican/Roman Catholic Relations, 1972-1973. – *Faith and Unity* 18 (1974) 2, 33-38. [= DAVEY 2]

—, Report on the Anglican/Roman Catholic Relations and National Anglican/Roman Catholic Dialogues, 1973-1974. – *One in Christ* 11 (1975) 1, 96-104. [= DAVEY 3]

EHRENSTRÖM, N. and GAßMANN, G., *Confessions in Dialogue: a Survey of Bilateral Conversations among World Confessional Families 1959-1974*. Third Edition. (Faith and Order Paper 74). Geneva: World Council of Churches, 1975. [= EHRENSTRÖM & GAßMANN]

HILL, C., Report on Anglican/Roman Catholic Relations and National Anglican/Roman Catholic Dialogues, 1974-75. – *One in Christ* 12 (1976) 2, 171-178. [= HILL 1]

—, Report on Anglican/Roman Catholic Relations and National Anglican/Roman Catholic Dialogues, 1975-76. – *One in Christ* 13 (1977) 1-2, 161-72. [= HILL 2]

—, Report on Anglican/Roman Catholic Relations and National Anglican/Roman Catholic Dialogues, 1976-77. – *One in Christ* 14 (1978) 1, 74-88. [= HILL 3]

—, Report on Anglican/Roman Catholic Relations and National Anglican/Roman Catholic Dialogues, 1977-78. – *One in Christ* 15 (1979) 2, 170-189. [= HILL 4]

—, Report on Anglican/Roman Catholic Relations and National Anglican/Roman Catholic Dialogues, 1978-79 [Poitiers Meeting]. – *One in Christ* 15 (1979) 4, 354-361. [= HILL 5]

—, Report on Anglican/Roman Catholic Relations and National Anglican/Roman Catholic Dialogues, 1979-80 [Recognition of Baptism]. – *One in Christ* 16 (1980) 4, 351-364. [= HILL 6]

---

1. The works listed here under *General* are referred to in the abbreviated form cited between square brackets.

Australia

The Anglican-Roman Catholic Commission of Australia. – *ACR Centro: News from the Anglican Centre in Rome* 3 (1995) 4, 5.

Belgium

CARTER, D., The Recent Work of Belgian ARC. – *One in Christ* 32 (1996) 2, 173-178.

DAVEY 1, 2, 3.

Dialogue entre anglicans et catholiques de trois pays [Angleterre, Belgique, France]. – *Unité des chrétiens* (1994) 96, 37.

HANSON, A., A Conference on the Eucharist Between Roman Catholics and Anglicans. – *Questions liturgiques* 69 (1988) 121-132.

HILL 1, 3, 4, 5, 6.

PARRÉ, P., Multiplications des liens entre Églises. – *La Foi et le Temps* 24 (1994) 312-330.

Canada

Agreed Statement of the Anglican-Roman Catholic Dialogue of Canada on the Experience of the Ministries of Women in Canada, April 1991. – *Ecumenism* 26 (1991) 103, 4-24.

Anglican-Roman Catholic Dialogue Group. Reflections on the Experience of Women's Ministries [April 1991]. – *Origins* 21 (1992) 38, 605-18.

BAYCROFT, J.A., Steps Towards Unity: Sacramental Sharing. – *Ecumenism* 22 (1987) 88, 24-26. French Edition: Les Étapes vers l'unité: partage sacramentel. – *Œcuménisme* 22 (1987) 88, 25-28.

BEAUBIEN, I., The Canadian Anglican/Roman Catholic Dialogue Commission. – *Ecumenism* (1982) 68, 25-26. French Edition: La commission canadienne du dialogue entre anglicans et catholiques romains. – *Œcuménisme* (1982) 68, 26-27.

Canada: RCs, Anglicans Release Mixed Marriage Guidelines. – *Ecumenical Press Service* 54 (1987) 33, 9.92.

Canadian Anglicans, Catholics Approve Interconfessional Marriage Rules. – *Lutheran World Information* (1987) 36, 7.

DAVEY 1, 2, 3.

Direttive pastorali per i matrimoni interecclesiali tra anglicani e cattolici in Canada. – *Studi ecumenici* 6 (1988) 4, 393-410.

EHRENSTRÖM & GAβMANN, pp. 60-61.

Explorations and Responses: Canadian Agreed Statement on Infallibility, *Journal of Ecumenical Studies* 19 (1982) 1, 85-96.

GEERNAERT, D., Canadian Anglican-Roman Catholic Dialogue. – *Ecumenism* 22 (1987) 88, 28-29. French Edition: Le Dialogue Anglican/catholique romain au Canada. – *Œcuménisme* 22 (1987) 88, 30-32.

HILL 2 3, 4, 5, 6.

LAPORTE, J.-M., Kenosis and Koinonia: the Path Ahead for Anglican-Roman Catholic Dialogue. – *One in Christ* 21 (1985) 2, 102-120.

McCARTHY, J., The Anglican/Roman Catholic Dialogue in Canada. – *Ecumenical Trends* 9 (1980) 8, 116-118.

O'GARA, M., Understanding 'a Certain, though Imperfect' Communion between Anglicans and Roman Catholics. – *Mid-Stream* 25 (1986) 2, 190-199.

Pastoral Guidelines for Interchurch Marriages between Anglicans and Roman Catholics in Canada. Ottawa: CCCB Publications Service 1987. French Edition: *Directives pastorales pour les mariages inter-églises entre anglicans et catholiques au Canada.* Ottawa: CECC Service des Éditions, 1987.

'Substantial' Agreement on Papal Primacy Cited by Canadian Anglican-Catholic Unit [Montreal Meetings]. – *Ecumenical Trends* 5 (1976) 8, 124. *Lutheran World Information* (1976) 19, 5-6.

THOMPSON, D.M., Interchurch Marriages: Support and Catechesis. – *One in Christ* 26 (1990) 3, 215-225.

Great Britain

AA.VV., Arrangements Questioned for Anglicans Entering Catholic Church. – *Origins* 23 (1993) 3, 37-38.

Anglican Bishop Ordained as Roman Catholic Priest. – *Ecumenical Press Service* 61 (1994) 11, 72.

Anglicans. – *Irénikon* 66 (1993) 2, 206-207.

Anglo-Catholic Talks. – *Briefing* 23 (1993) 4, 18.

Apertura a la plena comunión. – *Renovación ecuménica* 26 (1994) 112/113, 8-10. Spanish Edition of: Conference of Bishops of England and Wales. Übertritte von Anglikanern in die Katholische Kirche wegen der Frauenordination in der Kirche von England April 1993 and November 1993 Statements. – *Una Sancta* 49 (1994) 2, 162-167.

Archbishops of Canterbury and York: Anglican Response. – *Catholic International* 4 (1993) 7, 340. *La Documentation catholique* 90 (1993) 12/2074, 573-574.

Arcivescovi di Canterbury e York. Sì alla commissione mista. – *Il Regno attualità* 38 (1993) 10/705, 271.

ARNOLD, J., MURPHY-O'CONNOR, C. and STRAZZARI, F. (eds.), Rigore confessionale e apertura ecumenica. – *Il Regno attualità* 38 (1993) 10/705, 264-269.

BARLTROP, K., Touching Raw Nerves. – *Priests & People* 9 (1995) 1, 15-18.

BRUNELLI, G., Anglicani riordinati: procede Westminster. – *Il Regno attualità* 40 (1995) 14/753, 396.

Catholics and Anglicans [Damscus House Meeting]. – *ECEW Bulletin* (1980) 37, 4.

Chronique des Églises. Grande-Bretagne. – *Irénikon* 60 (1987) 4, 551-555; 61 (1988) 1, 110-115.

CHURCHILL, A., The 1990 Directory on Mixed Marriages for England and Wales. – *Priests & People* 5 (1991) 1, 2-5.

CLARK, A., Unity Preached at St. Paul's. – *Briefing* 22 (1992) 16, 2-3.

CLARK, F., Anglican Orders: a Reply to John Jay Hughes. – *The Tablet* 249 (1995) 8078, 698-699.

COLLINSON P., No Popery: the Mythology of a Protestant Nation (*Tablet* Lecture Series: Prejudice Unmasked 4). – *The Tablet* 249 (1995) 8068, 384-386.

Conference of Bishops of England and Wales. L'admission au sacerdoce catholique des anciens membres du clergé anglican: statuts de la commission établie par la conférence épiscopale d'Angleterre et du Pays de Galles, lettre aux prêtres.... – *La Documentation catholique* 92 (1995) 16/2122, 793-796.

—, Catholic Bishops' Response to Anglican Approaches [November 1993 Statement Concerning Pastoral Care of Anglican Clergy and Laity]. – *Briefing* 23 (1993) 21, 32-33.

—, Communiqué [April 1993 Statement]. – *Unité des chrétiens* (1993) 91, 30-31.

—, Conference Statement on Matters Relating to the Reception of Anglican Clergy and Laity into the Catholic Church [April 15, 1994 Statement]. – *Briefing* 24 (1994) 8, 8-9.

—, Déclaration de la Conférence épiscopale catholique d'Angleterre et du pays de Galles [19 novembre 1993]. – *Istina* 39 (1994) 2, 198-201.

—, Married Anglican Clergy Becoming Catholic Priests: Letter of the Five Archbishops; the Statutes. – *Briefing* 25 (1995) 7, 8-11. *Origins* 25 (1995) 9, 145-148.

—, On Anglicans Approaching the Catholic Church after Women's Ordination. – *Origins* 22 (1993) 47, 797-801.

—, Ouverture à la pleine communion: déclaration de la conférence épiscopale d'Angleterre et du Pays de Galles. – *La Documentation catholique* 91 (1994) 2/2086, 86-88.

—, Per entrare in comunione con Roma. November, 1993 Statement. – *Il Regno documenti* 39 (1994) 3/720, 110-111.

—, Principi e pratiche per entrare nella chiesa cattolica [April 1993 Statement]. – *Il Regno attualità* 38 (1993) 10/705, 269-271.

—, On Receiving Anglican Clergy into the Catholic Church [April 15, 1994 Statement]. – *Origins* 23 (1994) 46, 795-797.

—, À propos de la réception du clergé anglican dans l'Église catholique: déclaration de la Conférence épiscopale d'Angleterre et du Pays de Galles [April 15, 1994 Statement]. – *La Documentation catholique* 91 (1994) 11/2095, 542-543.

—, Response to Anglican Approaches to the Catholic Church following the Decision of the Church of England to Ordain Women [Pastoral Message... to the Catholic Priests and People of Their Dioceses [April 1993 Statement]. – *Briefing* 23 (1993) 9, 10-13.

—, Response to Anglican Approaches to the Catholic Church. Pastoral Attitude Based on Mutual Respect Build upon the Bond of Baptism [April 1993 Statement]. – *Catholic International* 4 (1993) 7, 339-42. French Edition: L'accueil des anglicans dans l'église catholique. – *La Documentation catholique* 90 (1993) 12/2074, 572- 575.

—, Riordinazioni di ex-anglicani sposati: statuti. – *Il Regno documenti* 40 (1995) 17/756, 559-561.

—, Statement on Matters Relating to the Reception of Anglican Clergy and Laity into the Catholic Church, [April 15, 1994 Statement]. – *One in Christ* 30 (1994) 2, 193-195.

—, Übertritte von Anglikanern in die Katholische Kirche wegen der Frauenordination in der Kirche von England [April 1993 and November 1993 Statements]. – *Una Sancta* 49 (1994) 2, 162-167.

CORBISHLEY, D., Ecumenism on Trial. – *The Tablet* 235 (1981) 7333, 78-80.

DAVEY 1, 2, 3.

Le débat sur l'ordination des femmes au presbytérat et à l'épiscopat. – *Istina* 34 (1989) 3-4, 145ff.

Dialogue entre anglicans et catholiques de trois pays [Angleterre, France et Belgique]. – *Unité des chrétiens* (1994) 96, 37.

Dr. Leonard Ordained as Catholic Priest. – *The Tablet* 248 (1994) 8021, 539.

EAMES, R., Peace as Process: Each Community's Vulnerability. – *Origins* 24 (1995) 33, 549-551.

Ecumenical Delegation to Poland. – *Briefing* 22 (1992) 20, 16.

EDWARDS, D., Roman Catholics as Others See Them (*Tablet* Lecture Series: Prejudice Unmasked 6). – *The Tablet* 249 (1995) 8070, 452-543.

EHRENSTRÖM & GAßMANN, pp. 62-64.

Ex-Anglicans. – *One World* (1995) 209, 20.

FRANKLIN, R.W., The Real Issues between Rome and Canterbury [letter to the editor]. – *The Tablet* 249 (1995) 8080, 776.

Grande-Bretagne. – *Irénikon* 48 (1975) 1, 106-112.

GREENACRE, R.T., 'Epistola ad Romanos': an Open Letter to Some Roman Catholic Friends. – *The Month* 26 (1993) 3, 88-96.

—, *The Catholic Church in France: an Introduction.* (Council for Christian Unity Occasional Paper 4). London: CCU of the General Synod of the Church of England, 1996.

— and HILL, C., Responses to Edward Yarnold. – *The Month* 28 (1995) 2, 63-67.

GUMMER, J. and CAREY, G., Challenge and Response. – *The Tablet* 248 (1994) 8013, 297-298.

HILL 1, 2, 4, 5, 6.

—, The Utrecht Connection. – *The Tablet* 248 (1994) 8022, 577-578.

HUME, G.B., Roman Catholic Bishops Open Door to 'Individuals' Only [press conference]. – *Anglican World* (1993) 71, 16.

—, Lettre pastorale du cardinal George Basil Hume. – *La Documentation catholique* 92 (1995) 16/2122, 796-797.

—, Royal Vespers. – *Briefing* 25 (1995) 12, 30.

—, The Westminster Pastoral Letter on the Statutes. – *Briefing* 25 (1995) 7, 12-13.

HUME, G.B. and LEONARD, G., Anglican Bishop Becomes Roman Catholic Priest: Statement from Cardinal Hume, 1994. – *Briefing* 24 (1994) 9, 9. *Origins* 23 (1994) 46, 793-794. *Ecumenical Trends* 23 (1994) 5, 14-15.

JACKSON, M., The Case of Dr. Leonard. – *The Tablet* 248 (1994) 8021, 541-542. *Renovación ecuménica* 26 (1994) 112/113, 49-51. French: Le cas du Dr. Graham Leonard. – *Istina* 39 (1994) 2, 138-142.

—, Catholic Response to the Church of England Ordinations. – *Briefing* 24 (1994) 6, 15. *One in Christ* 30 (1994) 2, 195.

—, L'ordination de femmes dans l'anglicanisme: commentaire catholique. – *La Documentation catholique* 91 (1994) 9/2093, 447-448.

JOHNSON, F., All That Is Ours Is Yours... the Story of the Focolare Movement in the Anglican Church. – *Anglican World* (1993) 72, 16-17.

—, Molti ma uno. – *Città nuova* 37 (1993) 20, 36-39.

LINDSAY, H., The Value of Celibacy. – *Briefing* 25 (1995) 7, 13.

Marriages between Anglicans and Roman Catholics: a Paper. London: Church Information Office/Catholic Information Office, 1975.

Martin Reardon's Heythrop Lecture. – *The Tablet* 244 (1990) 7847, 1580.

Milan's Cardinal Martini Visits Canterbury. – *Anglican World* (1994) 75, 19.

Mixed Marriages. – *The Tablet* 229 (1975) 7025, 186.

MURPHY-O'CONNOR, C., COVENTRY, J. and SCHOFIELD, R., Women's Ordination: the Dialogue Goes On. – *The Tablet* 248 (1994) 8015, 354.

OMBRES, R., The 1990 Directory on Mixed Marriages for England And Wales. – *Priests & People* 4 (1990) 9, 346-351.

Ordination Day for Former Anglicans. – *The Tablet* 249 (1995) 8085, 948.

PAVY, F., Bayeux-Exeter: rencontre œcuménique en Angleterre. – *Amitié* (1992) 2, 24-25.

PODMORE, C., Ordination of Women to the Priesthood. – *Unity Digest* (1995) 11, 2-14.

POLAK, G., Delegacja Kosciolów Anglikanskiego i Rzymskokatolickiego z Wielkiej Brytanii z wizyta w Polsce, 28 wrzesnia – 2 pazdziernika 1992. – *Studia i documenty ekumeniczne* 9 (1993) 1(31), 90-92.

PULFORD, C., Ex-Anglican Exemption Raises Questions on Catholic Celibacy Rule. – *ENI-Ecumenical News International* (1995) 14, 19-20.

REARDON, M., We Believe in One, Holy, Catholic and Apostolic Church [Cardinal Heenan Memorial Lecture 1990]. – *One in Christ* 27 (1991) 4, 308-319. *Catholic International* 2 (1991) 2, 183-190.

REECE, D., How Much Can Roman Catholics and Anglicans Share Locally?. – *Unity Digest* (1993) 6, 5-8.

'Le Retour à la maison'. Une déclaration œcuménique de l'English Anglican-Roman Catholic Committee. – *La Documentation catholique* 85 (1988) 2/1954, 127-128.

Rom weihte ehemalige anglikanische Geistliche. – *Internationale kirchliche Zeitschrift* 85 (1995) 3, 196-197.

Rome's Long-Awaited Response to Anglicans. – *The Tablet* 249 (1995) 8062, 192.

SAGOVSKY, N., Questions for Anglicans and Roman Catholics. – *Priests & People* 9 (1995) 1, 7-9.

SANTER, M., Ecumenism and Evangelization in the New Europe [Cardinal Heenan Memorial Lecture 1991]. – *Catholic International* 3 (1992) 3, 141- 145. *The Month* 25 (1992) 2, 53-57.

STEWART, R.L., Les catholiques et le dialogue œcuménique en Angleterre. – *Unité des chrétiens* (1976) 23, 24-26.

STRAZZARI, F. (ed.), Anglicani riordinati: interviste a Cormac Murphy-O'Connor e Mary Tanner. – *Il Regno attualità* 39 (1994) 4/721, 71-76.

—, La chiesa d'Inghilterra e la chiesa cattolica dopo l'ordinazione delle donne: un anno dopo le donne prete. – *Il Regno attualità* 40 (1995) 6/745, 134-138.

Visitor from Milan. – *The Tablet* 248 (1994) 8034, 955.

A Will to Work the New Machinery. – *The Tablet* 244 (1990) 7833, 109-110.

YARNOLD, E.J., Response to Roger Greenacre. – *The Month* 26 (1993) 5, 172-173.

Europe

Anglican/Roman Catholic Joint Working Group for Western Europe. – *One in Christ* 7 (1971) 4, 378-380 [Bièvre Meeting 1970]; 9 (1973) 405 [Salamanca Meeting 1973]; 11 (1975) 2, 207-208 [Clervaux Meeting 1974]; 12 (1976) 2, 178-179 [Assisi Meeting 1975]; 13 (1977) 4, 383-384 [Bec-Hellouin Meeting 1977].

Anglicanos y católicos hacia la unidad. Un próximo encuentro pastoral se celebrará en Salamanca en junio de 1973 [Trier Meeting 1972]. – *Renovación ecuménica* 5 (1972) 35, 14.

Anglicans et autres chrétiens [Assisi Meeting 1975]. – *Irénikon* 49 (1976) 1, 65-67.

Anglicans et catholiques en Europe [Bec-Hellouin Meeting 1977]. – *Unité des chrétiens* (1977) 28, 41.

Catholiques et autres chrétiens. – *Irénikon* 44 (1971) 3, 367-368 [Bièvre Meeting 1970]; 4, 515-519 [Malines Meeting 1971]; 46 (1973) 4, 509-513 [Salamanca Meeting 1973]; 49 (1976) 3, 350-364 [Assisi Meeting 1975]; 4, 497-503 [Hauterive Meeting]; 50 (1977) 3, 359-362 [Bec-Hellouin Meeting].

Cattolici e anglicani sulla spiritualità familiare [Milano Meeting]. – *Unitas* 36 (1981) 4, 308-309.

DAVEY 1.

DESSAIN, J.A., Supplementary Note [Assisi Meeting]. – *Faith and Unity* 21 (1977) 1, 12.

Encuentro anglicano-católico en Salamanca [Salamanca Meeting 1973]. – *Renovación ecuménica* 6 (1973) 39, 30.

GALLAY, P., Anglicanos y católicos en la iglesia occidental [Malines Meeting 1971]. – *Renovación ecuménica* 5 (1972) 30, 19.

Le groupe de travail anglican-catholique pour l'Europe de l'ouest [Münster Meeting]. – *Unité des chrétiens* (1983) 50, 26.

Groupe de travail anglican-catholique pour l'Europe occidentale [Allington Castle Meeting]. – *Unité des chrétiens* (1979) 34, 53.

Le groupe mixte anglican-catholique pour l'Europe occidentale [Milano Meeting]. – *Unité des chrétiens* (1982) 46, 30.

El grupo anglicano católico romano de Europa occidental celebra reunión anual en la abadía de Bec-Hellouin. – *Renovación ecuménica* 10 (1977) 57, 10.

HASTINGS, A., Is There Room Today for Reciprocal Intercommunion between Catholics and Anglicans? [Salamanca Meeting 1973]. – *One in Christ* 9 (1973) 4, 337-353.

HILL 1, 2, 3, 5, 6.

LEGRAND, H.-M., Bulletin d'ecclésiologie: le ministère ordonné dans le dialogue œcuménique [Assisi Meeting]. – *Revue des sciences philosophiques et théologiques* 60 (1976) 4, 649-497.

—, The Ordination of Women to the Presbyterate [Assisi Meeting]. – *Faith and Unity* 21 (1977) 1, 2-11.

La 11ème rencontre du groupe de travail anglican-catholique [Schoten Meeting]. – *Unité des chrétiens* (1981) 42, 27.

REARDON, M., Anglican-Roman Catholic Marriage [Hauterive Meeting]. – *One in Christ* 14 (1978) 1, 65-69.

La rencontre du groupe de travail anglican-catholique romain [Schoten Meeting]. – *La Documentation catholique* 77 (1981) 1797, 1127.

West European Anglican/Roman Catholic Working Group, Malines, November 1971. – *One in Christ* 8 (1972) 3, 309-311.

France

Anglicans et catholiques sur la route de l'unité [Ecclesiology Statement]. – *Unité des chrétiens* (1973) 10, 30-32.

Chronique des Églises. France. – *Irénikon* 60 (1987) 2, 283-288.

Comité mixte anglican-catholique pour la France [Boulogne-sur-Mer Meeting]. – *Unité des chrétiens* 72 (1988) 37.

Dialogue entre anglicans et catholiques de trois pays [Angleterre, France et Belgique]. – *Unité des chrétiens* (1994) 96, 37.

DAVEY 1, 2, 3.

France: hospitalité eucharistique pour les anglicans. – *La Documentation catholique* 76 (1979) 16/1770, 792.

France [Dieppe Meeting]. – *Irénikon* 58 (1985) 3, 406-411.

Le groupe anglican-catholique pour la France fait un bilan. – *Unité des chrétiens* (1979) 36, 36-37.

Le groupe mixte anglican-catholique à Monaco. – *Unité des chrétiens* (1981) 44, 35.

Le groupe mixte de travail anglican-catholique pour la France [Tourelles St-Maur Meeting]. – *Unité des chrétiens* (1984) 56, 38.

HILL 1, 2, 3, 4, 5, 6.

Joint Anglican/Roman Catholic Working Party in France [Paris Meeting]. – *One in Christ* 6 (1970) 2, 231.

Jumelages et échanges entre anglicans et catholiques. – *La Documentation catholique* 88 (1991) 8/2026, 407-410.

LE BOURGEOIS, A., À propos de la situation œcuménique en France. Quelques problèmes majeurs: la responsabilité des évêques. – *Unité des chrétiens* (1979) 34, 34-48.

LIVINGSTONE, J. and MARTINEAU, S., Le groupe mixte de travail anglican-catholique en France. – *Unité des chrétiens* (1984) 54, 23.

Pastoral Recommendations for Mixed Marriages between Anglicans and Catholics in France. – *One in Christ* 17 (1981) 2, 170-177.

Pour une ecclésiologie évolutive. L'eucharistie dans les églises divisées en marche vers la communion [Ecclesiology Statement]. – *Nouvelle revue théologique* 94 (1972) 9, 933-942.

Recommandations pastorales pour les mariages mixtes entre anglicans et catholiques en France. – *La Documentation catholique* 78 (1981) 1800/2, 92-95.

Réunion du groupe mixte anglican-catholique pour la France. – *Unité des chrétiens* (1978) 32, 28 [Chartres Meeting]; (1983) 52, 32-33 [St-Jacques sur Darnétal Meeting]; (1985) 60, 37-38 [Dieppe Meeting]; (1986) 64, 39-40; (1987) 68, 28; (1990) 80, 50 [Dinard, mai 1990]; (1991) 84, 43 [Boulogne-sur- Mer, mai 1991].

Schritte zur Interkommunion mit der anglikanischen Kirche. – *Theologie der Gegenwart* 16 (1973) 1, 19-27.

St-Jacques sur Darnétal Meeting France. – *Irénikon* 56 (1983) 2, 269-282.

Voeu sur l'admission aux sacrements des anglicans dispersés en France. – *Unité des chrétiens* (1975) 18, 24.

Hong Kong
DAVEY 3.

Ireland
DALY, C., Forgiveness: Necessary Condition for Peacc (*Origins* 24 (1995) 33, 545-549). French Edition: Le pardon réciproque, condition de la paix en Irlande du Nord: homélie du cardinal Cahal Daly, archevêque d'Armagh. – *La Documentation catholique* 92 (1995) 5, 231-235.

Italy
Seminario anglicano-cattolico al S. Bernardino. – *Studi ecumenici* 11 (1993) 1, 108-109.

Japan
DAVEY 1, 2, 3.
EHRENSTRÖM & GAßMANN, pp. 64-65.
HILL 1, 4.
Japan-Anglican/RC. – *Ecumenical Press Service* 49 (1982) 27, 8.27.

Latin America

Amérique latine [Bogatá Meeting 1971]. – *Irénikon* 44 (1971) 2, 240-241.
DAVEY 3.

Diálogo entre obispos anglicanos y católicos en Bogotá [1971]. – *Renovación ecuménica* 4 (1971) 22, 25.

EHRENSTRÖM & GAßMANN, pp. 65-66.

Encuentro episcopal anglicano-católico romano, Bogotá, 9-14 febrero 1971. – *Renovación ecuménica* 4 (1971) 25, 22-25.

Pacific

DAVEY 1, 2, 3.
HILL 1, 5, 6.

Papua

DAVEY 1, 2, 3.
HILL 1.

Papua New Guinea

AERTS, T. *Romans and Anglicans in Papua New Guinea.* (Melanesian Journal of Theology (1991) 7. Goroka: Liturgical Catechetical Institute, 1991.

Building a Church Together in Papua New Guinea. – *Anglican World* (1995) 77, 5.

RAMSDEN, P., ARC – Papua New Guinea Style. – *ACR Centro – News from the Anglican Centre in Rome* 2 (1994) 4, 7.

—, Ecumenism on the Move. – *Family: News of the Anglican Church in Papua New Guinea* (1994) 42, 20-21.

RENALI, C. *The Roman Catholic Church's Participation in the Ecumenical Movement in Papua New Guinea*: a Historical, Contextual, and Pastoral Perspective. Roma: Pont. Universitatem S. Thomae, 1991.

Republic of China

Taiwan: reconnaissance du baptême entre catholiques et anglicans. – *La Documentation catholique* 73 (1976) 16/1704, 797.

Scotland

DAVEY 1, 2, 3.

Documents on Anglican/Roman Catholic Relations III. Washington: USCC Publications Office, 1976, pp. 12-35. The Ecclesial Nature of the Eucharist: a Report. Glasgow: John S. Burns & Sons, 1973.

The Ecclesial Nature of the Eucharist. – WITMER, J.W. and WRIGHT, J.R. (eds.), *Called to Full Unity: Documents on Anglican-Roman Catholic Relations, 1966-1983*. Washington, DC: USCC Office of Publishing and Promotion Services, 1986, pp. 73-94.

EHRENSTRÖM & GAßMANN, pp. 67-68.

HILL 1, 3, 4, 6.

Joint Study Group of Representatives of the Roman Catholic Church in Scotland and the Scottish Episcopal Church. *The Nature of Baptism and Its Place in the Life of the Church: a Common Statement*. Glasgow: John S. Burns & Sons, 1969.

Joint Study Group of Representatives of the Roman Catholic Church in Scotland and the Scottish Episcopal Church. *Priesthood and the Eucharist: a Common Statement*. Glasgow: John S. Burns & Sons, 1979.

The Nature of Baptism and Its Place in the Life of the Church. – WITMER, J.W. and WRIGHT, J.R. (eds.), *Called to Full Unity: Documents on Anglican-Roman Catholic Relations, 1966-1983*. Washington, DC: USCC Office of Publishing and Promotion Services, 1986, pp. 26-32.

Priesthood and the Eucharist. – WITMER, J.W. and WRIGHT, J.R. (eds.), *Called to Full Unity: Documents on Anglican-Roman Catholic Relations, 1966-1983*. Washington, DC: USCC Office of Publishing and Promotion Services, 1986, pp. 187-213.

Roman Catholic-Anglican Joint Statement on Baptism in Scotland. – *One in Christ* 6 (1970) 4, 560-566.

STEWART, R.L., Les catholiques et le dialogue œcuménique en Angleterre. – *Unité des chrétiens* (1976) 23, 24-26.

South Africa

DAVEY 3.

EHRENSTRÖM & GAßMANN, pp. 66-67.

HILL 1, 2, 3, 4, 6.

National Anglican-Roman Catholic Dialogue in South Africa [Rosettenville Meeting]. – *Information Service* (1970) 9/1, 18. French Edition: Dialogue anglican-catholique romain en Afrique du Sud. – *Service d'information* (1970) 9/1, 18-19.

United States of America:

Agreed Statement on the Lambeth and Vatican Responses to ARCIC I. – *One in Christ* 29 (1993) 3, 260-8.

Amérique. – *Irénikon* 38 (1965) 3, 347-351 [Washington meeting]; 39 (1966) 2, 231-237 [Kansas City meeting on eucharist]; 40 (1967) 3,

387-393 [Milwaukee meeting on eucharist]; 41 (1968) 2, 232-235 [Jackson Meeting on intercommunion]; 42 (1969) 2, 221-225 [Liberty meeting]; 43 (1970) 2, 257-259 (257); 4, 563-568 [Boynton Beach meeting]; 44 (1971) 1, 98-99 [St. Joseph Meeting on authority].

Anglican Archbishops and Primates 'Saepius officio' [edited excerpts]. – *Anglican Theological Review* 78 (1996) 1, 138-149.

Anglican Orders: The Dialogue's Evolving Context. – *Origins* 20 (1990) 9, 136-146.

Anglican Orders: A New Context for Dialogue. – *Doctrine and Life* 40 (1990) 7, 375-379.

Anglican Orders: A Report on the Evolving Context of their Evaluation in the Roman Catholic Church; 8 May, 1990 [ARCUSA]. – *One in Christ* 26 (1990) 3, 256-279. *Ecumenical Bulletin* (1990) 100, 1-15.

Anglican-RC Group Objects to Public Dispute. – *Ecumenical Press Service* 58 (1991) 10, 3.13.

Anglican/Roman Catholic Commission in the USA. Agreed Statement on the Purpose of the Church. – *Documents on Anglican/Roman Catholic Relations III*. Washington: USCC Publications Office, 1976, pp. 1-11. *Ecumenical Bulletin* (1982) 51, 14-18.

—, Authority in the Church [Venice Statement: Response]. – *Doctrine and Life* 29 (1978) 5, 305-310.

—, Statement on the Ordination of Women. – *Documents on Anglican/Roman Catholic Relations IV*. Washington, DC: USCC Publications Office, 1979, pp. 59-66.

—, A Statement on the Issue of Peace. – *Ecumenical Bulletin* (1984) 65, 16-18.

Anglican-Roman Catholic Consultation [New York meeting]. – *Journal of Ecumenical Studies* 22 (1985) 1, 203-204.

Anglican-Roman Catholic Consultation Continues Study of Christian Anthropology [Savannah meeting]. – *Ecumenical Bulletin* (1982) 54, 10-11.

Anglican-Roman Catholic Consultation. Memorandum on Roman Catholic Pastoral Provision. – *Ecumenical Bulletin* 74 (1985) 21.

Anglican-Roman Catholic Joint Commission in the United States [Boynton Beach meeting]. – *One in Christ* 6 (1970) 4, 569-581.

Anglican-Roman Catholic Leaders' Conference [Washington meeting]. – *Ecumenical Trends* 10 (1981) 8, 127-128.

Apostolicae Curae: in the Context of Vatican II. – *Ecumenical Trends* 17 (1988) 7, 104-107.

ARC Agreed Statement: Christian Unity & Women's Ordination. – *Origins* 5 (1975) 22, 349-352.

ARCCNY Begins in Central New York. – *Ecumenical Trends* 7 (1978) 5, 79.

ARC Committees of Southern CA: 'On the Process of Reception'. – *Ecumenical Trends* 15 (1986) 11, 188-190.

ARC Continues Work on Authority and Anglican Orders [Winter Park meeting]. – *Ecumenical Bulletin* 94 (1989) 5.

ARC Goes to Albany: 'Celebration of Convergence'. – *Ecumenical Bulletin* 78 (1986) 4-5.

ARCMONT Addresses Ordination of Women Issue. – *Ecumenical Bulletin* (1980) 42, 7-8.

ARCMONT Reflects on Future Dialogue: a Joint Statement. – *Ecumenical Trends* 6 (1977) 8, 123.

ARC Response to ARCIC Canterbury Statement [Vicksburg meeting]. – *Documents on Anglican/Roman Catholic Relations III*. Washington: USCC Publications Office, 1976, pp. 82-84.

ARC Southern California Meeting April 1989. – *Ecumenical Bulletin* (1989) 96, 13.

ARC Virginia Statement on Euthanasia. – *Ecumenical Trends* 12 (1983) 6, 88.

ARC IV Statement on the Eucharist [Milwaukee meeting]. – *Documents on Anglican/Roman Catholic Relations*. Washington: USCC Publications Office, 1972, pp. 3-4.

ARC VII Statement [Boyton Beach meeting]. – *Documents on Anglican/Roman Catholic* Relations. Washington: USCC Publications Office, 1972, pp. 9-22.

Anglican-Roman Catholic Dialogue of the United States of America: Five Affirmations on the Eucharist as Sacrifice. – *One in Christ* 30 (1994) 3, 288-289. *Worship* 69 (1995) 5, 389-390.

ARCUSA to Begin Study of Mutual Recognition of Ministries; Welcomes Bishop Theodore Eastman as New Co-Chairman [Cincinnati meeting]. – *Ecumenical Bulletin* (1984) 64, 3-4.

ARCUSA Discusses Authority Issues [Alexandria meeting]. – *Ecumenical Bulletin* 90 (1988) 10.

ARCUSA Meeting at Delray Beach, October 6-9, 1989. – *Ecumenical Bulletin* (1989) 97, 2; 9.

ARCUSA Meets in Setting of ARC-New Mexico: Projects Study of Authority. – *Ecumenical Bulletin* 85 (1987) 2.

ARCUSA Responds to Presiding Bishop's Request to Consider Implications of Ordination of Women Bishops. – *Ecumenical Bulletin* 82 (1987) 5.

Authority in the Church: Vital Ecumenical Issue [Venice Statement: Response]. – *Mid-Stream* 17 (1978) 3, 311-318. *Origins* 7 (1978) 30, 474-476.

BELLDINA, L., Anglican /Roman Catholic Prayer Service Celebrated in West Virginia. – *Journal of Ecumenical Studies* 29 (1992) 1, 139-140.

The Bilateral Consultations Between the Roman Catholic Church in the United States and Other Christian Communions: a Theological Review and Critique. – *CTSA Proceedings* 27 (1972) 179-232.

BIRD, D., ELDER, E. R., FRANKLIN, R. W., and others. R*eceiving the Vision: the Anglican-Roman Catholic Reality Today: a Study.* (EDEO/ NADEO Standing Committee Study). Collegeville: Liturgical Press (A Liturgical Press Book), 1995.

BRADSHAW, P.F., The Liturgical Consequences of *Apostolicae Curae* for Anglican Ordination Rites. – *Anglican Theological Review* 78 (1996) 1, 75- 86.

BUTLER, S., The Ordination of Women: a New Obstacle to the Recognition of Anglican Orders. – *Anglican Theological Review* 78 (1996) 1, 96-113.

Catholic-Anglican Meeting [Providence meeting on eucharist]. – *Journal of Ecumenical Studies* 4 (1967) 3, 561-562.

Catholic-Episcopalian Discussions on the Eucharist [Kansas City meeting]. – *One in Christ* 2 (1966) 3, 302-305.

Catholiques et autres chrétiens [women's ordination]. – *Irénikon* 48 (1975) 4, 503-508.

Christian Ethics in the Ecumenical Dialogue: ARCIC II and Recent Papal Teaching. – *One in Christ* 31 (1995) 3, 286-289.

CLAYTON, P.B., Ecumenical and Interreligious perspectives [ARCNY]. – *Clergy Report: Commission on Ecumenical and Interreligious Affairs Forum* 25 (1995) October/November, 6.

Comment on 'Agreed Statement' [statement on eucharist]. – *Ecumenical Trends* 1 (1972) 4, 3-4.

Comment on the 'Agreed Statement on Eucharistic Doctrine' of the Anglican- Roman Catholic International Commission. – *Documents on Anglican/Roman Catholic Relations II*. Washington: USCC Publications Office, 1973, pp. 54-56. *Journal of Ecumenical Studies* 9 (1972) 3, 690-691.

Consulta anglicana/católico romana de los Estados Unidos. Declaración sobre las órdenes anglicanas (1990). – *Diálogo ecuménico* 27 (1992) 87/88, 203- 30.

COOKE, B., Eucharist: Source or Expression of Community? [Kansas City meeting]. – *Worship* 40 (1966) 6, 339-348.

DAVEY 1, 3.

DAY, P., The National Ecumenical Consultation of the Episcopal Church: a Report. – *Ecumenical Trends* 8 (1979) 5, 75-78.

Le dialogue entre épiscopaliens et catholiques aux États-Unis. – *Unité des chrétiens* (1978) 31, 25.

Dialogue Marks New Milestone in US Church Relations. – *Ecumenical Press Service* 61 (1994) 4, 2.37.

DION, Therese A. and FUCHS, Lorelei F. (eds.), *Interchurch Covenants*. Graymoor, New York: National Association of Diocesan Ecumenical Officers (NADEO), 1994.

Doctrinal Agreement and Christian Unity: Methodological Considerations [methodological statement of ARC XI January 1972]. – *Documents on Anglican/Roman Catholic Relations II*. Washington: USCC Publications Office, 1973, pp. 49-53. *Journal of Ecumenical Studies* 9 (1972) 2, 445-448. *Theology* 75 (1972) 622, 187-190. *One in Christ* 8 (1972) 3, 299-303.

Ecumenical and Interfaith Relations Office [ECUSA]. *Handbook for Ecumenism: the Episcopal Church*. – *Ecumenical Bulletin* 108 (December 1195), pp. 33-37.

EHRENSTRÖM & GAßMANN, pp. 69-72.

The English Text of *Apostolicae Curae* [of Pope Leo XII]. – *Anglican Theological Review* 78 (1996) 1, 127-137.

Episcopal Diocesan Ecumenical Officers (EDEO) — National Association of Diocesan Ecumenical Officers (NADEO). *The Lived Experience: a Survey of US ARC Covenants: Study Material*. (EDEO-NADEO Standing Committee Report 001). s.l.: s.n., 1979.

Episcopal Diocesan Ecumenical Officers (EDEO) — National Association of Diocesan Ecumenical Officers (NADEO). *Tale of Three Cities: Ogden, Louisville, Tidewater*: a Study of US ARC Covenants (EDEO-NADEO Standing Committee Reports 2). s.l.: s.n., 1980.

Episcopal-Roman Catholic Workshop in Montana. – *Journal of Ecumenical Studies* 14 (1977) 3, 564-565.

États-Unis [ARC in Montana]. – *Irénikon* 50 (1977) 3, 399-404.

FALARDEAU, E.R., Five Years of EDEO-NADEO Studies (1983-1988). – *Ecumenical Trends* 17 (1988) 11, 167-168.

First ARC Response to ARCIC Venice Statement [New Orleans meeting]. – *Documents on Anglican/Roman Catholic Relations IV*. Washington, DC: USCC Publications Office, 1979, pp. 17.

FRANKLIN, R.W., Ground Broken for Episcopal House of Prayer at Roman Catholic Monastery. – *Mid-Stream* 29 (1990) 1, 67-70.

—, ARCUSA: Five Affirmations on the Eucharist as Sacrifice. – *Worship* 69 (1995) 5, 386-390.

— (ed.), Anglican Orders: Essays on the Centenary of *Apostolicae curae* 1896-1996. – *Anglican Theological Review* 78 (1996) 1, 1-149. London: Mowbray. A Cassell Imprint, 1996.

—, Introduction: the Opening of the Vatican Archives and the ARCIC Process. – *Anglican Theological Review* 78 (1996) 1, 8-29.

— and TAVARD, G.H., Commentary on ARCUSA Statement on Anglican Orders. – *Journal of Ecumenical Studies* 27 (1990) 2, 261-287.

Graymoor Conference on American Church Dialogues. – *Ecumenical Trends* 2 (1973) 6, 1-4.

GRISWOLD, III, F.T., Final Commentary. – [New York conference on *Apostolicae Curae* 1995]. – *Anglican Theological Review* 78 (1996) 1, 125-126.

GROS, J., Episcopal-Roman Catholic Bishops' Pilgrimage. – *Journal of Ecumenical Studies* 31 (1994) 3/4, 425-426.

—, Episcopal-Roman Catholic Bishops Pilgrimage Witnesses Commitment and Realism. – *Ecumenical Trends* 24 (1995) 1, 1-14.

HILL, C., Anglican Orders: an Ecumenical Context. – *Anglican Theological Review* 78 (1996) 1, 87-95.

HILL 1, 2, 3, 4, 5, 6.

How Can We Recognize 'Substantial Agreement'?. – *Origins* 23 (1993) 3, 41-45.

Louisiana Episcopalians and Roman Catholics Sign Marriage Agreement. – *Ecumenical Bulletin* 66 (1984) 2-3.

Louisiana Guidelines for Episcopal-Roman Catholic Marriages. – *Origins* 13 (1984) 45, 744-747.

McWILLIAM, J., A Response to Papers on *Apostolicae curae* [New York conference 1995]. — *Anglican Theological Review* 78 (1996) 1, 114-116.

Methodological Considerations [methodological statement of ARC XI January 1972]. – *Ecumenical Trends* 1 (1972) 2, 5-8.

MULLALY, L., What's an ARC? [information on ARC in Los Angeles, Montana, New York, San Francisco]. – *Ecumenical Trends* 8 (1979) 6, 81-85.

— and OSGOOD, J. (eds.), *Participant's Guide: for Use in Anglican-Roman Catholic Interparish Dialogue*. Garrison, NY: Graymoor Ecumenical Institute, 1979.

National Anglican-Roman Catholic Dialogue in USA [Boynton Beach meeting]. – *Information Service* (1970) 9/1, 17-18. French Edition: Dialogue Anglican-Catholic romain aux États-Unis. – *Service d'information* (1970) 9/1, 18.

New US Anglican/Roman Catholic Document [Anthropology Statement]. – *Ecumenical Press Service* 51 (1984) 14, 4.40.

NILSON, J., A Roman Catholic Response [New York conference on *Apostolicae Curae* 1995]. – *Anglican Theological Review* 78 (1996) 1, 122-124.

NORGREN, W.A., Episcopal Church Ecumenical Relations in Review: 1982 [Savannah meeting]. – *Ecumenical Bulletin* (1983) 58, 13-25.

O'CONNOR, M., ARC Los Angeles Responds to ARCUSA [Anthropology Statement: Response]. – *Journal of Ecumenical Studies* 22 (1985) 2, 431-432.

—, Reflections on the Process of Reception ARC [Los Angeles]. – *Journal of Ecumenical Studies* 23 (1986) 2, 337.

—, ARC Southern California on *Apostolicae Curae*. – *Journal of Ecumenical Studies* 25 (1988) 2, 328-329.

Ökumenischer Pragmatismus in den USA [purpose of the church; women's ordination]. – *Herder-Korrespondenz* 30 (1976) 1, 8-10.

One in Mind and Heart: a Pilgrimage of Anglican and Roman Catholic Bishops. – *One in Christ* 31 (1995) 2, 171-184.

L'ordination des femmes: communiqué du groupe de dialogue catholique-anglican aux États-Unis. – *La Documentation catholique* 72 (1975) 18/1684, 895-896.

Les ordinations anglicanes dans le contexte nouveau: document de la Commission mixte anglicane-catholique des États-Unis. – *Istina* 39 (1994) 2, 146-171.

Ordination of Women: an Ecumenical Dialogue [Cincinnati meeting]. – *Origins* 5 (1975) 7, 100- 105.

Parish Covenanting in the United States. – *One in Christ* 13 (1977) 4, 371-381.

Progress in the Dialogues: a Roman Catholic Report. – *Ecumenical Trends* 7 (1978) 11, 161-165.

PROVOST, J.H., Anglicans and Roman Catholics Dialogue in Montana. – *Journal of Ecumenical Studies* 11 (1974) 4, 750-751.

'The Purpose of the Church': Statement of the US Anglican-Roman Catholic Commission. – *Origins* 5 (1975) 21, 328-334.

Recommendations on 'Pastoral Provision' to BCEIA and SCER [ARCUSA issues]. – *Ecumenical Bulletin* 74 (1985) 4-5.

Reflections on Christian Anthropology: ARC Dialogue Examines Difficult Questions. – *Ecumenical Bulletin* (1984) 64, 18-25. WITMER, J.W. and WRIGHT, J.R. (eds.), *Called to Full Unity: Documents on*

Anglican-Roman Catholic Relations, 1966-1983. Washington, DC: USCC Office of Publishing and Promotion Services, 1986, pp. 308-327. *Origins* 13 (1984) 30, 505-512.

Report of the Standing Commission on Ecumenical Relations to General Convention of the Episcopal Church, 1988: Anglican-Roman Catholic Dialogue. – *Ecumenical Bulletin* (1988) 88, 10.

Resolution on New Historical Research Concerning *Apostolicae Curae* [ARCUSA]. – *Ecumenical Trends* 16 (1987) 2, 24-29.

Roman Catholic, Episcopal Theologians Discuss Issue of Women's Ordination. – *Journal of Ecumenical Studies* 12 (1975) 3, 466-465

RYAN, H.J., The Roman Catholic Vision of Visible Unity. – WRIGHT, J.R. (ed.), *A Communion of Communions. One Eucharistic Fellowship.* New York: Seabury, 1979, pp. 120-129.

— and WRIGHT, J.R. (eds.), *Episcopalians and Roman Catholics Can They Ever Get Together?* Denville: Dimension, 1972.

RYAN, W., Anglican-Roman Catholic Dialogue in the USA. – *Journal of Ecumenical Studies* 32 (1995) 2, 300-301.

Second Response of the Anglican-Roman Catholic Consultation in the USA to the Venice Statement. – *Ecumenical Trends* 7 (1978) 4, 55-58. *Documents on Anglican/Roman Catholic Relations IV.* Washington, DC: USCC Publications Office, 1979, pp. 18-26.

SHIPPS, H.W., That They All May Be One. – *Pro Ecclesia* 3 (1994) 1, 5-10.

SOLHEIM, J., Anglican-Roman Catholic Dialogue Moves Ahead Despite Obstacles. – *Ecumenical Trends* 21 (1992) 8, 126.

—, Roman Catholics and Episcopalians Release Statement on 25 Years of Dialogue. – *Ecumenical Trends* 22 (1993) 3, 48.

Southern California Episcopalians and Roman Catholics Release Joint Response to 'Images of God'. – *Ecumenical Bulletin* 71 (1985) 3-4.

Stand des anglikanisch/katholischen Dialogs in den USA. – *Lutherische Welt-Information* (1978) 12, 11-12.

Still in Rome. – *Lutheran Forum Letter* 23 (1994) 3, 4.

The Substantial Progress of Anglican-Catholic Dialogue. – *Origins* 7 (1978) 30, 465, 467-473.

SYKES, S.W., To the Intent That These Orders May Be Continued: an Anglican Theology of Holy Orders. – *Anglican Theological Review* 78 (1996) 1, 48-63.

TAVARD, G.H., For a Theology of Dialogue [methodological statement of ARC XI January 1972]. – *One in Christ* 15 (1979) 1, 11-20.

—, 'Communion', a Time of Estrangement. – *Ecumenical Trends* 22 (1993) 5, 65, 74-77. *Ecumenism* 28 (1993) 111, 34-38.

—, The Work of ARCUSA: Reflections Post-factum. – *One in Christ* 29 (1993) 3, 247-59.

—, *Apostolicae Curae* and the Snares of Tradition. – *Anglican Theological Review* 78 (1996) 1, 30-47.

— and DUTTON, M.L., The Anglican-Roman Catholic Dialogue in the United States Responds to the Roman Catholic *Ecumenical Directory* of 1993. – *Ecumenical Trends* 24 (1995) 9, 3-20.

US Anglican-Catholic Ecumenical Chairmen 'Reconciling Unity and Plurality'. – *Origins* 22 (1992) 34, 587-588.

US Anglican-Roman Catholic Consultation Agrees on Purpose, Mission of Church. – *Ecumenical Trends* 5 (1976) 1, 1-11.

USA Anglican-Catholic Commission Report Issued [Milwaukee meeting on euharist]. – *Information Service* (1967) 3, 23. French Edition: Rapport de la commission mixte pour les relations entre anglicans et catholiques romains aux États-Unis. – *Service d'information* (1967) 3, 17. *La Documentation catholique* 64 (1967) 1503, 1818.

USA Ecumenical Pilgrims Visit Canterbury and Rome. – *Anglican World* (1995) 77, 16.

USA Meeting Welcomes archbishop Whealon as New Co-Chairman. – *Ecumenical Bulletin* (1985) 70, 6.

VOGEL, A.A., Epilogue: in the United States. – PAWLEY, B.C. and PAWLEY, M., *Rome and Canterbury through Four Centuries: a Study of the Relations between the Church of Rome and the Anglican Churches, 1530-1973*. New York: Seabury, 1975, pp. 364-387.

Where We Are: a Challenge for the Future. A Twelve-Year Report from the Anglican-Roman Catholic Consultation in the USA. – *Ecumenical Trends* 7 (1978) 3, 41-47. *Documents on Anglican/Roman Catholic Relations IV*. Washington, DC: USCC Publications Office, 1979, pp. 31-48.

Women's Ordination Not an Obstacle. – *The Tablet* 229 (1975) 7063, 1116.

WRIGHT, J.R., Le dialogue entre anglicans et catholiques aux États-Unis durant ces treize dernières années. – *Irénikon* 51 (1978) 4, 492-508. English: Anglican-Roman Catholic Dialogue in the USA: a Survey of Thirteen Years. – *One in Christ* 15 (1979) 1, 73-84.

— (ed.), *A Communion of Communions. One Eucharistic Fellowship*. New York: Seabury, 1979, pp. 77-88.

—, The Dimension of Ecumenical Consensus in the Revision of Anglican Ordination Rites: a Response to Professor Bradshaw. – *Anglican Theological Review* 78 (1996) 1, 117-121.

YARNOLD, E.J., A New Context: ARCIC and Afterwords [New York conference on *Apostolicae curae* 1995]. – *Anglican Theological Review* 78 (1996) 1, 64-74.

Zwischenbilanz: Anglikaner und Katholiken als 'Schwesterkirchen'. – *Lutherische Welt-Information* (1978) 3, 10-11.

Wales

DAVEY 1, 3.

États-Unis [interim report]. – *Irénikon* 48 (1975) 2, 253-256.

HILL 1, 3, 4.

Zambia

DAVEY 3.

Zimbabwe

Reconnaissance mutuelle du baptême entre Catholiques et Anglicans. – *La Documentation catholique* 69 (1972) 16/1615, 794.

CONTENTS

I. General

1. Preparations for Dialogue. 197
2. Common Declarations of the Anglican Communion and the
   Roman Catholic Church 197
3. A-RC: General 202
4. ARCIC and ARCIC I: General   213
5. ARCIC I: Preparatory Commission Meetings 216
   Gazzada 1967 - Huntercombe Manor 1967 - Malta 1967-1968;
   Malta Report 1968 (217)
6. ARCIC I: Annual Commission Meetings 218
   Gazzada 1972 (218) Chichester 1977 (218) Venice 1979 (219)
7. ARCIC I: *Final Report* 1981 219
   Text and Reflections on the Report 219
   Responses and Reflections on the Responses 230
   Observations of the Congregation for the Doctrine of the
   Faith 231
   Vatican Response and Reflections on the Response. 233
   ARCIC II's Clarifications of the Vatican Response. 237
8. ARCIC II: General. 238
9. ARCIC II: Annual Commission Meetings 239
   Rome 1982 (239) Venice 1983 (240) Durham 1984 (240)
   Graymoor 1985 (240) Llandaff 1986 (241) Edinburgh 1988
   (242) Windsor 1992 (242)

II. Issues: Documents, Reflections, Responses

1. **Authority** 243
   ARCIC I Grottaferrata Meeting 1974 243
   ARCIC I Oxford Meeting 1975 243
   ARCIC I Venice Meeting 1976
   Authority in the Church I (Venice Statement 1976). 243
   ARCIC I Windsor Meeting 1981
   Authority in the Church II and Elucidations (Windsor State-
   ment and Elucidations 1981)   249
   ARCIC II Jerusalem Meeting 1994 251
   ARCIC II Venice Meeting 1995. 251

General/Other Meetings, Statements   251
Authority, Eucharist and Ministry: ARCIC I Venice Meeting
   1970   251
2. Communion   252
   ARCIC II Dublin Meeting 1990
      The Church as Communion (Dublin Statement 1990). . . .   252
   Communion, Morals: ARCIC II Paris Meeting 1991   253
3. Eucharist   254
   ARCIC I Windsor Meeting 1970
      Eucharist Doctrine (Windsor Statement 1971)   254
   General/Other Meetings, Statements.   262
   Eucharist, Ministry and Ordination: ARCIC I Salisbury
   Meeting
      Ministry and Ordination: Elucidation (Salisbury Elucida-
      tions 1979)   262
4. Marriage   264
   General   264
   Commission on the Theology of Marriage and Its Application
   to Mixed Marriages
      Windsor Meeting 1968 (264) Rome Meeting 1968 (265)
      London Meeting 1971 (265) Hayward Heath Meeting 1973
      (265) Dublin Meeting 1974 (265)
   Commission on the Theology of Marriage and Its Application
   to Mixed Marriages
      Final Report 1975   266
5. Ministry/Ordination   268
   General   268
   ARCIC I Canterbury Meeting
      Ministry and Ordination (Canterbury Statement 1973)   . .   269
   ARCIC II Venice Meeting 1989   274
   Apostolicae Curae 1896   275
6. Ministry/Ordination of Women   275
   General   275
   ARC Joint Consultation
      Versailles Report 1978   277
7. Morals   278
   ARCIC II Venice Meeting 1993
      Life in Christ: Morals, Communion and the Church
      (Agreed Statement 1994)   278

8. Salvation, Justification 280
   ARCIC II Llandaff Meeting 1986
     Salvation and the Church 1987 280
9. *Ut unum sint* (1995) 283

III. National and Regional Dialogues

General (284); Australia (285); Belgium (285); Canada (285); Great Britain (286); Europe (291); France (292); Hong Kong (293); Ireland (293); Italy (293); Japan (293); Latin America (294); Pacific (294); Papua (294; Papua New Guinea (294); Republic of China (294); Scotland (294); South Africa (295); United States of America (295); Wales (304); Zambia (304); Zimbabwe (304)

Tiensestraat 112   Adelbert DENAUX
Naamsestraat 100   Lorelei FUCHS

B-3000 Leuven

INDEX OF AUTHORS

All names mentioned in the text (pp. VII-VIII, 3-186) are listed. The list of participants at the Malines Commemoration day (pp. 187-191) is not included. References to the ARCIC Bibliography (pp. 193-304) are separated by a |. Only names of individual authors and editors are given.

Abbreviations: Abp. = archbishop; Bp. = bishop; Card. = cardinal; Patr. = patriarch.

ADDAPUR 122
ADOLPHUS, L. | 202
AERTS, T. | 294
AHERN, B. 112 114
AKPUNOMOU 122
ALBERIGO, G. 116 117
ALEXANDER III, Pope 40
ALLAN, Ph. 35
ALLCHIN, A.M. 101 160 | 202 255
ALLEN, D. | 271
ALLEN, D.W. 160
ALLEN, J. | 200
ALLISON, C.F. | 280
ALPHONSE, F. | 271
AMALORPAVADASS, D.S. | 271
AMETTE, Card. L.A. 6
ANDERSON, D. 128
ANDRÉS, A. | 255
ANTOINE de Kiev 14
ANSELM, Abp. of Canterbury 39 40
APPIA, G. | 245
ARMENTROUT, D. 89
ARNAU, R. | 245
ARNOLD, J. | 286
ARNOTT, Bp. F.R. 112
ASHBY, Bp. B. 122
ATHANASIUS 67
ATHENAGORAS, Patr. of Constantinople 161
ATHENAGORAS of Thyateira | 255
ATKINSON, J. 169
AUBERT, R. 4 5 7 10 16 23-25 27 28 81 82
    91 153 167 168
AUGUSTINE, Bp. of Hippo 61 64 67 183
AUGUSTINE, Abp. of Canterbury 24 29 36
    37 38 40 153
AVELING, J.C.H. 82 111
AVIS, P. | 221 238

BAELZ, P. 127
BARD, C. | 279
BARD, M. | 279
BARKING, W. | 202
BARLOW, Bp. W. 164
BARLOW, B. 82 92
BARLTROP, K. | 286
BATTANDIER, A. 23
BATIFFOL, P. 28 55 64 77 152 158
BAUMER, I. | 215
BAYCROFT, Bp. J.A. 122 126 128 131 132
    171 | 221 285
BEAUBIEN, I. | 285
BEAUDUIN, É. 23 82
BEAUDUIN, Lambert, o.s.b. VII 3 5 14 23-
    25 28-33 35 46 77 78 88 92 99 100 146
    153 155
BECK, G.A. 82
BECKER, W. | 198
BECKET, Thomas, Abp. of Canterbury 40
BECKWITH, R.T. | 245 255 256
BECQUET, T. 23
BEDE, the Venerable 36 38
BEDORET, G. 102
BEHR-SIGEL, É. 5
BEINERT, W. | 245
BÉKÉS, G.J. | 256
BELL, G.K.A. 4 7 9 11-13 20 23 25 28 29
    31 35 82 101 167 168
BELLDINA, L. | 298
BELPAIRE, T., 23
BENEDICT XV, Pope 4 6 10 11 77 78 155
    160
BENIGNI, U. 91
BERMEJO, L.M. | 231 245 271
BERNARDIN, Card. J. 76
BEST, T.F. 145

BIENENTREU, M.-S. | 280
BIRD, D. | 298
BILL, E.G.E. 82
BIRMELÉ, A. | 202 231
BLÄSER, P. | 203 245 256
BLOOM, A. 101
BLOXAM, J.R. 159
BOILEAU, D.A. 82
BOLTON, A. 82
BONIFACE VIII, Pope 166
BONNY, J. 91
BORRAS, A. | 283
BOSSCHAERTS, C. 99 100
BOSSY, J. 82
BOUDENS, R. 7 75 77 82 104
BOULDING, M.C. 122 | 280
BOURNE, Card. F. 30 78 82 88 89 91 169
BOYER, J.P. | 271
BRADSHAW, P.F. | 271 298
BRANDENBURG, A. | 246
BRAVO, C. | 231
BRENT, Bp. C. 9
BRIGID OF SWEDEN 186
BRIVA, A. | 203 245
BROCKETT, L. | 278
BROMURI, E. | 275
BROWN, D. | 234 237 279
BROWN, M. | 221
BROWNING, E.L. | 276
BRUNELLI, G. | 213 221 287
BUCHANAN, C. | 237
BUCHIU, S. | 203
BUDNIAK, J. 98
BUEHRLE, M.C. 82
BULLOCK, M. | 203
BURGESS, J.A. | 221
BURTON, E. 38
BUTELEZI, Abp. P. 122
BUTLER, Bp. B.C. 82 112 113 115 154 169 | 203 221 245 256 259 272
BUTLER, S. 128 131 132 | 298
BUTTERWORTH, R. | 231
BYRON, B. | 256

CADDICK, L. | 221
CADI, Patr. 41
CAMANO, Mme 102
CAMERON, Bp. D. 122
CAPRILE, G. | 199 200

CAREY, G., Abp. of Canterbury VII VIII 76 100 135 171 179 180 184 | 202 203 234 271 280 289
CARLIER, C. 93
CARTER, D. | 252 285
CASSIDY, Card. E.I. VII VIII 130 132 147 171 180 185 | 208 237
CATHERINE II 6
CELI, G. 83
CERETI, G. | 197 199-201 203 214 217 220 233 234 237 238 244 249 252 254 262 267 270 278 280
CHADWICK, H. 89 112 113 116 117 121-123 126 | 203 209 221 222 234 238 245 249 259 272
CHAPLIN, D. | 265
CHAPTAL, Bp. 91
CHARLEY, J.W. 94 112 114 115 122 126 128 130 134 137 152 154 157 161 169 | 213 222 245 256 271
CHESTERTON, G.K. 184
CHICHELE, Abp. H. 29
CHRYSANTHE de Trébizonde 10
CHRYSOSTOM, JOHN 7
CHURCHILL, A. | 287
CLARK, Bp. A.C. 83 112 114-116 137 157 162 | 203 204 213 217 245 256 272 273 287
CLARK, F. | 287
CLAYTON, P.B. | 298
CLEARY, M. | 204
CLÉMENCEAU 7
CLIFFORD, C.E. | 230
COGGAN, F.D., Abp. of Canterbury 31 117 | 198
COLETTE, Sr. 102
COLLINSON, P. | 287
CONGAR, Y. 93
COPPENS, J. 83
COOKE, B. | 298
CORBISHLEY, D. | 200 204 288
CORBISHLEY, T. | 257
CORNÉLIS, J. | 279
CORSANI, B. | 248
COUCHOUD, P.L. 150
COULSON, J. | 204
COURTOIS, L. 5
COVENTRY, J. | 252 257 268 290
CRANMER, T., Abp. of Canterbury 38

CROCE, G.M. 6
CROSS, P. 128 129 131 132
CROWLEY, P. | 257
CYPRIAN 61 64 182
CYRILLE of Cyprus 12

DAL-GAL, G. 83
DALPIAZ, V. 83
DAMIANOS of Jerusalem 12 14
DALY, C. | 293
DALY, G. | 222
DAMASUS, Pope 166
DANNEELS, Card. G. VII VIII 96 97 100 132 175 178 | 257 272
DAVEY, C. 83 112 115 | 195 217 222 272 284 285 288 291-294 299 304
DAVIDSON, R.T., Abp. of Canterbury 4 7 10-13 16 17 19-23 31 83 150 168 | 206
DAVIES, N.A. | 222
DAVIS, K. 122
DAY, P. | 299
DAZELEY, Br. 104
DE BHALDRAITHE, E. | 267
DE BIVORT DE LA SAUDÉE, J. 4 12-14 21 22 29 31 82
DE BROUSSE, D. 8
DE HALLEUX, A. VIII 90 92
DE HOVRE, Bp. L. 104 181
DELAHAYE, Ph. 113
DELLA CHIESA, see BENEDICT XV
DELMOTTE, M. | 222
DE MARGERIE, B. | 259 273
DEMEESTER, P. 27
DE MENDIETA, E.A. 83
DENAUX, A. VII VIII 104 105 107 128 132 172 177 | 193 195 214 307
DENNIS, Bp. J. 105
DEROUSSEAUX, L. | 238
DE SAINT ANDRÉ, L. 150
DE SMEDT, Bp. E.J. 96 104
DESMET, F. 83
DESSAIN, F. 96
DESSAIN, J.A. 4 25 29 30 31 83 96-98 | 204 222 263 291
DESSEAUX, J. 83 84
DEVINE, P. | 267
DE VRIES, S.I. 100
DE WYELS, F. 99
DE ZWAERTE, A. 93

D'HERBIGNY, Bp. M. 14 90 91 101 152 155
DICK, J.A. VII VIII 4 12 14 29 31 35 75 77-79 81 83 88 89 92 150-152 154 155 158 159 161 165 167-169 176
DINGEMANS, P. 101
DION, T.A. | 299
DOANE, Bp. of Albany 16
DOLCI, A.M. 6
DOYLE, E. | 257
DRAPER, J. | 204
DUCHESNE, L. 7 163
DUDLEY, M. | 204 222 232
DUMONT, C.-J. | 245 246
DUNSTAN, Abp. of Canterbury 38
DUNSTAN, G. 113
DUPIN, L. 88
DUPREY, Bp. P. 112 114 115 122 128 130 134 162 182 | 199 204 272
DUPUY, B. 111
DUTTON, M.L. | 303

EAGAN, J.F. | 272
EAMES, R. | 288
EDWARD, King 39
EDWARDS, D.L. 84 | 205 288
EGENDER, N. 101
EHRENSTRÖM, N. | 205 284 285 288 293 295 299
ELDER, E.R. 128 | 298
ELFSIN, Abp. of CANTERBURY 38
ELLIS, Chr. 104
EUDES, Jean 13
EUGENIUS IV, Pope 29
EULOGE de Paris 14
EVANS, G.R. 29 94 153 157 | 214-216 230 234 236 251 283
EVENNETT, O. 84

FAHEY, M.A. | 223
FAIRWEATHER, A. 115 154 159
FALARDEAU, E.R. | 223 299
FAMERÉE, J. VIII
FANNON, P. | 257
FEARWEATHER, E.R. 112
FERRAR, N. 159
FINDLOW, J. | 216
FIOLET, H.A.M. | 268 280
FISCH, J.M. 102
FISCHER, G., Abp. of Canterbury 180

FORBES, A.P., Bp. of Brechin 68
FORBES, F.A. 84
FORMOSE III, Pope 38
FOUILLOUX, E. 84 151 153 155 168
FRANCIS, K., 93
FRANCIS, P. 86 96 | 208
FRANKLIN, R.W. | 275 288 298-300
FRASER, D. | 278
FRERE, W.H. 9 14 19 20 49 84 152 172
FRIEDEBERG, I. 102
FRIELING, R. | 246 272
FRIES, H. | 223
FUCHS, L.F. VIII | 193 195 299 307
FUERTH, P.W. | 223

GADE, J.A. 84
GALEOTA, G. | 205 214
GALLAY, P. | 291
GALLIGAN, T. 128 | 202 205 251
GAMBERINI, P. | 205
GARCIA HERNANDO, J. | 280
GARIJO-GUEMBE, M.M. | 234 246
GASPARRI, Card. P. 6 7 26 28 160 163 167
GASQUET, Card. F.A. 27 91 155 167
GAßMANN, G. 113 122 131 145 | 198 205
    217 223 244 246 258 270 282 284 285
    288 293 295 299
GEERNAERT, D. | 285
GEISSLER, H. | 205
GELDBACH, E. | 223 235 239 280
GENTON, R. 101
GEORGE, A.R. | 224
GEORGIADIS, H. | 246 263 272
GERARD, Bp. of Hereford 39 40
GEVERS, L. 82
GILLE, A., see Fr. JEROME
GILLET, L. 5
GIORDANO, D. | 269
GIRAULT, R. | 205
GITARI, Bp. D. 122 126
GLEIXNER, C. | 206
GONZALES, G. | 206
GONZALES MONTES, A. | 214 224 238 239 267
GOOD, J. 84
GOODALL, J. | 224
GOODIER, A. 161
GORDEN, Bp. J.C. 164
GORE, Bp. C. 11 13 20 30 48 55 64 77 152
    153 168

GOURGUES, M. 94 153 | 214-216 230 236
GOUTHRO, A.F. | 272
GOYAU, G. 84
GRATIEUX, A. 84
GREEN, M. 134
GREENACRE, R.T. 29 33 84 97 100 | 206
    214 224 289
GREGORY I, THE GREAT, Pope 24 29 36-39
    58 72
GREGORY VII, Patr. of Constantinople 22
GREGORY VII, Pope 166
GRISWOLD, III, F.T. | 300
GROMIER, L. 23
GROS, J. | 300
GROSSETESTE, R. 166
GUITTON, J. 84 151 158 162 168
GUMMER, J. | 289

HAASE, W. 111 113 115 | 206 214
HABGOOD, J.S., Abp. of York 178
HALE, R. 84 | 206
HALFLANTS, P. 84
HALIFAX, Lord 3 4 9 10 14 18 19 22 28-30
    32 33 35 48 49 64 75 77 79 84 85 88 89
    91 92 94-96 98 100 103 151 153 158
    161 165 172 175 176 178 184 186 | 206
HALLIBURTON, J. 97 113
HANNEN, P. | 224
HANSON, A.T. 104 | 246 285
HANSON, R.P.C. | 258
HARDIMENT, P. 100
HARDT, M. 246
HARDY, E.R. 114
HARDY, Bp. R. 105
HARKER, A. | 247
HARRIES, R. | 224
HARRIOT, J.F.X. | 224
HASTINGS, A. 85 | 206 292
HAY, C. | 258
HEBBLETHWAITE, P. | 206 224 232
HEENAN, Card. 134
HEFT, J.L. | 224
HEMMER, H. 28 55 64 79 85 151 152 154
    159 161 165 168
HERBERT, G. 159
HICKEY, Card. J. 76
HICKLING, C. | 258
HILL, Bp. C. VIII 97 103 111 113 121 122
    128 130 141 147 148 176 | 195 197 199

206 214 219 226 230-236 244 247 249
250 253 254 262-264 284-286 289 292-
295 300 304
HILL, E. 113
HINTZEN, G. | 258 276
HOECKMANN, R.E. 93
HOWARD, C. | 278
HOWE, J. | 230
HUFFMAN, B.L. | 206
HUGHES, J.J. 78 89 164 | 275
HUGHES, P.E. | 258
HULL, H. | 279
HULSHOF, I. | 239
HULSHOF, J. | 269
HUME, Card. G.B., Abp. of Westminster |
207 298
HUNTING, R. 159
HURLEY, M. | 224

IND, B. | 279
INNOCENT I, Pope 58 72
IRENAEUS 58
ISERLOH, E. | 261

JACKSON, M. | 235 289
JANEZIC, S. | 207
JANSSENS, A. 75 79 94-96
JANSSENS DE BISTHOVEN, B. 102
JENKINS, Bp. D. 123
JEROME, Fr. 85
JOHN XXIII, Pope 141 153 180
JOHN-PAUL I, Pope 138
JOHN-PAUL II, Pope VIII 119 121 124 125
132 135 138 141 145 180 182 185 | 199
201 202
JOHNSON, Br. 128
JOHNSON, F. | 289
JONES, A.W. | 273
JOURNET, C. | 258
JUPP, R. | 205

KAMATH, R.S. | 258
KEATING, J. 85 152 155 169
KEENE, D. 97
KEETON, B. | 207
KELLY, J.N.D. 112
KELLY, Abp. P.A. 132
KEMP, J. Abp. of York 29
KENNEDY, M. | 238

KENT, J., 90
KEVERN, J.R. | 207
KIDD, B.J. 13 48 55 64
KLAUSNITZER, W. | 250
KNAPP-FISHER, Bp. E.G. 112 113 | 203 207
245 247 259 272
KOTHEN, R. 85
KOPPENSTEINER, T.R. | 279
KRIJNSEN, C. 91

LADOUS, R. 4 10 85 91 94 172
LA FONTAINE, C. | 247
LAHEY, R.J. 85 89-91 150 155 167 168
LAMPE, G. | 247
LANDUCCI, P.C. | 259
LANG, W.C.G., Abp. of York 9 160 175
LANNE, E. VII VIII 99
LAPORTE, J.-M. | 286
LARIDON, Bp. E. 104
LASH, N. | 273
LAUBENTHAL, A. | 273
LAUD, W., Abp. of Canterbury 159
LAURENTIN, R. | 259
LAW, Card. B. 76
LE BOURGEOIS, A. | 293
LEBEAU, P. | 259
LECLERCQ, J. 102
LEGRAND, Cl. 101
LEGRAND, H.-M. | 273
LEHMANN, K. 98
LELL, J. | 266 267
LEO I, THE GREAT, Pope 166
LEO XIII, Pope 22 41-43 68 69 126 163
176
LEONARD, Bp. G. | 259 289
LERA, J.M. | 247
LESCRAUWAET, J.F. | 207 224
LESLIE, S. 155
LESOURD, P. 85
LESSARD, Bp. R. 122
LIESSENS, Ph. 103 | 207
LILIANE, C. 9
LINDSAY, H. | 289
LINSEELE, O. 104
LIVINGSTONE, J. | 293
LLANOS, DE, J.M. | 259
LOADES, D.M. 111
LOCKHART, J.G. 75 85 158 165
LORIN, H. 161

LOUTH, A. | 247 273
LUCAS, J.R. | 267
LÜTTICKEN, J. | 225 259
LUTHER, M. 123

MABILLON 38
MACBEATH BROWN, W. | 225
MACDONALD, T. | 225
MACFARLANE, R. | 283
MACQUARRIE, J. | 268
MANIGNE, J.P. | 232
MARASCHIN, J. 128
MARIE, Mère 101
MAROT, H. | 247 259
MARR, P. | 225
MARTIN, C. | 202
MARTINEAU, S. | 207 225 293
MASCALL, E.L. | 259
MATURA, Th. 102
MAZELLA, Card. C. 163
MCADOO, Bp. H.R. 111 112 115 134 157 |
    207 225 253 259
MCCARTHY, J. | 286
MCCORD, P.J. | 213
MCDONAGH, E. 127
MCDONALD, K. 126 128 | 207 208 214 235
    279 282
MCDONNELL, K. 235
MCGRATH, A.E. | 239
MCGUINNESS, Bp. J. 105
MCHUGH, J. 121 | 235
MCNEIL, B. | 208
MCWILLIAM, J. | 300
MEJIA, J. | 259
MERCER, R. | 208
MERCIER, Card. D.J. 3-5 7 10 13 14 16 21-
    24 27-30 33 35 48 49 55 63 65 66 71 75
    77 86 88 90 95 96 99 101 103 132 150
    153 158 161 162 167 171-174 176 178
    180 184 186 | 206
MERRY DEL VAL, Card. R. 77 78 88 89 91
    92 150 151 158
MÉTAXAKIS, MÉLÉTIOS DE 10 11 18 | 199
MEYER, H. 111 | 198-201 213 217 219 238
    244 250 252 254 255 262 266 267 270
    280 282
MIDDLETON, R.D. 159
MILLER, A. | 208
MILLER, D. 97

MILLER, J.M. | 225 247
MOELLER, C. | 208
MOLONEY, R. | 259
MONTEFIORE, H. | 215 225 238 247 250
MONTINI 151
MOORMAN, Bp. J.R.H. 112 115 154 | 208
MORETTI, Abp. G. 171
MORITZEN, N.P. 89
MOROZZO DELLA ROCCA, R. 6
MORREN, L. 97
MOYES, J. 86 91 167
MUDDIMAN, J. 97 128 132
MULLALY, L. | 198 215 247 259 273 300
MUNCHHEIMER, K.H. | 247
MUNRO, J. | 273
MURPHY, L.D. 86
MURPHY, M. | 225
MURPHY, P.L. | 208
MURPHY-O'CONNOR, Bp. C. 122 128 137
    171 | 269 279 286 290

NAZIR-ALI, Bp. M. 128
NEILL, St. 160
NEIRYNCK, F. VIII 98
NEWMAN, Card. J.H. 93 94
NICHOLAS, Pope 166
NICHOLS, A. | 235
NICKERSON, H. 169
NILSON, J. | 279 301
NORGREN, W.A. | 225 301
NOWELL, R. | 235
NURSER, J. 104 105

O'CONNELL, G. | 208
O'CONNOR, M. | 301
O'DONOVAN, O. 122 126 | 279
O'GARA, M. | 226 286
O'HIGGINS, B. | 268
OLDMEADOW, E. 78 86 89 91 152 155
O'LEARY, M. 113
OMBRES, R. | 290
OPPENHEIMER, H. | 268
OSAER, T. 103
OSGOOD, J. | 198 215 247 259 273 300
OSUNA FERNANDEZ-LARGO, A. | 248
OUSLEY, J.D. | 226

PACCHIN, L. | 221
PANNENBERG, W. | 232

PAPANDREOU, D. 101 111 | 217 238 252 280

PARGETER, P. | 279

PARKER, M. 11

PARRÉ, P. 86 96 101 103 | 208 260 262 285

PATELOS, C. 7

PATTARO, G. | 215

PAUL, A. 150 151 159

PAUL, the Apostle 56 58

PAUL VI, Pope 31 111 116 138 155 161 168 179 181 | 195 197 198

PAVY, F. | 290

PAWLEY, B.C. & M. 86 155 159 | 208 209 303

PEELMAN, A. 90

PERKO, F. | 209

PETER, the Apostle 35 37 40 43 45 55-58 71 72

PETER THE GREAT 40

PETER, C.J. | 215

PHILLIPS, C.S. 86

PHILLIPS DE LILLE, A.L.M. 159

PHIPPS, Bp. S. 104

PHOTIOS of Alexandrie 14

PICAZO, J.V. | 209

PIERCE, J.M. | 209

PINCKERS, G. | 275

PIUS VII, Pope 30 44

PIUS X, Pope 77 78

PIUS XI, Pope 13 16 24 88 91 99 150 155

PLATTEN, S. 128 | 209 279

POBEE, J. 122 123

PODMORE, C. 103 | 290

POLAK, G. | 290

POMPILI, Card. 13 24

PORTAL, F. 3 4 18 19 30 33 48 49 63 77 86 88 92 94 95 161 172 175 178 180 184

PORTMAN, J.R. | 248

POTEMKINE 6

PRESTIGE, G.L. 86 152

PRIBILLA, M. 86

PRIDEAUX, B. | 209 225 230

PROVOST, J.H. | 301

PUGLISI, J.F. | 201 233 237 238 252 278 280

PULFORD, C. | 290

PURDY, W.A. 112 113 115 133 151 155 158 163 165 166 169 | 209 226 260 273

PUSEY, E.B. 68

QUINN, Abp. J.R. 142 146 | 260 274 283

QUITSLUND, S. 5 23 86 99 151

RACHEL, Sist. 102

RADANO, J.A. | 215

RAFFERTY, O.P. | 274

RAMBALDI, G. | 275

RAMSDEN, P. | 294

RAMSEY, A.M., Abp. of Canterbury 86 103 111 134 138 143 151 168 179 181 | 197 209 226

RAND, C. | 248

RATZINGER, Card. J. 121 | 226 232

RAUSCH, T. | 235

REAR, M. | 209

REARDON, M. 97 | 268 275 290

REARDON, R. | 292

REECE, D. | 290

REID, J. 115

RENALI, C. | 294

REUMANN, J. | 260

RICCA, P. | 248

RICHARDS, M. 155 | 215 227 260 274

ROBINSON, J. Armitage 14 18 19 22 48 49 64 91 92

RODRIGUEZ, P. | 248

RODRIGUEZ, P.F. 98

ROES, J. 100

ROOT, H. 154 | 209 236

ROOT, H.E. 112 113

ROOT, M. 131

ROSSER, J.C.W. | 260

ROUSSEAU, O. 5 86

RUH, U. | 280

RUNCIE, R.A.K., Abp. of Canterbury 33 100 120 124 | 199 201 203 210 215 227 245 259 272

RUPERT, E.D. | 248

RUSCONI, A. | 210

RYAN, H.J. 89 112 116 | 227 248 260 262 274 277 302

RYAN, T. | 242

RYAN, W. | 302

RYDER, A. | 260

SAGOVSKY, N. 128 131 132 | 290

SALVI, G. | 210
SANTER, Bp. M. 122 128 137 | 215 228
   269 290
SARTORI, L. | 232 248 249 256
SATTERTHWAITE, J.R. 113
SAYÉS, J.A. | 261
SCARISBRICK, J. 112
SCHALLERT, E. 114
SCHMID, E. 101
SCHMIDT, M. | 210
SCHMIED, A. | 248
SCHOFIELD, R. | 290
SCHOTT, W. | 261
SCHREURS, Bp. P. 105
SCHÜTTE, H. | 210 228
SCHYRGENS, J. 87
SCOTT, D.A. | 261 282
SEED, M. | 200
SERÉDI, J. 26
SHEARBURN, V. 101
SHELDRAKE, P. | 224
SHERLOCK, Ch. 128 129 | 238
SHIPPS, H.W. | 302
SIMON, A. 87
SIMON, J.-Cl. 102
SMYTHE, H.R. 113
SOANE, B. 122 126
SOLHEIM, J. | 302
SOLOVIEV, Wl. 161
SPETH, H. 97
STACKPOLE, R. | 215
STACPOOLE, A. | 210 211 228 232
STAPLES, P. | 211 228 239
STEELE, W. 128 132
STEIGER, P. | 211
STEPHENSON, A.M.G. 9 17
STEWART, R. 122 | 215 239
STEWART, R.L. | 211 268 274 290 295
ST. JOHN, H. 87
STONEBANKS, D. 97
STOOP, F. 102
STOTT, J. 134 | 228
STRAZZARI, F. | 211 236 286 290
STRONG, R. | 283
SUENENS, Card. L. 96 103 174 184
SULLIVAN, F.A. 121 | 236 253
SUTTOR, T. | 211
SYKES, C. | 261
SYKES, S.W. | 302

SZEPTICKY, Abp. A. 5

TACCI, Card. 13
TALIANI, F.M. 87
TAMIGNEAUX, N. 5
TANNER, M. 122 | 215
TAVARD, G.H. 87 112 115 134 153 154
   158 | 211 215 228 248 264 274 300 302
   303
TAYLOR, T.F. 22 87
TERCIC, H. 106
THEODORE, Abp. of Canterbury 38
THILS, G. 87 96
THOMAS, Abp. of Canterbury, see BECKET
THOMPSON, D.M. | 286
THORNHILL, J. 122 126 | 241
TILLARD, J.-M.R. VIII 19 112-117 122 123
   126 128-134 137 166 170 176 177 | 211
   215 218 228 236 239 242 243 248 261
   274
TOLHURST, J. | 261
TONIN, G. | 261
TRETJAKEWITSCH, L. 87
TRIFFITT, G. 101
TRILLO, J. | 268
TRURON, W. 48
TURNER, C.H. 73
TUSTIN, Bp. D. 104

URBAN, H.J. 111 | 198-201 213 217 219
   238 244 246 252 255 263 266 268 270
   280
URBAN II, Pope 39

VAJTA, V. | 261
VALENTINI, D. | 229 232 248 283
VALIQUETTE, S. | 229
VAN BELLE, G. 98
VAN DE POL, W.H. 87 | 211
VAN DE WALLE, L. 102
VAN DYCK, M. 87 | 211
VAN GHELUWE, Bp. R. 104 105
VAN PARYS, M., Abbot 100
VAN ROEY, Card. J.E. 18 19 28 31 49 64
VANZAN, P. | 277
VAUGHAN, Card. H. 88 155
VÉNIZÉLOS 6
VERCRUYSSE, J.E. 90 121 | 229 236 274
VERGAUWEN, G. | 215

VERHELST, D. 87 94-96
VIANNEY, J., curé d'Ars 13
VINCENT OF LÉRINS 152
VISCHER, L. 111 | 198-201 213 217 219
    238 244 250 254 255 262 263 266 270
    280
VITALIAN, Pope 38
VOGEL, Bp. A.A. 112-114 122 134 | 229
    249 261 303
VOICU, S.J. | 179 179 200 214 217 220 242
    244 249 254 262 267 270 278
VOS, L. 89
VOVODOPIVEC, M. | 261
VRAKAS, D. 102

WACHÉ, B. 163 164
WAGNER, H. | 268
WAINWRIGHT, G. | 249 261 274
WAKE, C. 97
WAKE, W., Abp. of Canterbury 88 159
WALKER, L. 87 155
WALSH, L.G. 128 | 215 236
WALSH, M. 89
WARE, K. | 249
WELSBY, P.A. | 212

WESSINGER, P. 102
WILKINSON, J. 97
WILLEBRANDS, Card. J. 124 132 164 168
    171 | 212 218 229 241 261 268 269
WILLIAMS, Br. 127
WILLIAMS, R.R. | 261
WILSON, G. | 249
WINSHOW, B. 100
WITMER, J.W. | 197 198 210 212 217 219
    266 277 295 301
WOODLOCK, F. 87 91 152 155 158 161 169
WRIGHT, J.R. 122 128 | 197 198 199 210
    212 216 217 219 229 230 236 266 274
    277 283 295 301 303
WYBREW, H. 97

YARNOLD, E. 111 112 121-123 138 141
    147 163 169 | 197 213 214 216 226 229-
    236 240 244 249 250 253 254 262 269
    274 277 283 291 304

ZAKKA I, Patr. 141
ZINNHOBLER, R. | 230
ZOBEL, P. | 213

BIBLIOTHECA EPHEMERIDUM THEOLOGICARUM LOVANIENSIUM

SERIES I

* = Out of print

*1. *Miscellanea dogmatica in honorem Eximii Domini J. Bittremieux*, 1947.

*2-3. *Miscellanea moralia in honorem Eximii Domini A. Janssen*, 1948.

*4. G. PHILIPS, *La grâce des justes de l'Ancien Testament*, 1948.

*5. G. PHILIPS, *De ratione instituendi tractatum de gratia nostrae sanctificationis*, 1953.

6-7. *Recueil Lucien Cerfaux. Études d'exégèse et d'histoire religieuse*, 1954. 504 et 577 p. FB 1000 par tome. Cf. *infra*, nᵒˢ 18 et 71 (t. III).

8. G. THILS, *Histoire doctrinale du mouvement œcuménique*, 1955. Nouvelle édition, 1963. 338 p. FB 135.

*9. *Études sur l'Immaculée Conception*, 1955.

*10. J.A. O'DONOHOE, *Tridentine Seminary Legislation*, 1957.

*11. G. THILS, *Orientations de la théologie*, 1958.

*12-13. J. COPPENS, A. DESCAMPS, É. MASSAUX (ed.), *Sacra Pagina. Miscellanea Biblica Congressus Internationalis Catholici de Re Biblica*, 1959.

*14. *Adrien VI, le premier Pape de la contre-réforme*, 1959.

*15. F. CLAEYS BOUUAERT, *Les déclarations et serments imposés par la loi civile aux membres du clergé belge sous le Directoire (1795-1801)*, 1960.

*16. G. THILS, *La «Théologie œcuménique». Notion-Formes-Démarches*, 1960.

17. G. THILS, *Primauté pontificale et prérogatives épiscopales. «Potestas ordinaria» au Concile du Vatican*, 1961. 103 p. FB 50.

*18. *Recueil Lucien Cerfaux*, t. III, 1962. Cf. *infra*, n° 71.

*19. *Foi et réflexion philosophique. Mélanges F. Grégoire*, 1961.

*20. *Mélanges G. Ryckmans*, 1963.

21. G. THILS, *L'infaillibilité du peuple chrétien «in credendo»*, 1963. 67 p. FB 50.

*22. J. FÉRIN & L. JANSSENS, *Progestogènes et morale conjugale*, 1963.

*23. *Collectanea Moralia in honorem Eximii Domini A. Janssen*, 1964.

24. H. CAZELLES (ed.), *De Mari à Qumrân. L'Ancien Testament. Son milieu. Ses écrits. Ses relectures juives* (Hommage J. Coppens, I), 1969. 158*-370 p. FB 900.

*25. I. DE LA POTTERIE (ed.), *De Jésus aux évangiles. Tradition et rédaction dans les évangiles synoptiques* (Hommage J. Coppens, II), 1967.

26. G. THILS & R.E. BROWN (ed.), *Exégèse et théologie* (Hommage J. Coppens, III), 1968. 328 p. FB 700.

27. J. COPPENS (ed.), *Ecclesia a Spiritu sancto edocta. Hommage à Mgr G. Philips*, 1970. 640 p. FB 1000.

28. J. COPPENS (ed.), *Sacerdoce et célibat. Études historiques et théologiques*, 1971. 740 p. FB 700.

29. M. Didier (ed.), *L'évangile selon Matthieu. Rédaction et théologie,* 1972. 432 p. FB 1000.

*30. J. Kempeneers, *Le Cardinal van Roey en son temps,* 1971.

Series II

31. F. Neirynck, *Duality in Mark. Contributions to the Study of the Markan Redaction,* 1972. Revised edition with Supplementary Notes, 1988. 252 p. FB 1200.

32. F. Neirynck (ed.), *L'évangile de Luc. Problèmes littéraires et théologiques,* 1973. *L'évangile de Luc – The Gospel of Luke.* Revised and enlarged edition, 1989. x-590 p. FB 2200.

33. C. Brekelmans (ed.), *Questions disputées d'Ancien Testament. Méthode et théologie,* 1974. *Continuing Questions in Old Testament Method and Theology.* Revised and enlarged edition by M. Vervenne, 1989. 245 p. FB 1200.

34. M. Sabbe (ed.), *L'évangile selon Marc. Tradition et rédaction,* 1974. Nouvelle édition augmentée, 1988. 601 p. FB 2400.

35. B. Willaert (ed.), *Philosophie de la religion – Godsdienstfilosofie. Miscellanea Albert Dondeyne,* 1974. Nouvelle édition, 1987. 458 p. FB 1600.

36. G. Philips, *L'union personnelle avec le Dieu vivant. Essai sur l'origine et le sens de la grâce créée,* 1974. Édition révisée, 1989. 299 p. FB 1000.

37. F. Neirynck, in collaboration with T. Hansen and F. Van Segbroeck, *The Minor Agreements of Matthew and Luke against Mark with a Cumulative List,* 1974. 330 p. FB 900.

38. J. Coppens, *Le messianisme et sa relève prophétique. Les anticipations vétérotestamentaires. Leur accomplissement en Jésus,* 1974. Édition révisée, 1989. xiii-265 p. FB 1000.

39. D. Senior, *The Passion Narrative according to Matthew. A Redactional Study,* 1975. New impression, 1982. 440 p. FB 1000.

40. J. Dupont (ed.), *Jésus aux origines de la christologie,* 1975. Nouvelle édition augmentée, 1989. 458 p. FB 1500.

41. J. Coppens (ed.), *La notion biblique de Dieu,* 1976. Réimpression, 1985. 519 p. FB 1600.

42. J. Lindemans & H. Demeester (ed.), *Liber Amicorum Monseigneur W. Onclin,* 1976. xxii-396 p. FB 1000.

43. R.E. Hoeckman (ed.), *Pluralisme et œcuménisme en recherches théologiques. Mélanges offerts au R.P. Dockx, O.P.,* 1976. 316 p. FB 1000.

44. M. de Jonge (ed.), *L'évangile de Jean. Sources, rédaction, théologie,* 1977. Réimpression, 1987. 416 p. FB 1500.

45. E.J.M. van Eijl (ed.), *Facultas S. Theologiae Lovaniensis 1432-1797. Bijdragen tot haar geschiedenis. Contributions to its History. Contributions à son histoire,* 1977. 570 p. FB 1700.

46. M. Delcor (ed.), *Qumrân. Sa piété, sa théologie et son milieu,* 1978. 432 p. FB 1700.

47. M. Caudron (ed.), *Faith and Society. Foi et société. Geloof en maatschappij. Acta Congressus Internationalis Theologici Lovaniensis 1976,* 1978. 304 p. FB 1150.

48. J. KREMER (ed.), *Les Actes des Apôtres. Traditions, rédaction, théologie,* 1979. 590 p. FB 1700.
49. F. NEIRYNCK, avec la collaboration de J. DELOBEL, T. SNOY, G. VAN BELLE, F. VAN SEGBROECK, *Jean et les Synoptiques. Examen critique de l'exégèse de M.-É. Boismard,* 1979. XII-428 p. FB 1000.
50. J. COPPENS, *La relève apocalyptique du messianisme royal. I. La royauté – Le règne – Le royaume de Dieu. Cadre de la relève apocalyptique,* 1979. 325 p. FB 1000.
51. M. GILBERT (ed.), *La Sagesse de l'Ancien Testament,* 1979. Nouvelle édition mise à jour, 1990. 455 p. FB 1500.
52. B. DEHANDSCHUTTER, *Martyrium Polycarpi. Een literair-kritische studie,* 1979. 296 p. FB 1000.
53. J. LAMBRECHT (ed.), *L'Apocalypse johannique et l'Apocalyptique dans le Nouveau Testament,* 1980. 458 p. FB 1400.
54. P.-M. BOGAERT (ed.), *Le livre de Jérémie. Le prophète et son milieu. Les oracles et leur transmission,* 1981. 408 p. FB 1500.
55. J. COPPENS, *La relève apocalyptique du messianisme royal. III. Le Fils de l'homme néotestamentaire.* Édition posthume par F. NEIRYNCK, 1981. XIV-192 p. FB 800.
56. J. VAN BAVEL & M. SCHRAMA (ed.), *Jansénius et le Jansénisme dans les Pays-Bas. Mélanges Lucien Ceyssens,* 1982. 247 p. FB 1000.
57. J.H. WALGRAVE, *Selected Writings – Thematische geschriften. Thomas Aquinas, J.H. Newman, Theologia Fundamentalis.* Edited by G. DE SCHRIJVER & J.J. KELLY, 1982. XLIII-425 p. FB 1000.
58. F. NEIRYNCK & F. VAN SEGBROECK, avec la collaboration de E. MANNING, *Ephemerides Theologicae Lovanienses 1924-1981. Tables générales. (Bibliotheca Ephemeridum Theologicarum Lovaniensium 1947-1981),* 1982. 400 p. FB 1600.
59. J. DELOBEL (ed.), *Logia. Les paroles de Jésus – The Sayings of Jesus. Mémorial Joseph Coppens,* 1982. 647 p. FB 2000.
60. F. NEIRYNCK, *Evangelica. Gospel Studies – Études d'évangile. Collected Essays.* Edited by F. VAN SEGBROECK, 1982. XIX-1036 p. FB 2000.
61. J. COPPENS, *La relève apocalyptique du messianisme royal. II. Le Fils d'homme vétéro- et intertestamentaire.* Édition posthume par J. LUST, 1983. XVII-272 p. FB 1000.
62. J.J. KELLY, *Baron Friedrich von Hügel's Philosophy of Religion,* 1983. 232 p. FB 1500.
63. G. DE SCHRIJVER, *Le merveilleux accord de l'homme et de Dieu. Étude de l'analogie de l'être chez Hans Urs von Balthasar,* 1983. 344 p. FB 1500.
64. J. GROOTAERS & J.A. SELLING, *The 1980 Synod of Bishops: «On the Role of the Family». An Exposition of the Event and an Analysis of its Texts.* Preface by Prof. emeritus L. JANSSENS, 1983. 375 p. FB 1500.
65. F. NEIRYNCK & F. VAN SEGBROECK, *New Testament Vocabulary. A Companion Volume to the Concordance,* 1984. XVI-494 p. FB 2000.
66. R.F. COLLINS, *Studies on the First Letter to the Thessalonians,* 1984. XI-415 p. FB 1500.
67. A. PLUMMER, *Conversations with Dr. Döllinger 1870-1890.* Edited with Introduction and Notes by R. BOUDENS, with the collaboration of L. KENIS, 1985. LIV-360 p. FB 1800.

68. N. Lohfink (ed.), *Das Deuteronomium. Entstehung, Gestalt und Botschaft / Deuteronomy: Origin, Form and Message*, 1985. XI-382 p. FB 2000.

69. P.F. Fransen, *Hermeneutics of the Councils and Other Studies*. Collected by H.E. Mertens & F. De Graeve, 1985. 543 p. FB 1800.

70. J. Dupont, *Études sur les Évangiles synoptiques*. Présentées par F. Neirynck, 1985. 2 tomes, XXI-IX-1210 p. FB 2800.

71. *Recueil Lucien Cerfaux*, t. III, 1962. Nouvelle édition revue et complétée, 1985. LXXX-458 p. FB 1600.

72. J. Grootaers, *Primauté et collégialité. Le dossier de Gérard Philips sur la Nota Explicativa Praevia (Lumen gentium, Chap. III)*. Présenté avec introduction historique, annotations et annexes. Préface de G. Thils, 1986. 222 p. FB 1000.

73. A. Vanhoye (ed.), *L'apôtre Paul. Personnalité, style et conception du ministère*, 1986. XIII-470 p. FB 2600.

74. J. Lust (ed.), *Ezekiel and His Book. Textual and Literary Criticism and their Interrelation*, 1986. X-387 p. FB 2700.

75. É. Massaux, *Influence de l'Évangile de saint Matthieu sur la littérature chrétienne avant saint Irénée*. Réimpression anastatique présentée par F. Neirynck. *Supplément: Bibliographie 1950-1985*, par B. Dehand-schutter, 1986. XXVII-850 p. FB 2500.

76. L. Ceyssens & J.A.G. Tans, *Autour de l'Unigenitus. Recherches sur la genèse de la Constitution*, 1987. XXVI-845 p. FB 2500.

77. A. Descamps, *Jésus et l'Église. Études d'exégèse et de théologie*. Préface de Mgr A. Houssiau, 1987. XLV-641 p. FB 2500.

78. J. Duplacy, *Études de critique textuelle du Nouveau Testament*. Présentées par J. Delobel, 1987. XXVII-431 p. FB 1800.

79. E.J.M. van Eijl (ed.), *L'image de C. Jansénius jusqu'à la fin du XVIIIe siècle*, 1987. 258 p. FB 1250.

80. E. Brito, *La Création selon Schelling. Universum*, 1987. XXXV-646 p. FB 2980.

81. J. Vermeylen (ed.), *The Book of Isaiah – Le livre d'Isaïe. Les oracles et leurs relectures. Unité et complexité de l'ouvrage*, 1989. X-472 p. FB 2700.

82. G. Van Belle, *Johannine Bibliography 1966-1985. A Cumulative Bibliography on the Fourth Gospel*, 1988. XVII-563 p. FB 2700.

83. J.A. Selling (ed.), *Personalist Morals. Essays in Honor of Professor Louis Janssens*, 1988. VIII-344 p. FB 1200.

84. M.-É. Boismard, *Moïse ou Jésus. Essai de christologie johannique*, 1988. XVI-241 p. FB 1000.

84^A. M.-É. Boismard, *Moses or Jesus: An Essay in Johannine Christology*. Translated by B.T. Viviano, 1993, XVI-144 p. FB 1000.

85. J.A. Dick, *The Malines Conversations Revisited*, 1989. 278 p. FB 1500.

86. J.-M. Sevrin (ed.), *The New Testament in Early Christianity – La réception des écrits néotestamentaires dans le christianisme primitif*, 1989. XVI-406 p. FB 2500.

87. R.F. Collins (ed.), *The Thessalonian Correspondence*, 1990. XV-546 p. FB 3000.

88. F. Van Segbroeck, *The Gospel of Luke. A Cumulative Bibliography 1973-1988*, 1989. 241 p. FB 1200.

89. G. THILS, *Primauté et infaillibilité du Pontife Romain à Vatican I et autres études d'ecclésiologie,* 1989. XI-422 p. FB 1850.
90. A. VERGOTE, *Explorations de l'espace théologique. Études de théologie et de philosophie de la religion,* 1990. XVI-709 p. FB 2000.
91. J.C. DE MOOR, *The Rise of Yahwism: The Roots of Israelite Monotheism,* 1990. XII-315 p. FB 1250.
92. B. BRUNING, M. LAMBERIGTS & J. VAN HOUTEM (eds.), *Collectanea Augustiniana. Mélanges T.J. van Bavel,* 1990. 2 tomes, XXXVIII-VIII-1074 p. FB 3000.
93. A. DE HALLEUX, *Patrologie et œcuménisme. Recueil d'études,* 1990. XVI-887 p. FB 3000.
94. C. BREKELMANS & J. LUST (eds.), *Pentateuchal and Deuteronomistic Studies: Papers Read at the XIIIth IOSOT Congress Leuven 1989,* 1990. 307 p. FB 1500.
95. D.L. DUNGAN (ed.), *The Interrelations of the Gospels. A Symposium Led by M.-É. Boismard – W.R. Farmer – F. Neirynck, Jerusalem 1984,* 1990. XXXI-672 p. FB 3000.
96. G.D. KILPATRICK, *The Principles and Practice of New Testament Textual Criticism. Collected Essays.* Edited by J.K. ELLIOTT, 1990. XXXVIII-489 p. FB 3000.
97. G. ALBERIGO (ed.), *Christian Unity. The Council of Ferrara-Florence: 1438/39 – 1989,* 1991. X-681 p. FB 3000.
98. M. SABBE, *Studia Neotestamentica. Collected Essays,* 1991. XVI-573 p. FB 2000.
99. F. NEIRYNCK, *Evangelica II: 1982-1991. Collected Essays.* Edited by F. VAN SEGBROECK, 1991. XIX-874 p. FB 2800.
100. F. VAN SEGBROECK, C.M. TUCKETT, G. VAN BELLE & J. VERHEYDEN (eds.), *The Four Gospels 1992. Festschrift Frans Neirynck,* 1992. 3 volumes, XVII-X-X-2668 p. FB 5000.

SERIES III

101. A. DENAUX (ed.), *John and the Synoptics,* 1992. XXII-696 p. FB 3000.
102. F. NEIRYNCK, J. VERHEYDEN, F. VAN SEGBROECK, G. VAN OYEN & R. CORSTJENS, *The Gospel of Mark. A Cumulative Bibliography: 1950-1990,* 1992. XII-717 p. FB 2700.
103. M. SIMON, *Un catéchisme universel pour l'Église catholique. Du Concile de Trente à nos jours,* 1992. XIV-461 p. FB 2200.
104. L. CEYSSENS, *Le sort de la bulle Unigenitus. Recueil d'études offert à Lucien Ceyssens à l'occasion de son 90ᵉ anniversaire.* Présenté par M. LAMBERIGTS, 1992. XXVI-641 p. FB 2000.
105. R.J. DALY (ed.), *Origeniana Quinta. Papers of the 5th International Origen Congress, Boston College, 14-18 August 1989,* 1992. XVII-635 p. FB 2700.
106. A.S. VAN DER WOUDE (ed.), *The Book of Daniel in the Light of New Findings,* 1993. XVIII-574 p. FB 3000.
107. J. FAMERÉE, *L'ecclésiologie d'Yves Congar avant Vatican II: Histoire et Église. Analyse et reprise critique,* 1992. 497 p. FB 2600.

108. C. BEGG, *Josephus' Account of the Early Divided Monarchy (AJ 8, 212-420). Rewriting the Bible*, 1993. IX-377 p. FB 2400.

109. J. BULCKENS & H. LOMBAERTS (eds.), *L'enseignement de la religion catholique à l'école secondaire. Enjeux pour la nouvelle Europe*, 1993. XII-264 p. FB 1250.

110. C. FOCANT (ed.), *The Synoptic Gospels. Source Criticism and the New Literary Criticism*, 1993. XXXIX-670 p. FB 3000.

111. M. LAMBERIGTS (ed.), avec la collaboration de L. KENIS, *L'augustinisme à l'ancienne Faculté de théologie de Louvain*, 1994. VII-455 p. FB 2400.

112. R. BIERINGER & J. LAMBRECHT, *Studies on 2 Corinthians*, 1994. XX-632 p. FB 3000.

113. E. BRITO, *La pneumatologie de Schleiermacher*, 1994. XII-649 p. FB 3000.

114. W.A.M. BEUKEN (ed.), *The Book of Job*, 1994. X-462 p. FB 2400.

115. J. LAMBRECHT, *Pauline Studies: Collected Essays*, 1994. XIV-465 p. FB 2500.

116. G. VAN BELLE, *The Signs Source in the Fourth Gospel: Historical Survey and Critical Evaluation of the Semeia Hypothesis*, 1994. XIV-503 p. FB 2500.

117. M. LAMBERIGTS & P. VAN DEUN (eds.), *Martyrium in Multidisciplinary Perspective. Memorial L. Reekmans*, 1995. X-435 p. FB 3000.

118. G. DORIVAL & A. LE BOULLUEC (eds.), *Origeniana Sexta. Origène et la Bible/Origen and the Bible. Actes du Colloquium Origenianum Sextum, Chantilly, 30 août – 3 septembre 1993*, 1995. XII-865 p. FB 3900.

119. É. GAZIAUX, *Morale de la foi et morale autonome. Confrontation entre P. Delhaye et J. Fuchs*, 1995. XXII-545 p. FB 2700.

120. T.A. SALZMAN, *Deontology and Teleology: An Investigation of the Normative Debate in Roman Catholic Moral Theology*, 1995. XVII-555 p. FB 2700.

121. G.R. EVANS & M. GOURGUES (eds.), *Communion et Réunion. Mélanges Jean-Marie Roger Tillard*, 1995. XI-431 p. FB 2400.

122. H.T. FLEDDERMANN, *Mark and Q: A Study of the Overlap Texts*. With an *Assessment* by F. NEIRYNCK, 1995. XI-307 p. FB 1800.

123. R. BOUDENS, *Two Cardinals: John Henry Newman, Désiré-Joseph Mercier*. Edited by L. GEVERS with the collaboration of B. DOYLE, 1995. 362 p. FB 1800.

124. A. THOMASSET, *Paul Ricœur. Une poétique de la morale. Aux fondements d'une éthique herméneutique et narrative dans une perspective chrétienne*, 1996. XVI-706 p. FB 3000.

125. R. BIERINGER (ed.), *The Corinthian Correspondence*, 1996. XXVII-793 p. FB 2400.

126. M. VERVENNE (ed.), *Studies in the Book of Exodus: Redaction – Reception – Interpretation*, 1996. XI-660 p. FB 2400.

127. A. VANNESTE, *Nature et grâce dans la théologie occidentale. Dialogue avec H. de Lubac*, 1996. 312 p. FB 1800.

128. A. CURTIS & T. RÖMER (eds.), *The Book of Jeremiah and its Reception – Le livre de Jérémie et sa réception*, 1997. 332 p. FB 2400.

129. E. LANNE, *Tradition et Communion des Églises. Recueil d'études*, 1997. XXV-703 p. FB 3000.

130. A. DENAUX & J.A. DICK (eds.), *From Malines to ARCIC. The Malines Conversations Commemorated*, 1997. IX-317 p. FB 1800.
131. C.M. TUCKETT (ed.), *The Scriptures in the Gospels*, 1997. FB 2400.

ORIENTALISTE, KLEIN DALENSTRAAT 42, B-3020 HERENT